スバラシク面白いと評判の

初めから始める
数学III・C Part1 改訂2 revision2

馬場敬之
高杉 豊

マセマ出版社

◆ はじめに ◆

みなさん, こんにちは。数学の**馬場敬之 (ばばけいし)** です。理系で受験しようとする人にとって, **数学 Ⅲ・C** はどうしても超えなければならないハードルなんだね。そして, この数学 Ⅲ・C は数学 Ⅰ・A や数学 Ⅱ・B より確かに内容が豊富でレベルも高いので, ここで脱落して, 理系を諦めてしまう人が多いかもしれないね。

でも, 難攻不落に思える数学 Ⅲ・C でも, 体系だった分かりやすい講義を受け, そしてよく反復練習さえすれば, 誰でもマスターすることは可能なんだ。まったくの初心者の人でも数学 Ⅲ・C の基本を無理なく理解できるように, この「初めから始める数学 Ⅲ・C Part1 改訂 2」を書き上げたんだ。

そして, この「初めから始める数学 Ⅲ・C Part1 改訂 2」では数学 Ⅲ・C の前半部分を, そして続編の「同 Part2」では数学 Ⅲ・C の後半部分について詳しく解説する。どちらも, 偏差値 **40** 前後の数学アレルギーの人でも, 初めから数学 Ⅲ・C をマスターできるように, それこそ**高1・高2レベルの数学からスバラシク親切に解説した, 読みやすい講義形式の参考書**なんだよ。

本書では, "**ベクトル**", "**複素数平面**", "**式と曲線**", そして "**関数**" と, 数学 Ⅲ・C の前半の重要テーマを**豊富な図解と例題**, それに読者の目線に立った分かりやすく楽しい**語り口調の解説**で, ていねいに教えていく。

また, 複素数とベクトルを比較したり, ゴム板に書かれた円とだ円の関係など, 様々な工夫をこらしている。だから, 一般の数学 Ⅲ・C の解説書のように肩肘を張らずに, 自然に**数学 Ⅲ・C の面白い世界に入っていける**はずだ。でも, 内容はよく吟味された本格的なものだから, この本をシッカリマスターすれば, **数学 Ⅲ・C についても十分な受験基礎力を身につける**ことができるんだね。

この本は **16 回の講義形式**になっており，流し読みだけなら **2** 週間足らずで読み切ってしまうことも可能だ。まず，この **「流し読み」**により，数学 **III・C** の全貌を押さえ，大雑把だけれど，どのようなテーマをこれから勉強していくのかをつかんでほしい。でも，**「数学にアバウトな発想は一切通用しない」**んだね。だから，必ずその後で**「精読」**して，講義や，例題・練習問題の解答・解説を完璧に**自分の頭でマスター**するようにするんだよ。この**自分で考える**という作業が数学に強くなる一番の秘訣なんだね。

そして，自信がついたら今度は，解答を見ずに**「自力で問題を解く」**ことだ。そして，自力で解けたとしても，まだ安心してはいけない。人間は忘れやすい生き物だからだ。その後の**「反復練習」**をシッカリやって，スラスラ解けるようになるまで頑張ろう。**練習問題**には **3** つのチェック欄を設けておいたから，1 回自力で解く毎に"○"を付けていけばいい。最低でも 3 回は自力で問題を解いてみよう。また，毎回○の中に，その問題を解くのにかかった**所要時間**を書き込んでおくと，**自分の成長過程**が分かって，さらに楽しいかもしれないね。

「流し読み」，**「精読」**，**「自力で解く」**，そして**「反復練習」**，この **4** つがキミの実力を本物にしてくれる大切なプロセスなんだ。頑張ろうね！

「楽しみながら，強くなる！」のが，マセマの数学だ。だから，最初は気を楽にまずこの本と向き合ってくれたらいいんだね。そして，読み進んでいくうちに，**数学 III・C の考え方の面白さ**，問題が解ける楽しさが分かってくるはずだ。サァ，それでは早速講義を始めよう！

> マセマ代表　馬場 敬之
> 高杉 豊

> このところ，高校数学の**教科書**でさえ独自の教示法を諦めて，**マセマの本の記述**や**解法パターン**にそのまま従うようになっています。つまり，マセマの本は日本の**数学教材の最高峰**に位置しているのです。親切で分かりやすいマセマの本で**楽しみながら**数学の実力をどんどん**伸ばしていきましょう!!**

> この改訂 **2** では，補充問題として直線と平面の交点の問題を加えました。

3

4

第4章　式と曲線（数学C）

第5章　関数（数学Ⅲ）

第 1 章
CHAPTER  平面ベクトル

——————— テーマ ———————

▶ ベクトルの 1 次結合，まわり道の原理

▶ 平面ベクトルの成分表示，内積

▶ 平面ベクトルの内分点・外分点の公式

▶ ベクトル方程式

1st day　ベクトルの1次結合，まわり道の原理

　みんな，おはよう！ さァ，今日から気分も新たに，「**数学 III・C Part1**」の講義を始めよう！最初のテーマは，"**平面ベクトル**"だよ。ベクトルには，"**平面ベクトル**"と"**空間ベクトル**"の2種類があるんだけれど，この章ではまず平面上のベクトル，つまり"**平面ベクトル**"について教えよう！ン？みんな，ベクトルって何！？って顔をしてるね。

　実はこのベクトルとは，"**大きさ**"と"**向き**"をもった量のことで，図形的には"**矢線**（やせん）"で表記することになる。だから，初めから図を沢山使ったビジュアル（視覚的）な授業になるから面白いと思うよ。

　今日の講義では，ベクトルの基本として，"**ベクトルの定義**"，"**ベクトルの1次結合**（いちじけつごう）"，それに"**まわり道の原理**"まで教えるつもりだ。ベクトルには独特の考え方があるので，初めは少し戸惑うかも知れないね。でも，今回もまた分かりやすく教えるから，すべてマスターできるはずだ。

● ベクトルって，何だろう!?

　「毎秒 $10\mathbf{m}$ の速さで，東向きに移動する。」とか，「$100\mathbf{N}$ の力が下向きに働く。」とか，世の中には，"**大きさ**"と"**向き**"をもった量が沢山存在するんだね。もちろん，数学では，"**m/秒**"や"**N**（ニュートン）"といった物理的な単位は切り捨てて考えるんだけど，この"**大きさ**"と"**向き**"をもった量のことを"**ベクトル**"と呼ぶんだよ。

　ベクトルは，普通の実数 a, b などと区別するため，頭に"→"をつけて，$\vec{a}$, $\vec{b}$ などと表す。

$\boxed{\text{"ベクトル } a \text{"}}$ $\boxed{\text{"ベクトル } b \text{"}}$ と読む！

　$\vec{a}$ の例として，図1に示した

図1　ベクトル $\vec{a}$

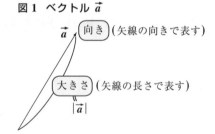

$\vec{a}$ 　（向き）（矢線の向きで表す）

（大きさ）（矢線の長さで表す）

$|\vec{a}|$

・$\vec{a}$ の"**大きさ**"は，矢線の長さで表示し，これを $|\vec{a}|$ と表す。

$\boxed{\text{"} \vec{a} \text{ の大きさ" と読む！}}$

・また，$\vec{a}$ の"**向き**"は，文字通り矢線の向きで表す。

エッ，実際に $|\vec{a}|=3$ と $|\vec{b}|=2$ の2つの
ベクトル $\vec{a}$ と $\vec{b}$ をどのように描くのかって？
図2に示すように，まず $\vec{a}$ の向きに適当な
長さの矢線をとって，それを $\vec{a}$ と定めれば
いいんだね。そして，この $\vec{a}$ の大きさ $|\vec{a}|$ を
3と考えるので，次 $|\vec{b}|=2$ のベクトル $\vec{b}$ は，
$\vec{b}$ の向きに，この $\vec{a}$ の長さの $\frac{2}{3}$ の大きさを
とって，示せばいいんだね。要領は分かった？

図2 $\vec{a}$ と $\vec{b}$

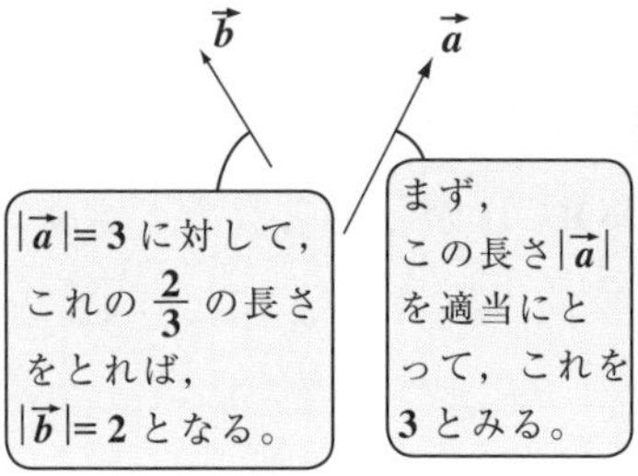

$|\vec{a}|=3$ に対して，これの $\frac{2}{3}$ の長さをとれば，$|\vec{b}|=2$ となる。

まず，この長さ $|\vec{a}|$ を適当にとって，これを3とみる。

次，ベクトルというのは "大きさ" と "向
き" をもった量なので，逆に言うならば，"大
きさ" と "向き" さえ同じであるならば平
行移動しても，$\vec{a}$ は同じ $\vec{a}$ であり，$\vec{b}$ は同じ
$\vec{b}$ なんだね。その様子を図3に示しておい
た。これも，ベクトルの重要な性質なんだよ。

図3 $\vec{a}$ と $\vec{b}$

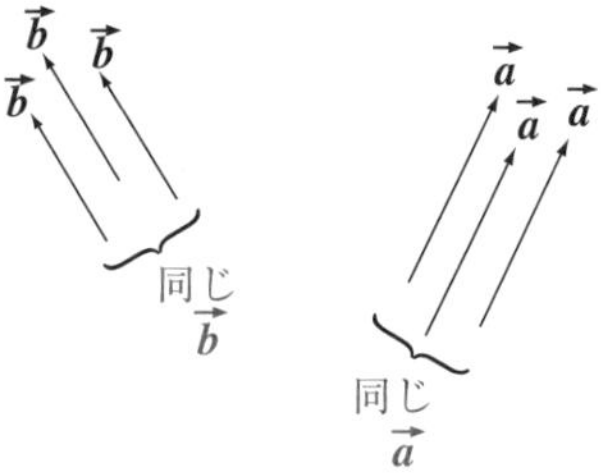

同じ $\vec{b}$

同じ $\vec{a}$

高校で学習するベクトルには，実は，

$\begin{cases} （\text{I}）\textbf{平面ベクトル} \quad \text{と} \\ （\text{II}）\textbf{空間ベクトル} \quad \text{の2種類がある。} \end{cases}$

空間ベクトルについては，第2章で解説するね。

（I）**平面ベクトル**は，文字通りある平面上にのみ存在するベクトルのこと
で，これに対して，（II）**空間ベクトル**は3次元空間に広く存在するベクトル
なんだ。でも，この章では平面ベクトルだけに話をしぼって解説していこう
と思う。これでベクトルの基本がすべて身に付くからなんだね。

ここで，$\vec{a}$ や $\vec{b}$ など以外のベクトルの表
し方についても言っておこう。図4に示す
ように，平面上に2つの定点 A，B が与え
られているとき，A から B に向かうベクト
ルを $\overrightarrow{AB}$ と表すことも覚えておこう。この
とき，A を "**始点**"，B を "**終点**" という。

図4 $\overrightarrow{AB}$

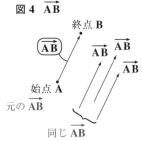

終点 B

$\overrightarrow{AB}$

始点 A

元の $\overrightarrow{AB}$

同じ $\overrightarrow{AB}$

そして，いったんベクトル $\overrightarrow{AB}$ になったならば，元の **2** 定点から離れて，平行移動したものも，同じ $\overrightarrow{AB}$ になる。"大きさ" と "向き" が元の $\overrightarrow{AB}$ と同じだからだ。納得いった？　だから，図 **5** に示すような，平行四辺形 **ABCD** が与えられたとき，

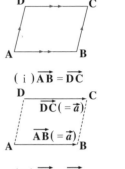

図 **5**　平行四辺形 **ABCD**

(i) $\overrightarrow{AB} = \overrightarrow{DC}$

(ii) $\overrightarrow{AD} = \overrightarrow{BC}$

・図 **5**(i) のように，$\overrightarrow{AB}$ と $\overrightarrow{DC}$ は "大きさ" と "向き" が等しいベクトルなので，
$$\overrightarrow{AB} = \overrightarrow{DC} \cdots\cdots ①$$ となるんだね。

・同様に，図 **5**(ii) のように，$\overrightarrow{AD}$ と $\overrightarrow{BC}$ も，"大きさ" と "向き" が等しいベクトルなので，
$$\overrightarrow{AD} = \overrightarrow{BC} \cdots\cdots ②$$ となる。

ここで，$\overrightarrow{AB} = \vec{a}$ とおくと，①より，
$$\overrightarrow{DC} = \vec{a}$$ となるし，

また，$\overrightarrow{AD} = \vec{b}$ とおくと，②より，
$$\overrightarrow{BC} = \vec{b}$$ となるんだね。大丈夫だね。

● ベクトルを実数倍してみよう！

次，$\vec{a}$ の**実数倍**について解説しよう。$\vec{a}$ に実数 k をかけたもの，すなわち $k\vec{a}$ は，k の符号（$\oplus, \ominus$）によって，**2** つに分類される。

図 **6**(i) に，$k > 0$ のときの例として，$k = \dfrac{1}{2}$ と **2** のときのものを示した。$\vec{a}$ に対して，$\dfrac{1}{2}\vec{a}$ と $2\vec{a}$ は，$\vec{a}$ と同じ向きで，その大きさはそれぞれ $|\vec{a}|$ の $\dfrac{1}{2}$ 倍，**2** 倍になるんだね。

図 **6**(ii) に，$k < 0$ のときの例として，$k = -\dfrac{1}{2}$ と -1 と -2 のときのものを示した。$\vec{a}$ に対して，$-\dfrac{1}{2}\vec{a}$，$-1 \cdot \vec{a}$，$-2 \cdot \vec{a}$ は，$\vec{a}$ と反対の向きで，

図 **6**　$\vec{a}$ の実数倍

(i)

(ii)

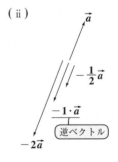

逆ベクトル

その大きさはそれぞれ，$|\vec{a}|$ の $\frac{1}{2}$ 倍，1 倍，2 倍になるのが分かると思う。

ここで，$-1 \cdot \vec{a} = -\vec{a}$ と表し，これを特に "$\vec{a}$ の逆ベクトル" と呼ぶ。逆ベクトル $-\vec{a}$ は，$\vec{a}$ と大きさが同じで，向きが逆向きのベクトルのことなんだね。

最後に，$k = 0$ のとき，$0 \cdot \vec{a}$ がどうなるかについても話しておこう。この場合，$0 \cdot \vec{a} = \vec{0}$ とおいて，これを "零ベクトル" と呼ぶ。この零ベクトル $\vec{0}$ は，大きさが 0 のベクトルなんだ。エッ，$\vec{0}$ はどんな "矢線" で示すのかって？ $\vec{0}$ は大きさが 0 だから，これまでのような "矢線" では表すことのできない特殊なベクトルだけど，具体的には，$\overrightarrow{AA}$ や $\overrightarrow{BB}$ など，始点と終点が一致するベクトルのことなんだね。納得いった？

$\vec{a}$ が $\vec{0}$ でないとき，たとえば $|\vec{a}| = 3$ であったとしよう。すると，この $\vec{a}$

> このとき，$\vec{a}$ の大きさは 0 ではないので，$|\vec{a}| > 0$ となるね。

を自分自身の大きさ 3 で割ったベクトル，

すなわち $\vec{a}$ を $\frac{1}{3}$ 倍したベクトル $\frac{1}{\boxed{3}}\vec{a}$ は，

> $|\vec{a}|$ のこと

図7 単位ベクトル $\vec{e}$

$$\vec{e} = \frac{1}{|\vec{a}|}\vec{a}$$

大きさが 1 のベクトルになるね。この大きさ 1 のベクトルのことを "単位ベクトル" と呼び，一般に $\vec{e}$ で表すことも覚えておこう。ここでは，まず，$|\vec{a}| = 3$ の例で話したけれど，一般論として，$\vec{0}$ でない $\vec{a}$ を，自分自身の大きさ $|\vec{a}| (\neq 0)$ で割ったベクトル $\frac{1}{|\vec{a}|}\vec{a}$ は，$\vec{a}$ と同じ向きの単位ベクトル $\vec{e}$ になるんだね。これを図7に示しておいた。

> 大きさが 1 のベクトル

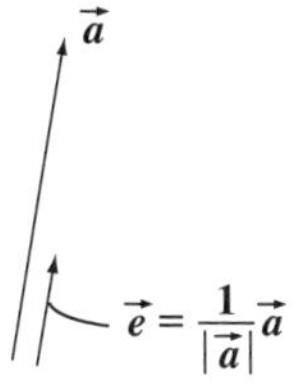

ン？ 頭が混乱してきたって？ いいよ。以上のことを基本事項として，まとめて示しておこう。これまで具体例で示してきたから，意味はよく分かると思うよ。

ベクトルの実数倍

（Ⅰ）$\vec{a}$ を実数 k 倍したベクトル $k\vec{a}$ について，

   （ⅰ）$k>0$ のとき，$k\vec{a}$ は，

      $\vec{a}$ と同じ向きで，その大きさを $\underset{\oplus}{k}$ 倍したベクトルになる。

   （ⅱ）$k<0$ のとき，$k\vec{a}$ は，   たとえば，$k=-2$ のとき $-k=2$ となる。

      $\vec{a}$ と逆向きで，その大きさを $\underset{\oplus}{-k}$ 倍したベクトルになる。

      （特に $k=-1$ のとき，$-1\cdot\vec{a}=-\vec{a}$ を，$\vec{a}$ の**逆ベクトル**という。）

（Ⅱ）**零ベクトル $\vec{0}$**   大きさが 0 の特殊なベクトル （$0\cdot\vec{a}=\vec{0}$ となる。）

（Ⅲ）**単位ベクトル $\vec{e}$**   大きさが 1 のベクトル

それでは，次の練習問題 1 で，実際にベクトルを図示してみよう。

練習問題　1	単位ベクトル	CHECK *1*	CHECK *2*	CHECK *3*

右図に示すような，大きさが 2 のベクトル $\vec{b}$ がある。

$\vec{b}$ と逆向きの単位ベクトル $\vec{e}$ を求めて，図示せよ。

$|\vec{b}|=2$ だから，$\dfrac{1}{|\vec{b}|}\vec{b}=\dfrac{1}{2}\vec{b}$ が，$\vec{b}$ と同じ向きの単位ベクトル（大きさ 1 のベクトル）になる。今回は，逆向きの単位ベクトルを求めるんだね。

$\vec{b}$ の大きさが 2 より，$|\vec{b}|=2$ だね。よって，$\vec{b}$ と同じ向きの単位ベクトルは $\dfrac{1}{|\vec{b}|}\vec{b}=\dfrac{1}{2}\vec{b}$ となる。今回は，$\vec{b}$ と逆向きの単位ベクトル $\vec{e}$ を求めたいので，この $\dfrac{1}{2}\vec{b}$ の逆ベクトルが答えだね。

よって，$\vec{e}=-\dfrac{1}{2}\vec{b}$ となる。

$\vec{b}$ と $\vec{e}$ を，右に図示する。

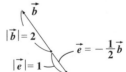

次，共に $\vec{0}$ でない 2 つのベクトル $\vec{a}$ と $\vec{b}$ が平行になるための条件，つまり $\vec{a}$ と $\vec{b}$ の **"平行条件"** についても，次に示そう。

■ ベクトルの平行条件

共に $\vec{0}$ でない 2 つのベクトル $\vec{a}$ と $\vec{b}$ が

$\vec{a}//\vec{b}$ (平行) となるための必要十分条件

は, $\vec{a}=k\vec{b}$ である。(k : 0 でない実数)

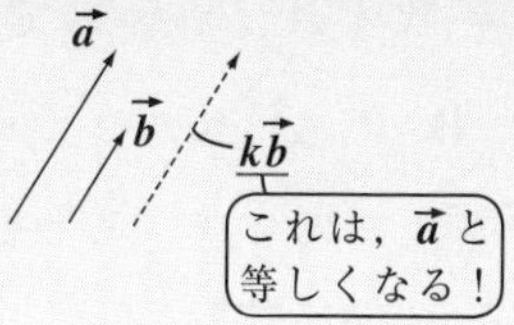

これは, $\vec{a}$ と等しくなる！

　この意味は分かるね。共に $\vec{0}$ でない 2 つのベクトル $\vec{a}$ と $\vec{b}$ が $\vec{a}//\vec{b}$ (平行) であるとき, $\vec{b}$ に何かある実数 k をかければ, $\vec{a}$ と等しくなるはずだからだ。よって, $\vec{a}\neq\vec{0}$, $\vec{b}\neq\vec{0}$ の条件の下で,

$\begin{cases} \cdot\ \vec{a}//\vec{b} \quad ならば, \quad \vec{a}=k\vec{b} \qquad と言えるし, また, \\ \cdot\ \vec{a}=k\vec{b} \quad ならば, \quad \vec{a}//\vec{b} (平行) と言えるんだよ。 \end{cases}$

● ベクトルの和と差も押さえよう！

　ベクトルの実数倍の話が終わったので, いよいよ 2 つのベクトル $\vec{a}$ と $\vec{b}$ の和 $(\vec{a}+\vec{b})$ と差 $(\vec{a}-\vec{b})$ について解説しよう。

　まず, 和と差のベクトルをそれぞれ $\vec{c}$ と $\vec{d}$ とおくと,

　(I) $\vec{c}=\vec{a}+\vec{b}$　　(II) $\vec{d}=\vec{a}-\vec{b}$　　になる。

(I) ベクトルの和 $\vec{c}=\vec{a}+\vec{b}$ について, まず考えてみよう。

下の図 8 (i) のように, 2 つのベクトル $\vec{a}$ と $\vec{b}$ が与えられたとするよ。そして, これらの和 $\vec{c}=\vec{a}+\vec{b}$ を求めたかったならば, 図 8 (ii) のように, 2 つのベクトルの始点をまず一致させる。そして, 図 8 (iii) に示すように, $\vec{a}$ と $\vec{b}$ を 2 辺とする平行四辺形を作り, その対角線を矢線にもつベクトルを求めれば, これが $\vec{a}$ と $\vec{b}$ の和, すなわち $\vec{c}=\vec{a}+\vec{b}$ になるんだね。これは, ベクトル独特の面白い考え方を示しているんだよ。図 8 (iii) の $\vec{c}$ の始点と終点に着目してみよう。ここで, 図 8 (iv) のように, $\vec{b}$ を平行移動させても同じ $\vec{b}$ になるので, 始点から, 中継点を経て, 終点に至るベクトルの動きが, 直線的に始点から終点に至る $\vec{c}$ と同じであると言っているんだね。

図 8　ベクトルの和

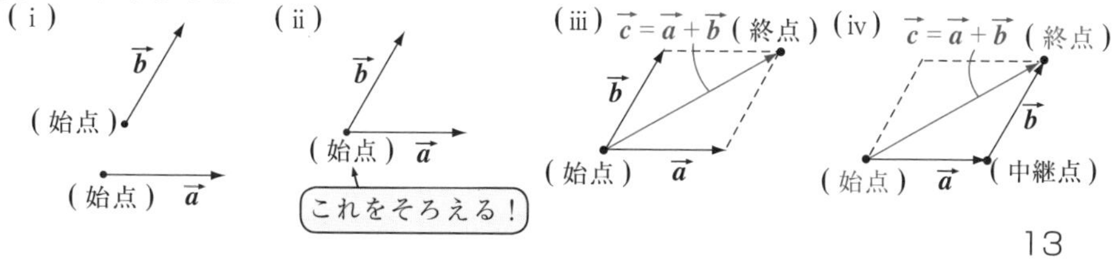

(i)

(始点)

(ii)

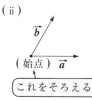

(始点) $\vec{a}$

これをそろえる！

(iii) $\vec{c}=\vec{a}+\vec{b}$ (終点)

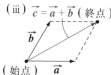

(始点)　$\vec{a}$

(iv) $\vec{c}=\vec{a}+\vec{b}$ (終点)

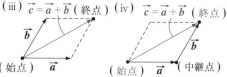

(始点)　$\vec{a}$　(中継点)

この考え方から，ベクトルでは始点と終点さえ一致すればいいので，図9のように5点A，B，P，Q，Rが与えられたならば，次の㋑の等式が成り立つことも分かるだろう。

図9 ベクトルの和

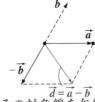

$$\overrightarrow{AB} = \overrightarrow{AP} + \overrightarrow{PQ} + \overrightarrow{QR} + \overrightarrow{RB} \quad \cdots\cdots ㋑$$

始点→終点　始点→中継点→中継点→中継点→終点

　エッ，㋑の右辺みたいに，沢山まわり道して行くものと，㋑の左辺のように直線的に行くものが，同じになるなんて，納得できないって？ 確かにボク達の常識から言うとそうだね。電車でこんなにまわり道したんじゃ，時間もかかるし，運賃だって余分にとられると思う。でも，ベクトルではこのように，始点と終点が同じであれば直線的に行っても，まわり道をして行っても同じになるんだよ。

(Ⅱ)次，ベクトルの差 $\vec{d} = \vec{a} - \vec{b}$ についても考えてみよう。

これを，$\vec{d} = \vec{a} + (-\vec{b})$ と変形すると，$\vec{a}$ と $\vec{b}$ の差は，$\vec{a}$ と $-\vec{b}$ の和と考えられる。よって，図8と同じ $\vec{a}$ と $\vec{b}$ を使って，ベクトルの差 $\vec{d}$ を求める様子を示すと，図10のようになるんだね。まず，$\vec{a}$ と $\vec{b}$ の始点を一致するようにそろえ，さらに $\vec{b}$ の逆ベクトル $-\vec{b}$ も同じく始点をそろえて描く。次に，$\vec{a}$ と $-\vec{b}$ の和を求めればいいので，この

$\vec{b}$ の逆ベクトル

図10 ベクトルの差

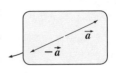

2つのベクトルを2辺とする平行四辺形を作り，その対角線を矢線にもつベクトルを描けば，それが求める $\vec{d} = \vec{a} - \vec{b}$ になるんだね。納得いった？

　ここで，$\vec{0}$ に関連した和や差の公式を下に示す。

$$\vec{a} + \vec{0} = \vec{0} + \vec{a} = \vec{a} \quad \cdots\cdots ①, \qquad \vec{a} - \vec{a} = \vec{0} \quad \cdots\cdots ②$$

$\vec{a}$ に $\vec{0}$ をたしても変化しないことを①は示している。また，②の左辺を $\vec{a} + (-\vec{a})$ と見ると，$\vec{a}$ とその逆ベクトル $-\vec{a}$ との和は互いに打ち消し合って，$\vec{0}$ になると考えてもいいんだね。

これまで、ベクトルの実数倍 ($k\vec{a}$ や $\vec{lb}$ など) と、ベクトルの和と差 ($\vec{a}+\vec{b}$ と $\vec{a}-\vec{b}$) について勉強したので、これらを組み合わせるとさまざまなベクトルの計算が、あたかも文字定数 a や b などの 1 次式の計算と同様に行えるようになるんだよ。いくつか、例題で練習してみよう。

$(ex1)$ $2\vec{a} + \vec{a} = (2+1)\vec{a} = 3\vec{a}$ ← これは、$2a+a=(2+1)a=3a$ と同じ。

$2\vec{a}$ + $\vec{a}$ = $3\vec{a}$ イメージ

$(ex2)$ $3\vec{b} - 2\vec{b} = (3-2)\vec{b} = 1 \cdot \vec{b} = \vec{b}$ ← $3b-2b=(3-2)b=b$ と同じ。

これは、$3\vec{b} + (-2\vec{b}) = \vec{b}$ と考えれば、イメージがわくね。

$3\vec{b}$ + $-2\vec{b}$ = $\begin{array}{c}-2\vec{b}\\[2pt]\overline{3\vec{b}}\quad\vec{b}\end{array}$

それでは、次の練習問題でさらに計算してみよう。

練習問題 2	ベクトルの計算	CHECK *1*	CHECK *2*	CHECK *3*

次のベクトルの式を簡単にせよ。

(1) $5(\vec{a}+\vec{b}) - 2(2\vec{a}-3\vec{b})$ 　　(2) $-(4\overrightarrow{AB}-\overrightarrow{AC}) + 2(3\overrightarrow{AB}-2\overrightarrow{AC})$

(1)(2) 共に、a や b などの 1 次式の計算と同様に計算すればいいよ。

(1) $5(\vec{a}+\vec{b}) - 2(2\vec{a}-3\vec{b})$

$= 5\vec{a} + 5\vec{b} - 4\vec{a} + 6\vec{b}$

$= (5-4)\vec{a} + (5+6)\vec{b}$

$= \vec{a} + 11\vec{b}$ となる。

> これは、
> $5(a+b)-2(2a-3b)$
> $=5a+5b-4a+6b$
> $=a+11b$
> と同じ変形だね。

(2) $-1 \cdot (4\overrightarrow{AB}-\overrightarrow{AC}) + 2(3\overrightarrow{AB}-2\overrightarrow{AC})$

$= -4\overrightarrow{AB} + \overrightarrow{AC} + 6\overrightarrow{AB} - 4\overrightarrow{AC}$

$= (-4+6)\overrightarrow{AB} + (1-4)\overrightarrow{AC}$

$= 2\overrightarrow{AB} - 3\overrightarrow{AC}$ となる。

> これは、
> $-1(4a-b)+2(3a-2b)$
> $=-4a+b+6a-4b$
> $=2a-3b$
> と同じ変形だね。

どう？ これで、ベクトルの演算にも自信が付いただろう。

● まわり道の原理は，式変形に役に立つ！

　ベクトルの場合，$\overrightarrow{AB}$ のように，点 A から点 B に直線的に移動しても，ある中継点を経由して，点 A から点 B に向かっても等しいという性質がある。これを，ボクは"**まわり道の原理**"と呼んでいるんだけど，ベクトルの式を変形していく際に非常に役に立つので，シッカリマスターしよう。まわり道の原理を使えば，$\overrightarrow{AB}$ は中継点のとり方によって，次のようにさまざまな形に変形できる。

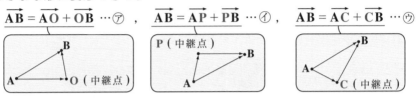

$$\overrightarrow{AB} = \overrightarrow{AO} + \overrightarrow{OB} \cdots ㋐ ， \quad \overrightarrow{AB} = \overrightarrow{AP} + \overrightarrow{PB} \cdots ㋑ ， \quad \overrightarrow{AB} = \overrightarrow{AC} + \overrightarrow{CB} \cdots ㋒$$

このように，中継点は何でもよいので，これを "○" で表すと，

$$\overrightarrow{AB} = \overrightarrow{A○} + \overrightarrow{○B}$$ （中継点）　の形に変形できる。これをボクは"**たし算形式のまわ**

り道の原理"と呼んでいる。

　次に，㋐の右辺の $\overrightarrow{AO}$ が，$\overrightarrow{AO} = -\overrightarrow{OA}$ となることは大丈夫？　$\overrightarrow{OA}$ は $\overrightarrow{AO}$ の逆ベクトルになるんだけど，さらにその逆ベクトル $-\overrightarrow{OA}$ は反対の反対で，元の $\overrightarrow{AO}$ と等しくなるんだね。　∴ $\overrightarrow{AO} = -\overrightarrow{OA}$……㋐′ となる。この㋐′を㋐に代入すると，

$$\overrightarrow{AB} = -\overrightarrow{OA} + \overrightarrow{OB} = \overrightarrow{OB} - \overrightarrow{OA} ……㋓ となる。$$
（$\overrightarrow{AO}$）

　同様に，$\overrightarrow{AP} = -\overrightarrow{PA}$ ……㋑′，$\overrightarrow{AC} = -\overrightarrow{CA}$ ……㋒′ より，㋑，㋒にそれぞれ㋑′，㋒′を代入すると，

㋑は，$\overrightarrow{AB} = -\overrightarrow{PA} + \overrightarrow{PB} = \overrightarrow{PB} - \overrightarrow{PA}$ ……㋔ となるし，また，

（$\overrightarrow{AP}$ のこと）←[反対の反対で，元の $\overrightarrow{AP}$ と同じだね。]

㋒は，$\overrightarrow{AB} = -\overrightarrow{CA} + \overrightarrow{CB} = \overrightarrow{CB} - \overrightarrow{CA}$ ……㋕ となるのもいいね。

（$\overrightarrow{AC}$ のこと）←[反対の反対で，元の $\overrightarrow{AC}$ と同じだね。]

以上，㋓，㋔，㋕ を並べて書くと，

$$\overrightarrow{AB} = \overrightarrow{OB} - \overrightarrow{OA} \cdots ⊕, \quad \overrightarrow{AB} = \overrightarrow{PB} - \overrightarrow{PA} \cdots ⊛, \quad \overrightarrow{AB} = \overrightarrow{CB} - \overrightarrow{CA} \cdots ⊘$$

中継点 O　　　　　中継点 P　　　　　中継点 C

となる。この場合も，中継点は何でもかまわないので，これを "○" で表すことにすると，

$$\overrightarrow{AB} = \overrightarrow{○B} - \overrightarrow{○A}$$ の形に変形できる。これをボクは "**引き算形式のまわ**

中継点○

り道の原理" と呼んでいる。ベクトルの式を変形していく上で，非常に役に立つ公式なんだよ。

■ まわり道の原理

$\overrightarrow{AB}$ に対して何か中継点を "○" とおくと，

（Ⅰ）たし算形式のまわり道の原理は，

$$\overrightarrow{AB} = \overrightarrow{A○} + \overrightarrow{○B} \quad となる。$$

（Ⅱ）引き算形式のまわり道の原理は，

$$\overrightarrow{AB} = \overrightarrow{○B} - \overrightarrow{○A} \quad となる。$$

B から A を引くと覚えよう！

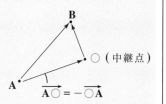

$$\overrightarrow{A○} = -\overrightarrow{○A}$$

これから，引き算形式のまわり道の原理を用いると，$\overrightarrow{MN} = \overrightarrow{ON} - \overrightarrow{OM}$，

Q から P を引く！　　Q から C を引く！　　N から M を引く！　　中継点 O

$$\overrightarrow{PQ} = \overrightarrow{AQ} - \overrightarrow{AP}, \quad \overrightarrow{CQ} = \overrightarrow{XQ} - \overrightarrow{XC} \quad などの変形ができるようになるんだね。$$

中継点 A　　　　中継点 X

だから，練習問題 2(2) の答えの $2\overrightarrow{AB} - 3\overrightarrow{AC}$ も，点 O を始点とするベクトルに書き換えたかったならば，"引き算形式のまわり道の原理" を用いて，

$$2\overrightarrow{AB} - 3\overrightarrow{AC} = 2(\overrightarrow{OB} - \overrightarrow{OA}) - 3(\overrightarrow{OC} - \overrightarrow{OA})$$

$$= 2\overrightarrow{OB} - 2\overrightarrow{OA} - 3\overrightarrow{OC} + 3\overrightarrow{OA}$$

$$= (3-2)\overrightarrow{OA} + 2\overrightarrow{OB} - 3\overrightarrow{OC}$$

$$= \overrightarrow{OA} + 2\overrightarrow{OB} - 3\overrightarrow{OC} \quad と，アッという間に変形できてしまうんだね。$$

● ベクトルの 1 次結合にも，チャレンジしよう！

2 つのベクトル $\vec{a}$ と $\vec{b}$，それに 2 つの実数 s と t を使って作られた式：$s\vec{a}+t\vec{b}$ のことを，$\vec{a}$ と $\vec{b}$ の "1 次結合" というんだよ。具体的には，$2\vec{a}+3\vec{b}$ や $-3\vec{a}+5\vec{b}$ などのことを，$\vec{a}$ と $\vec{b}$ の 1 次結合という。大丈夫？

ここで，$\vec{a}$ と $\vec{b}$ が共に $\vec{0}$ でなく，かつ，互いに平行でない場合を考えよう。これを数学的に表すと，$\vec{a} \neq \vec{0}$，$\vec{b} \neq \vec{0}$，かつ $\vec{a} \nparallel \vec{b}$ となる。このとき，$\vec{a}$ と $\vec{b}$

> $\vec{a}$ と $\vec{b}$ が，$\vec{a} \neq \vec{0}$，$\vec{b} \neq \vec{0}$ かつ $\vec{a} \nparallel \vec{b}$ であるとき，$\vec{a}$ と $\vec{b}$ は "1 次独立" であるという。これも覚えておこう。

の 1 次結合 $s\vec{a}+t\vec{b}$ で，$\vec{a}$ と $\vec{b}$ を含む平面上のすべてのベクトルを表すことができるんだよ。エッ，信じられないって？ いいよ，これから詳しく解説しよう。

まず，$\vec{a}$ と $\vec{b}$ の条件について，$\vec{a}=\vec{0}$ とすると，$s\vec{a}=s \cdot \vec{0}=\vec{0}$ となって，s 倍しても，$\vec{0}$ は $\vec{0}$ のまんまだから，これで他のいろんなベクトルを表すことなんて不可能だね。$\vec{b}=\vec{0}$ の場合も同様だ。よって，$\vec{a} \neq \vec{0}$，$\vec{b} \neq \vec{0}$ の条件が付くんだね。次に，$\vec{a} // \vec{b}$ (平行) とすると，$s\vec{a} // t\vec{b}$ (平行) となるので，この和をとって $s\vec{a}+t\vec{b}$ としてもある一定の直線に平行なベクトルを表すだけなので，これで他のさまざまなベクトルを表すことはやはりできないね。よって，$\vec{a} \nparallel \vec{b}$ (平行でない) の条件も付くんだ。

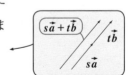

それでは，$\vec{a}$ と $\vec{b}$ が，$\vec{a} \neq \vec{0}$，$\vec{b} \neq \vec{0}$ かつ $\vec{a} \nparallel \vec{b}$ の条件をみたすとき，すなわち，$\vec{a}$ と $\vec{b}$ が 1 次独立であるとき，$\vec{a}$ と $\vec{b}$ が存在する平面上のどんなベクトルも，$\vec{a}$ と $\vec{b}$ の 1 次結合 $s\vec{a}+t\vec{b}$ で表すことができることを具体的に示していくよ。

図 11 に示すように，$\vec{a}$ と $\vec{b}$ は共に $\vec{0}$ ではなく，かつ互いに平行ではないので，この $\vec{a}$ と $\vec{b}$ の存在する平面が 1 枚決まってしまうね。ここで，$\vec{a}$ と $\vec{b}$ を平行移動して，始点が一致するように表した。

図 11 $\vec{a}$ と $\vec{b}$ が存在する平面

この平面上のさまざまなベクトルの例として，図12に$\vec{p}$, $\vec{q}$, $\vec{r}$の3つのベクトルを示した。すると，これら$\vec{p}$, $\vec{q}$, $\vec{r}$は図13(ⅰ)，(ⅱ)，(ⅲ)に示すように，すべて次のような$\vec{a}$と$\vec{b}$の1次結合の形で表されることが分かるはずだ。

図12 $\vec{p}$, $\vec{q}$, $\vec{r}$

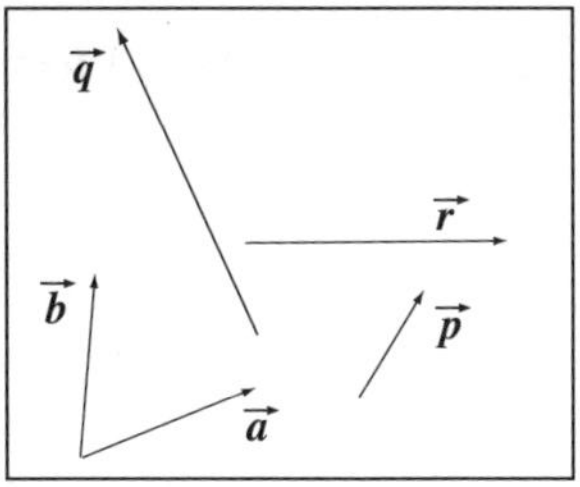

$$(ⅰ)\ \vec{p} = \frac{1}{3}\vec{a} + \frac{1}{2}\vec{b} \qquad (ⅱ)\ \vec{q} = -\vec{a} + 2\vec{b} \qquad (ⅲ)\ \vec{r} = \frac{3}{2}\vec{a} - \frac{1}{2}\vec{b}$$

図13 $\vec{p}$と$\vec{q}$と$\vec{r}$は，$s\vec{a}+t\vec{b}$の形で表される

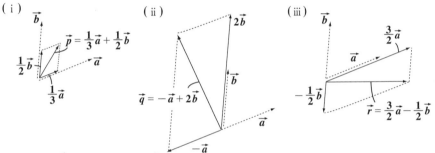

$\vec{a} \neq 0$, $\vec{b} \neq 0$，かつ$\vec{a} \nparallel \vec{b}$の条件は付くけれど，この要領で同一平面上のベクトルならすべて，この**2**つのベクトル$\vec{a}$と$\vec{b}$の1次結合によって表されることが分かると思う。だから，平面のことを**2**次元平面とも呼ぶんだね。それじゃ，練習問題で腕試しをしてみようか。

| 練習問題 3 | ベクトルの1次結合 | CHECK**1** | CHECK**2** | CHECK**3** |

右図に示すような平行四辺形 ABCD があり，辺 DC を $1:2$ に内分する点を P，辺 BC の中点を M とおく。
また，$\overrightarrow{AB} = \vec{a}$，$\overrightarrow{AD} = \vec{b}$ とおく。
(1) $\overrightarrow{AP}$ と $\overrightarrow{AM}$ を $\vec{a}$ と $\vec{b}$ で表せ。
(2) $\overrightarrow{MP}$ を $\vec{a}$ と $\vec{b}$ で表せ。

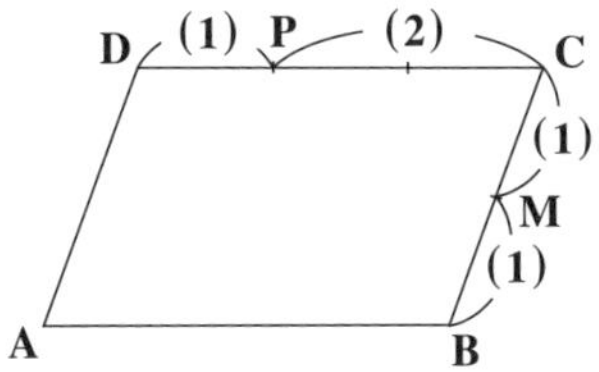

$\vec{a}$ と $\vec{b}$ は，明らかに $\vec{a} \neq 0$, $\vec{b} \neq 0$, $\vec{a} \nparallel \vec{b}$ の条件をみたすから，この平面上のベクトルである $\overrightarrow{AP}$，$\overrightarrow{AM}$，そして，$\overrightarrow{MP}$ はすべて，$\vec{a}$ と $\vec{b}$ の1次結合，つまり $s\vec{a}+t\vec{b}$ の形で表すことができるんだね。頑張ろうな！

19

(1) 平行四辺形 ABCD の辺 DC を 1：2 に

内分する点が P，辺 BC を 1：1 に内分

する点が M だね。

よって，

・$\overrightarrow{DC} = \vec{a}$ より，$\overrightarrow{DP} = \frac{1}{3}\overrightarrow{DC} = \frac{1}{3}\vec{a}$ …①

・$\overrightarrow{BC} = \vec{b}$ より，$\overrightarrow{BM} = \frac{1}{2}\overrightarrow{BC} = \frac{1}{2}\vec{b}$ …② となる。

平行移動しても，同じベクトル

①，②より，

(i) $\overrightarrow{AP} = \overrightarrow{AD} + \overrightarrow{DP}$ ← たし算形式のまわり道の原理

$= \vec{b} + \frac{1}{3}\vec{a}$

$\therefore \overrightarrow{AP} = \frac{1}{3}\vec{a} + \vec{b}$ …③ となる。

(ii) $\overrightarrow{AM} = \overrightarrow{AB} + \overrightarrow{BM}$ ← たし算形式のまわり道の原理

$= \vec{a} + \frac{1}{2}\vec{b}$

$\therefore \overrightarrow{AM} = \vec{a} + \frac{1}{2}\vec{b}$ …④ となる。

(2) (1) の結果より，

$\vec{a}$ と $\vec{b}$ の 1 次結合

$\overrightarrow{AP} = \frac{1}{3}\vec{a} + \vec{b}$ …③ ，$\overrightarrow{AM} = \vec{a} + \frac{1}{2}\vec{b}$ …④ だね。

ここで，$\overrightarrow{MP}$ を点 A を始点とするベクトルで表すと，

P から M を引く   引き算形式のまわり道の原理

$\overrightarrow{MP} = \overrightarrow{AP} - \overrightarrow{AM}$ …⑤ となる。← $\overrightarrow{MP} = \overrightarrow{\bigcirc P} - \overrightarrow{\bigcirc M}$ の形

③，④を⑤に代入して， $\frac{1-3}{3}$ $\frac{2-1}{2}$

$\overrightarrow{MP} = \left(\frac{1}{3}\vec{a} + \vec{b}\right) - \left(\vec{a} + \frac{1}{2}\vec{b}\right) = \left(\frac{1}{3} - 1\right)\vec{a} + \left(1 - \frac{1}{2}\right)\vec{b}$

$\therefore \overrightarrow{MP} = -\frac{2}{3}\vec{a} + \frac{1}{2}\vec{b}$ となって，答えだ。← $\vec{a}$ と $\vec{b}$ の 1 次結合

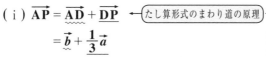

(2) の別解

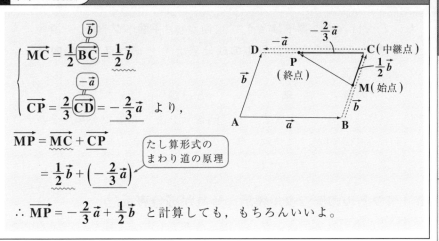

$$\begin{cases} \overrightarrow{MC} = \dfrac{1}{2}\overrightarrow{BC} = \dfrac{1}{2}\vec{b} \\[2mm] \overrightarrow{CP} = \dfrac{2}{3}\overrightarrow{CD} = -\dfrac{2}{3}\vec{a} \end{cases} \text{より,}$$

$$\overrightarrow{MP} = \overrightarrow{MC} + \overrightarrow{CP}$$

たし算形式の
まわり道の原理

$$= \dfrac{1}{2}\vec{b} + \left(-\dfrac{2}{3}\vec{a}\right)$$

$$\therefore \overrightarrow{MP} = -\dfrac{2}{3}\vec{a} + \dfrac{1}{2}\vec{b} \quad \text{と計算しても,もちろんいいよ。}$$

どう？ 面白かった？ "たし算形式のまわり道の原理"と"引き算形式のまわり道の原理"が大活躍したね。ただし，この"まわり道の原理"というのは，ボクが命名したもので，一般に使われる用語ではないから，答案には書かない方がいいよ。頭の中で，つぶやきながら解いていけばいいんだよ。

今日が，"**平面ベクトル**"の第1日目の講義だったんだけど，どうだった？これまで勉強してきた数学と比べて図が多かったので，ヴィジュアルに理解できたと思う。この図のイメージを使って考えていくということは，決してレベルの低いことではない。数学に強い人の頭の中って，実は図形的なイメージでいっぱいなんだよ。

これからさらに"**平面ベクトル**"の講義が続くけれど，図形的なセンスにもっと磨きをかけていこうな。そうすれば，もっと数学に強くなって，もっと数学を楽しめるようになるはずだ。ここでアドヴァイスを1つ。この平面ベクトルで扱うテーマは，数学Ⅱの"**図形と方程式**"で扱うものとかなり重なっているので，この2つを併せて学習すると，効果が大きいと思うよ。

それじゃ，次回の講義まで，みんな元気で。さようなら…。

2nd day　ベクトルの成分表示, 内積とその演算

　おはよう！ みんな調子はどう？ 前回から"**平面ベクトル**"の講義に入っ
たんだけど, 今回は"**ベクトルの成分表示**"と"**ベクトルの内積**"につ
いて詳しく解説するつもりだ。

　エッ, "**内積**"って"**積**"だから, "**かけ算**"のことかって？ そうだよ。
でも, ベクトルとは"**大きさ**"と"**向き**"をもった量だから, その"**かけ
算**"をどうするのか, これはキチンと定義する以外ないんだね。興味が湧
いてきたって？ いいね。それじゃ, 早速, 講義を始めよう！

●　ベクトルのデジタル表示, それが成分表示だ！

　ベクトルをこれまでのように矢線でのみ表している限り, 作図が中心に
なるんだけど, これを数値で表現することができれば, 数学的な計算に乗
りやすくなるんだね。そんなことができるのかって？ うん, できるよ。
ベクトルを数値により表現したものを"**ベクトルの成分表示**"と言う。
つまり, ベクトルの矢線による表示を"**アナログ表示**"すると, ベクトル
の成分表示は"**デジタル表示**"ってこと
なんだね。

図1　ベクトルの成分表示

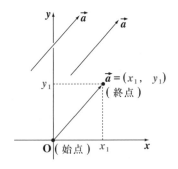

　それじゃ, 平面ベクトルの成分表示の
要領を図**1**に示そう。まず, xy 座標平
面上に, 平面ベクトル $\vec{a}$ が存在するもの
とするよ。"大きさ"と"向き"さえ同
じなら, 平行移動しても同じ $\vec{a}$ なので,
この $\vec{a}$ の始点が原点 **O** と一致するように
する。すると, 図**1**に示すように, $\vec{a}$ の
終点の座標が $(x_1,\ y_1)$ と定まってしまう
ね。この x_1 と y_1 をそれぞれ $\vec{a}$ の x **成分**, y **成分**と呼び, $\vec{a}$ を $\vec{a} = (x_1,\ y_1)$
と表す。これを平面ベクトル $\vec{a}$ の成分表示と言うんだよ。　　　　　x 成分　y 成分

エッ，ベクトルの成分表示は，始点が原点 O と一致するベクトルについてのみかって？ ううん，違うよ。図 2 に示すように，始点を原点 O に一致させて，終点の座標から，$\vec{a} = (x_1, \ y_1)$ と成分表示できたならば，後は $\vec{a}$ を平行移動させてできるどんな $\vec{a}$ も，当然 $\vec{a} = (x_1, \ y_1)$ と表していいんだよ。同じ $\vec{a}$ なんだから，当たり前だね。ン？ $\vec{a} = (x_1, \ y_1)$ と成分表示できるのなら，$\vec{a}$ の大きさ $|\vec{a}|$ も，三平方の定理から，x_1 と y_1 で表せるんじゃないかって？ いい勘してるね。その通りだ！ 図 3 に示すように，$|\vec{a}|$ を斜辺の長さ，x_1 と y_1 を他の 2 辺の長さとする直角三角形で考えれば，三平方の定理より，

$|\vec{a}|^2 = x_1{}^2 + y_1{}^2$ となる。よって，

$|\vec{a}| = \sqrt{x_1{}^2 + y_1{}^2}$ と計算できるんだね。

ここで，x_1 や y_1 は負の場合もあるんだけど，どうせ 2 乗してしまうから，この公式のままで，$|\vec{a}|$ が計算できることも大丈夫だね。

それじゃ，以上を公式としてまとめておくから，もう 1 度確認してみてくれ。

図 2 ベクトルの成分表示

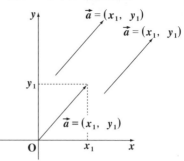

図 3 成分表示と $|\vec{a}|$

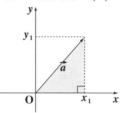

三平方の定理より，

$|\vec{a}|^2 = x_1{}^2 + y_1{}^2$

$\therefore |\vec{a}| = \sqrt{x_1{}^2 + y_1{}^2}$

x_1, y_1 はどうせ 2 乗されるので，これらは $\ominus$ でもかまわない。

ベクトルの成分表示と大きさ

xy 座標平面上のベクトル $\vec{a}$ について，その始点を原点 O に一致させると，終点の座標が $(x_1, \ y_1)$ と定まる。このとき，$\vec{a}$ を，$\vec{a} = (x_1, y_1)$ と表し，これを $\vec{a}$ の**成分表示**という。

$(x_1, \ y_1$ をそれぞれ $\vec{a}$ の **x 成分**，**y 成分**という。)

また，$\vec{a}$ の大きさ $|\vec{a}|$ は，

$|\vec{a}| = \sqrt{x_1{}^2 + y_1{}^2}$ で計算できる。

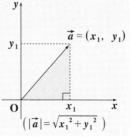

$\left(|\vec{a}| = \sqrt{x_1{}^2 + y_1{}^2} \right)$

ちょっと，抽象的すぎてるって？ そうだね。具体的に例題で考えていこう。

($ex1$) $\overrightarrow{OA}$ が $\overrightarrow{OA} = (3, 1)$ と成分表示されている

とき，これがどんなベクトルか分かる？

そう。右図のように，xy 座標平面を描き，こ

の座標平面上の点 $A(3, 1)$ をとって，これと

原点 O を結び，O を始点，A を終点とした

矢線で示せば，それが求める $\overrightarrow{OA}$ になるんだね。

　じゃ，ベクトル $\overrightarrow{OA}$ の大きさ $|\overrightarrow{OA}|$ はどうなる？

$OA = \underset{\underset{x_1}{\smile}\underset{y_1}{\smile}}{(3, 1)}$ だから，$|\overrightarrow{OA}|$ の公式から，

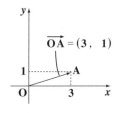

公式
$|\overrightarrow{OA}| = \sqrt{x_1{}^2 + y_1{}^2}$

$|\overrightarrow{OA}| = \sqrt{3^2 + 1^2} = \sqrt{10}$ となるんだね。

($ex2$) 次，$\overrightarrow{OB}$ が $\overrightarrow{OB} = (-2, 2)$ と成分表示されたら，同様に，$\overrightarrow{OB}$ を座

標平面上に右のように矢線で表すことができるね。

また，$\overrightarrow{OB}$ の大きさ $|\overrightarrow{OB}|$ は

$|\overrightarrow{OB}| = \sqrt{(-2)^2 + 2^2}$

$\boxed{\overrightarrow{OB} = (x_1, y_1) \text{のとき}}$
$|\overrightarrow{OB}| = \sqrt{x_1{}^2 + y_1{}^2}$ だ。

$\boxed{\ominus \text{でもかまわない！}}$

$= \sqrt{\underset{\underset{2^2 \times 2}{\smile}}{8}} = \sqrt{2^2 \times 2} = 2\sqrt{2}$ となるんだね。

($ex1$)，($ex2$) で示した，$\overrightarrow{OA} = (3, 1)$ と $\overrightarrow{OB} = (-2, 2)$ を使って，さらに

考えてみようか？ 図4 に示すように，成分

表示された $\overrightarrow{OA} = (3, 1)$ に実数 2，$\dfrac{1}{2}$，-1 を

かけたら，どうなるか分かる？ …，そうだね。

図4 ベクトルの実数倍

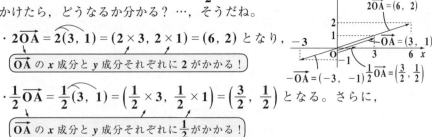

・ $2\overrightarrow{OA} = \overset{\frown}{2(3, 1)} = (2 \times 3, 2 \times 1) = (6, 2)$ となり，

$\boxed{\overrightarrow{OA} \text{ の } x \text{ 成分と } y \text{ 成分それぞれに } 2 \text{ がかかる！}}$

・ $\dfrac{1}{2}\overrightarrow{OA} = \overset{\frown}{\dfrac{1}{2}(3, 1)} = \left(\dfrac{1}{2} \times 3, \dfrac{1}{2} \times 1\right) = \left(\dfrac{3}{2}, \dfrac{1}{2}\right)$ となる。さらに，

$\boxed{\overrightarrow{OA} \text{ の } x \text{ 成分と } y \text{ 成分それぞれに } \dfrac{1}{2} \text{ がかかる！}}$

・ $-1\overrightarrow{OA} = \overset{\frown}{-1(3, 1)} = (-1 \times 3, -1 \times 1) = (-3, -1)$ となるのもいいね。

$\boxed{\overrightarrow{OA} \text{ の } x \text{ 成分と } y \text{ 成分それぞれに } -1 \text{ がかかる！}}$

24

次，$\overrightarrow{OA}$ と $\overrightarrow{OB}$ の和 $\overrightarrow{OA}+\overrightarrow{OB}$ と差 $\overrightarrow{OA}-\overrightarrow{OB}$
についても具体的に見てみよう。

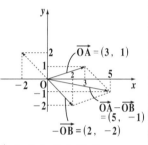

図5　ベクトルの和

・図5に示すように，和 $\overrightarrow{OA}+\overrightarrow{OB}$ は，

$$\overrightarrow{OA}+\overrightarrow{OB}=(3,1)+(-2,2)=(3+(-2),1+2)$$

$\boxed{\overrightarrow{OA} と \overrightarrow{OB} の x 成分同士，y 成分同士をそれぞれたす！}$

$$=(3-2,1+2)=(1,3)\ となって，$$

$\overrightarrow{OA}$ と $\overrightarrow{OB}$ を2辺とする平行四辺形の対角線を矢線
にもつ $\overrightarrow{OA}+\overrightarrow{OB}$ の成分表示が得られる。大丈夫？

図6　ベクトルの差

・図6に示すように，差 $\overrightarrow{OA}-\overrightarrow{OB}$ は，

$$\overrightarrow{OA}-\overrightarrow{OB}=(3,1)-(-2,2)=(3-(-2),1-2)$$

$\boxed{\overrightarrow{OA} と \overrightarrow{OB} の x 成分同士，y 成分同士をそれぞれ引く！}$

$$=(3+2,1-2)=(5,-1)\ となる。$$

$\overrightarrow{OA}-\overrightarrow{OB}$ は $\overrightarrow{OA}+(-\overrightarrow{OB})$ とみれば，$\overrightarrow{OA}$ と
$-\overrightarrow{OB}$ を2辺とする平行四辺形の対角線を矢線
にもつ $\overrightarrow{OA}-\overrightarrow{OB}$ の成分表示が，図6より $(5,-1)$ と分かると思う。

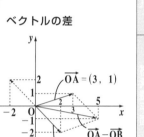

以上の例題から，次のような計算公式が成り立つことが分かるはずだ。

ベクトルの計算公式

$\vec{a}=(x_1,y_1)$，$\vec{b}=(x_2,y_2)$ のとき，k,l を実数とおくと，

(1) $k\cdot\vec{a}=k(x_1,y_1)=(kx_1,ky_1)$

$\boxed{\vec{a} の x 成分と y 成分のそれぞれに k がかかる！}$

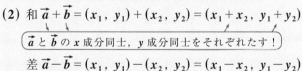

(2) 和 $\vec{a}+\vec{b}=(x_1,y_1)+(x_2,y_2)=(x_1+x_2,y_1+y_2)$

$\boxed{\vec{a} と \vec{b} の x 成分同士，y 成分同士をそれぞれたす！}$

差 $\vec{a}-\vec{b}=(x_1,y_1)-(x_2,y_2)=(x_1-x_2,y_1-y_2)$

$\boxed{\vec{a} と \vec{b} の x 成分同士，y 成分同士をそれぞれ引く！}$

(3) $k\vec{a}+l\vec{b}=k(x_1,y_1)+l(x_2,y_2)$　←$\boxed{\vec{a} と \vec{b} の 1 次結合}$
$=(kx_1,ky_1)+(lx_2,ly_2)$
$=(kx_1+lx_2,ky_1+ly_2)$

上の計算公式の(1)ベクトルの実数倍と，(2)ベクトルの和と差については，

既に例題でやった通りだから意味は分かると思う。で，**(3)** だけど，これは **(1)** と **(2)** の公式を組み合わせたもので，成分表示された $\vec{a}$ と $\vec{b}$ の1次結合 $k\vec{a}+l\vec{b}$ の成分表示の計算の仕方を示しているんだね。これについても，例題で練習しておこう。

(a) $\vec{a}=(-1,\ 2)$，$\vec{b}=(4,\ -3)$ のとき，次のベクトルの成分表示を求めてみよう。

　(i) $2\vec{a}+3\vec{b}$　　　(ii) $4\vec{a}-2\vec{b}$

それじゃ，(i) からいくよ。

(i) $2\underset{\sim}{\vec{a}}+3\underset{\sim}{\vec{b}}=2\overbrace{(-1,\ 2)}+3\overbrace{(4,\ -3)}$

> $\vec{a}$ の x 成分，y 成分それぞれに実数をかける。

$$=(-2,\ 4)+(12,\ -9)=(-2+12,\ 4-9)$$

> x 成分同士，y 成分同士それぞれをたす。

$$=(10,\ -5)\quad\text{となって，答えだ。}$$

(ii) は，テンポよくいくよ。計算にはある程度のスピード感も必要なんだよ。

(ii) $4\vec{a}-2\vec{b}=4\overbrace{(-1,\ 2)}-2\overbrace{(4,\ -3)}=(-4,\ 8)-(8,\ -6)$

$$=(-4-8,\ 8-(-6))=(-12,\ 14)\quad\text{となる。大丈夫だった？}$$

(i) の $2\vec{a}+3\vec{b}$ を，$\vec{c}=2\vec{a}+3\vec{b}$ とおくと，$\vec{c}=(10,\ -5)$ となるから，この大きさ $|\vec{c}|$ の計算も大丈夫だね。そう，

$$|\vec{c}|=\sqrt{10^2+(-5)^2}=\sqrt{100+25}=\sqrt{\boxed{125}}=\sqrt{5^2\times5}=5\sqrt{5}\quad\text{となるんだね。}$$

$$\boxed{5^2\times5}$$

　また，2つの成分表示されたベクトル $\vec{a}=(x_1,\ y_1)$ と $\vec{b}=(x_2,\ y_2)$ について，$\vec{a}=\vec{b}$ ならば，当然その対応する成分は等しく，その逆も言えるので，

$\vec{a}=\vec{b}\Longleftrightarrow x_1=x_2$ かつ $y_1=y_2$　　が成り立つんだね。

これを "ベクトルの相等（そうとう）" と呼ぶので，これも覚えておこう。

　また，右図に示すような2つの x 軸，y 軸方向の単位ベクトル $\vec{e_1}=(1,\ 0)$ と $\vec{e_2}=(0,\ 1)$ のことを "基本（きほん）ベクトル" という。これを使うと，一般に，$\vec{a_1}=(x_1,\ y_1)$ は，$\vec{a_1}=x_1\vec{e_1}+y_1\vec{e_2}$

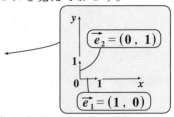

と表すことができる。何故なら，次のように変形できるからだ。

$\vec{a_1}=x_1\overbrace{(1,\ 0)}+y_1\overbrace{(0,\ 1)}=(x_1,\ 0)+(0,\ y_1)=(x_1,\ y_1)$　　大丈夫？

● まわり道の原理も，成分で練習しよう！

次，"まわり道の原理"と"ベクトルの成分表示"についても考えてみよう。

図 7（ⅰ）に示すように，xy 座標平面上に 2 点 $A(x_1,\ y_1)$ と $B(x_2,\ y_2)$ が与えられたとすると，ベクトルの成分表示の定義から，図 7（ⅱ）に示すように，

$$\begin{cases} \overrightarrow{OA} = (x_1,\ y_1) \cdots\cdots ㋐ \\ \overrightarrow{OB} = (x_2,\ y_2) \cdots\cdots ㋑ \end{cases}$$ になるのはいいね。

ここで，$\overrightarrow{AB}$ に対して，"引き算形式のまわり道の原理"を用いると，

$$\overrightarrow{AB} = \overrightarrow{OB} - \overrightarrow{OA} \cdots\cdots ㋒$$ となるので，

> B から A を引く要領だ！

㋒に㋐，㋑ を代入すると，

$$\overrightarrow{AB} = (x_2,\ y_2) - (x_1,\ y_1)$$
$$= (x_2 - x_1,\ y_2 - y_1) \text{ が導ける。}$$

> x 成分同士，y 成分同士それぞれを引く！

この $\overrightarrow{AB}$ は，$\overrightarrow{AB} = \overrightarrow{OB} + (-\overrightarrow{OA})$ と考えることもできる。この様子を図 7（ⅲ）に示しておくね。

そして，$\overrightarrow{AB} = (x_2 - x_1,\ y_2 - y_1)$ から，$\overrightarrow{AB}$ の大きさ $|\overrightarrow{AB}|$ は，

$$|\overrightarrow{AB}| = \sqrt{(x_2 - x_1)^2 + (y_2 - y_1)^2} \text{ となる。}$$

この結果は，"図形と方程式"で勉強した

2 点 $A(x_1,\ y_1)$，$B(x_2,\ y_2)$ 間の距離の公式：

$$AB = \sqrt{(x_1 - x_2)^2 + (y_1 - y_2)^2} \text{ と実質的に同じだね。}$$

> どうせ 2 乗するので，$(x_1 - x_2)^2 = (x_2 - x_1)^2$，$(y_1 - y_2)^2 = (y_2 - y_1)^2$ となる。

（b） xy 座標平面上に 2 点 $P(3,\ 0)$，$Q(-1,\ 3)$ があるとき，$\overrightarrow{PQ}$ の成分を求めて，$|\overrightarrow{PQ}|$ を計算しよう。

$P(3,\ 0)$，$Q(-1,\ 3)$ から，

$$\begin{cases} \overrightarrow{OP} = (3,\ 0) \cdots\cdots ㋐ \\ \overrightarrow{OQ} = (-1,\ 3) \cdots\cdots ㋑ \end{cases} \text{ だね。}$$

図 7　まわり道の原理
（ⅰ）
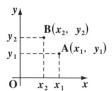

（ⅱ）

（ⅲ）
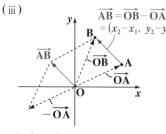

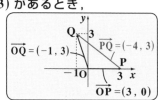

また，
$$\overrightarrow{\mathbf{PQ}} = \overrightarrow{\mathbf{OQ}} - \overrightarrow{\mathbf{OP}} \cdots\cdots ⑤$$ 引き算形式 のまわり道の原理 となるので，

⑦，①を⑤に代入して，

$$\overrightarrow{\mathbf{PQ}} = \underline{(-1, 3)} - \underline{(3, 0)} = (-1-3, 3-0) = (-4, 3) \text{ となる。}$$

x 成分同士，y 成分同士をそれぞれ引く！

よって，ベクトル $\overrightarrow{\mathbf{PQ}}$ の大きさ $|\overrightarrow{\mathbf{PQ}}|$ は，

$$|\overrightarrow{\mathbf{PQ}}| = \sqrt{(-4)^2 + 3^2} = \sqrt{16+9} = \sqrt{25} = 5 \text{ となって，答えだ！}$$

● ベクトルの内積って，何!?

さァ，それでは "ベクトルの**内積**" について解説しよう。ベクトルって，"大きさ" だけでなく，"向き" ももった量なので，2 つのベクトル $\vec{a}$ と $\vec{b}$ の内積 (つまり "かけ算" のこと) については，特別に定義してやる必要があるんだね。一般に $\vec{a}$ と $\vec{b}$ の内積は，$\vec{a} \cdot \vec{b}$ と表すんだけど，その内積の定義を次に示しておこう。 内積を表す "**・**" は，ハッキリと大きめに書くといいよ。

$\vec{a}$ と $\vec{b}$ の内積の定義

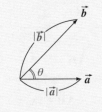

2 つのベクトル $\vec{a}$ と $\vec{b}$ のなす角を θ とおくと，
$\vec{a}$ と $\vec{b}$ の内積は次のように定義される。

$$\vec{a} \cdot \vec{b} = |\vec{a}||\vec{b}|\cos\theta$$

"(大きさ)×(大きさ)×(なす角の cos)" と覚えよう！

(ただし，$0° \leqq \theta \leqq 180°$ とする。)

$\vec{a}$ と $\vec{b}$ の内積は $\vec{a} \cdot \vec{b} = |\vec{a}||\vec{b}|\cos\theta$ と定義されるので「大きさ・かける大きさ・かける・なす角の cos」と覚えておくといいね。ここで，$\vec{a}$ と $\vec{b}$ のなす角 θ は，常に小さい方をとることにしておけば，$0° \leqq \theta \leqq 180°$ の範囲にすべて収まる。

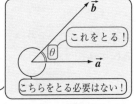

これをとる！

こちらをとる必要はない！

エッ，でも，$\vec{a}$ と $\vec{b}$ の内積 (かけ算) だから，$|\vec{a}| \times |\vec{b}|$ は分かるけど，何故，なす角の余弦 ($\cos\theta$) をかけるのかって？ 何故，$\sin\theta$ や $\tan\theta$ じゃダメなのかって？ 鋭い質問だね。まず，ベクトルには向きがあるから，内積には何らかの形で $\vec{a}$ と $\vec{b}$ のなす角を絡めないといけないのは分かるはずだ。でも，ここで $\tan\theta$ を使うと，$\theta = 90°$ のとき定義できなくなってしまう。だから，$\tan\theta$ はボツだね。

次，$\sin\theta$ を使うと，図 8 (i) の $y = \sin\theta$ $(0° \leqq \theta \leqq 180°)$ のグラフのように 1 つの y_1 に対して，2 つの値，θ_1，θ_2 が対応するので，たとえば内積を $\vec{a} \cdot \vec{b} = |\vec{a}||\vec{b}| \underline{\sin\theta}$ と定義すると，もし

> このある値に対して，θ の値は 2 つ対応する。

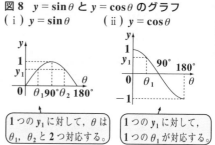

図 8 　$y = \sin\theta$ と $y = \cos\theta$ のグラフ
(i) $y = \sin\theta$ 　　(ii) $y = \cos\theta$

> 1 つの y_1 に対して，θ は θ_1，θ_2 と 2 つ対応する。

> 1 つの y_1 に対して，1 つの θ_1 が対応する。

$\sin\theta$ がある値をとったとすると，$\vec{a}$ と $\vec{b}$ のなす角は θ_1 か θ_2 のいずれか分からなくなってしまうんだね。だから，$\sin\theta$ もやっぱりボツだ。

これに対して，$\vec{a} \cdot \vec{b} = |\vec{a}||\vec{b}| \cos\theta$ と定義すると，図 8 (ii) に示すようにある $\cos\theta$ の値に対して，$\vec{a}$ と $\vec{b}$ のなす角は θ_1 とただ 1 つに決まるから，これだと内積の定義として何の問題もないんだね。これで，納得いった？

それじゃ，練習問題で実際に内積の値を計算してみよう。

練習問題 4 　　　　内積 　　　CHECK 1　CHECK 2　CHECK 3

次の各問いに答えよ。ただし，θ は 2 つのベクトルのなす角として，$0° \leqq \theta \leqq 180°$ とする。

(1) $|\vec{a}| = \sqrt{5}$，$|\vec{b}| = 4$，$\theta = 45°$ のとき，内積 $\vec{a} \cdot \vec{b}$ を求めよ。

(2) $|\overrightarrow{OA}| = 2$，$|\overrightarrow{OB}| = \sqrt{3}$，$\theta = 150°$ のとき，内積 $\overrightarrow{OA} \cdot \overrightarrow{OB}$ を求めよ。

(3) $|\vec{p}| = 5$，$|\vec{q}| = 2$，内積 $\vec{p} \cdot \vec{q} = -5$ のとき，$\vec{p}$ と $\vec{q}$ のなす角 θ を求めよ。

---

(1)(2) は共に，公式 $\vec{a} \cdot \vec{b} = |\vec{a}||\vec{b}| \cos\theta$ を使って，内積の値を求めればいいんだね。(3) では，$|\vec{p}|$，$|\vec{q}|$，$\vec{p} \cdot \vec{q}$ の値から公式を使って，$\vec{p}$ と $\vec{q}$ のなす角 θ を求める。ちょっとした応用だよ。頑張ろう！

(1) $\vec{a}$ と $\vec{b}$ について，$|\vec{a}| = \sqrt{5}$，$|\vec{b}| = 4$，$\vec{a}$ と $\vec{b}$ のなす角 $\theta = 45°$ より，$\vec{a}$ と $\vec{b}$ の内積は，

　　　　　　　　　　　　　　　　$\boxed{2 \cdot (\sqrt{2})^2}$

内積 $\vec{a} \cdot \vec{b} = |\vec{a}||\vec{b}| \cos 45° = \sqrt{5} \times \boxed{4} \times \dfrac{1}{\sqrt{2}} = \sqrt{5} \times 2\sqrt{2} = \mathbf{2\sqrt{10}}$

$\underbrace{\quad}_{\sqrt{5}}$ 　$\underbrace{\quad}_{4}$ 　$\boxed{\dfrac{1}{\sqrt{2}}}$

> 内積は，ある数値になる！

と計算できる。エッ，内積って，ベクトルじゃないのかって？ ううん，計算すれば分かるとおり，(大きさ) × (大きさ) × $\cos\theta$ = (数値) となって，ベクトルではないよ。

(2) $\overrightarrow{OA}$ と $\overrightarrow{OB}$ について，$|\overrightarrow{OA}|=2$，$|\overrightarrow{OB}|=\sqrt{3}$，このなす角 $\theta = 150°$ より，$\overrightarrow{OA}$ と $\overrightarrow{OB}$ の内積は，

内積 $\overrightarrow{OA} \cdot \overrightarrow{OB} = \underset{\boxed{2}}{|\overrightarrow{OA}|} \cdot \underset{\boxed{\sqrt{3}}}{|\overrightarrow{OB}|} \cdot \underset{\boxed{-\frac{\sqrt{3}}{2}}}{\cos 150°} = 2 \times \sqrt{3} \times \left(-\frac{\sqrt{3}}{2}\right) = \underset{\boxed{\ominus \text{の値}}}{-3}$

となって答えだ。エッ，内積の値は負もあり得るのかって？　当然あるよ。一般に，ベクトルの内積の定義式：

$\underset{\oplus}{\vec{a}} \cdot \vec{b} = \underset{\oplus}{|\vec{a}|}\,|\vec{b}|\cos\theta$ から，$\vec{a} \neq \vec{0}$，$\vec{b} \neq \vec{0}$ とすると，まず $|\vec{a}|>0$，$|\vec{b}|>0$ は

$$\begin{cases} \oplus & (0 \leq \theta < 90°) \\ 0 & (\theta = 90°) \\ \ominus & (90° < \theta \leq 180°) \end{cases}$$

大丈夫だね。でも，$\cos\theta$ の値は（ⅰ）$0° \leq \theta < 90°$ のときは正，（ⅱ）$\theta = 90°$ のとき 0，そして（ⅲ）$90° < \theta \leq 180°$ のときは負となるので，これらに従って，内積 $\vec{a} \cdot \vec{b}$ の値は正，0，負の値をとるんだね。納得いった？

(3) $\vec{p}$ と $\vec{q}$ について，$|\vec{p}|=5$，$|\vec{q}|=2$，$\vec{p} \cdot \vec{q} = -5$ のとき，$\vec{p}$ と $\vec{q}$ のなす角を θ とおくと，内積の定義式から，

$$\vec{p} \cdot \vec{q} = |\vec{p}||\vec{q}|\cos\theta \quad (0° \leq \theta \leq 180°) \text{ だね。}$$

ここで，$|\vec{p}| \neq 0$，$|\vec{q}| \neq 0$ より，両辺を $|\vec{p}||\vec{q}|$ で割ると，

$$\cos\theta = \frac{\overset{\boxed{-5}}{\overbrace{\vec{p} \cdot \vec{q}}}}{\underset{\boxed{5}\;\boxed{2}}{|\vec{p}|\,|\vec{q}|}} = \frac{-5}{5 \times 2} = -\frac{1}{2} \quad \text{となる。}$$

これは，$X = -\frac{1}{2}$ とみて単位円を利用すると，

よって，これに対応する θ の値で，$0° \leq \theta \leq 180°$ をみたすものは $\theta = 120°$ と求まるんだね。

どう？　面白かった？

さらに、内積について、必要なことを言っておこう。まず、$\vec{a}$ と $\vec{a}$ の内積 $\vec{a} \cdot \vec{a}$ がどうなるか分かる？ $\vec{a}$ と $\vec{a}$ は同じベクトルだから、そのなす角 θ は当然 $0°$ だね。だから、内積の定義式通りに計算すると、

$$\vec{a} \cdot \vec{a} = \underset{\boxed{1}}{|\vec{a}||\vec{a}|\underline{\cos 0°}} = |\vec{a}|^2 \quad となる。$$

つまり、$\boxed{\vec{a} \cdot \vec{a} = |\vec{a}|^2}$ の公式が導ける。

次、$\vec{a}$ と $\vec{b}$ が互いに垂直なベクトルのとき、つまり $\vec{a} \perp \vec{b}$（垂直）のとき、内積 $\vec{a} \cdot \vec{b}$ がどうなるかも考えてごらん。…、そう。$\vec{a} \perp \vec{b}$ より、$\vec{a}$ と $\vec{b}$ のなす角 θ は $\theta = 90°$ だね。よって、内積 $\vec{a} \cdot \vec{b}$ は、

$$\underset{\oplus \quad \oplus}{\vec{a} \cdot \vec{b} = |\vec{a}||\vec{b}|} \underset{\boxed{0}}{\cos 90°} = 0 \quad より、\quad \vec{a} \cdot \vec{b} = 0 \quad となる。$$

これは、$\vec{a}$ と $\vec{b}$ の "直交条件" と呼ばれるもので、前にやった $\vec{a}$ と $\vec{b}$ の "平行条件" と併せて覚えておくと、いいと思う。

■ ベクトルの平行条件と直交条件

$\vec{a} \neq \vec{0}$, $\vec{b} \neq \vec{0}$ の 2 つのベクトル $\vec{a}$, $\vec{b}$ について、

(i) 平行条件：$\vec{a} // \vec{b}$（平行）のとき、

$\qquad \vec{a} = k\vec{b}$ （k：0 でない実数）となる。

(ii) 直交条件：$\vec{a} \perp \vec{b}$（直交）のとき、

$\qquad \vec{a} \cdot \vec{b} = 0$ となる。

（逆に、$\vec{a} \neq \vec{0}$, $\vec{b} \neq \vec{0}$ のとき、$\vec{a} \cdot \vec{b} = 0$ ならば、$\vec{a} \perp \vec{b}$ となる。）

● **内積の演算にもチャレンジしよう！**

それではさらに、たとえば、$\vec{a} + 2\vec{b}$ と $2\vec{a} - \vec{b}$ の内積の計算（演算）についても勉強しよう。エッ、難しそうで、引きそうだって？ 大丈夫、これって a と b の整式のかけ算 $(a + 2b)(2a - b)$ と形式的にはまったく同じなんだよ。実際に、みんなこの計算をやってごらん。

$$(a+2b)(2a-b) = 2a^2 \underbrace{-ab+4ab}_{(4-1)ab} - 2b^2 = 2a^2 + 3ab - 2b^2$$

と計算できるだろう。

　これと同様に，$\vec{a}+2\vec{b}$ と $2\vec{a}-\vec{b}$ の内積も次のように計算できる。

$$(\overbrace{\vec{a}+2\vec{b}})\cdot(\overbrace{2\vec{a}-\vec{b}}) = \vec{a}\cdot 2\vec{a} \underbrace{-\vec{a}\cdot\vec{b}+2\vec{b}\cdot 2\vec{a}}_{} - 2\vec{b}\cdot\vec{b}$$

$$\boxed{-\vec{a}\cdot\vec{b}+4\vec{a}\cdot\vec{b} = (4-1)\vec{a}\cdot\vec{b} = 3\vec{a}\cdot\vec{b}}$$

$$\boxed{2\vec{a}\cdot\vec{a} = 2|\vec{a}|^2} \qquad \boxed{|\vec{b}|^2}$$

$$= 2|\vec{a}|^2 + 3\vec{a}\cdot\vec{b} - 2|\vec{b}|^2 \text{ と計算できる。}$$

ポイントは，同じベクトルの内積は $\vec{a}\cdot\vec{a}=|\vec{a}|^2$ となることだね。

後，もう 1 つは，$2\vec{b}\cdot 2\vec{a}$ の場合，係数は表に出

してまとめて 4 とし，$\vec{b}\cdot\vec{a}=\vec{a}\cdot\vec{b}$ (交換法則) が

成り立つので，

$$\boxed{\begin{array}{l}\text{内積の定義から，}\\ \vec{a}\cdot\vec{b}=|\vec{a}||\vec{b}|\cos\theta\\ \quad=|\vec{b}||\vec{a}|\cos\theta\\ \quad=\vec{b}\cdot\vec{a} \text{ となる。}\end{array}}$$

$$2\vec{b}\cdot 2\vec{a} = 4\vec{a}\cdot\vec{b} \text{ と変形できることだ。}$$

　以上より，内積の演算 $(\vec{a}+2\vec{b})\cdot(2\vec{a}-\vec{b})$ が，整式 $(a+2b)(2a-b)$ とまっ
たく同様に行えることが分かったと思う。

　このことは，絶対値記号の中にベクトルの 1 次結合のような式が入って
る場合，たとえば，$|2\vec{a}+\vec{b}|$ などの場合でも，これを 2 乗することにより，
整式 $(2a+b)^2$ と同様に展開できる。以下の変形をみてくれ。

$$|2\vec{a}+\vec{b}|^2 = (\overbrace{2\vec{a}+\vec{b}})\cdot(\overbrace{2\vec{a}+\vec{b}}) \quad \leftarrow \boxed{|\vec{a}|^2=\vec{a}\cdot\vec{a} \text{ だからね。}}$$

$$= \underbrace{2\vec{a}\cdot 2\vec{a}}_{\boxed{4|\vec{a}|^2}} + \underbrace{2\vec{a}\cdot\vec{b}+\vec{b}\cdot 2\vec{a}}_{\boxed{2\vec{a}\cdot\vec{b}}} + \underbrace{\vec{b}\cdot\vec{b}}_{\boxed{|\vec{b}|^2}}$$

$$= 4|\vec{a}|^2 + 4\vec{a}\cdot\vec{b} + |\vec{b}|^2 \text{ となる。}$$

これは，$(2a+b)^2$ の展開

$$(2a+b)^2 = 4a^2 + 4ab + b^2 \text{ と，まったく同様だね。}$$

このように，絶対値記号の中に何かベクトルの式が入っていたら，
「2 乗して，展開する！」ということを忘れないでくれ。

　それでは，内積の演算について，練習問題で練習しておこう。

練習問題 5　　内積の演算　　CHECK 1　CHECK 2　CHECK 3

次の各問いに答えよ。

(1) $|\vec{a}| = \sqrt{3}$, $|\vec{b}| = 4$, $\vec{a} \cdot \vec{b} = -2$ のとき,

　　内積 $(2\vec{a} + \vec{b}) \cdot (3\vec{a} - \vec{b})$ の値を求めよ。

(2) $\vec{p}$, $\vec{q}$ が, $|\vec{p}| = 3$, $|\vec{q}| = 2$, $|2\vec{p} - \vec{q}| = 2\sqrt{7}$ をみたすとき,

　　$\vec{p}$ と $\vec{q}$ のなす角を求めよ。

(1) は, 与えられた内積の式を, 内積の演算によって展開すればいいね。

(2) は $|2\vec{p} - \vec{q}| = 2\sqrt{7}$ の両辺を 2 乗すれば, 左辺の展開ができるね。

(1) $|\vec{a}| = \sqrt{3}$, $|\vec{b}| = 4$, $\vec{a} \cdot \vec{b} = -2$ のとき, 与式を計算すると,

$$(2\vec{a} + \vec{b}) \cdot (3\vec{a} - \vec{b}) = 6\underbrace{|\vec{a}|^2}_{(\sqrt{3})^2} + \underbrace{\vec{a} \cdot \vec{b}}_{-2} - \underbrace{|\vec{b}|^2}_{4^2}$$

> 整数の展開 $(2a + b) \cdot (3a - b)$ $= 6a^2 + ab - b^2$ と同じだね。

$$= 6 \times 3 - 2 - 16 = 18 - 18 = 0$$ となって, 答えだね。

よって, $(2\vec{a} + \vec{b}) \cdot (3\vec{a} - \vec{b}) = 0$ が導かれたので, 2 つのベクトル

$2\vec{a} + \vec{b}$ と $3\vec{a} - \vec{b}$ が互いに垂直なベクトルであることが分かるね。

(2) $|\vec{p}| = 3$ ……①, $|\vec{q}| = 2$ ……②, $|2\vec{p} - \vec{q}| = 2\sqrt{7}$ ……③ とおく。

まず, ③の両辺を 2 乗して,

$$\underbrace{|2\vec{p} - \vec{q}|^2}_{4|\vec{p}|^2 - 4\vec{p} \cdot \vec{q} + |\vec{q}|^2} = (2\sqrt{7})^2$$

> 絶対値記号の中にベクトルの式が入っていたら, 2 乗して展開する!

> これは $(2p - q)^2 = 4p^2 - 4pq + q^2$ と同じだ!

$$4\underbrace{|\vec{p}|^2}_{3^2} - 4\vec{p} \cdot \vec{q} + \underbrace{|\vec{q}|^2}_{2^2} = 28 \quad\text{……④}$$

④に①, ②を代入して, まとめると,

$$4 \times 9 - 4\vec{p} \cdot \vec{q} + 4 = 28, \quad 4\vec{p} \cdot \vec{q} = 12 \quad \therefore \vec{p} \cdot \vec{q} = 3 \quad\text{……⑤}$$

①, ②, ⑤より, $\vec{p}$ と $\vec{q}$ のなす角を θ とおくと, $\vec{p} \cdot \vec{q} = |\vec{p}||\vec{q}|\cos\theta$ から

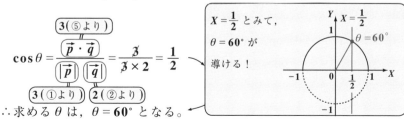

$$\cos\theta = \frac{\overbrace{\vec{p} \cdot \vec{q}}^{3(⑤より)}}{\underbrace{|\vec{p}|}_{3(①より)}\underbrace{|\vec{q}|}_{2(②より)}} = \frac{3}{3 \times 2} = \frac{1}{2}$$

> $X = \frac{1}{2}$ とみて, $\theta = 60°$ が導ける!

$\therefore$ 求める θ は, $\theta = 60°$ となる。

どう?これで, 内積の演算にも自信がついただろう?

● 内積も成分表示してみよう！

成分表示された 2 つのベクトル $\vec{a} = (x_1, y_1)$, $\vec{b} = (x_2, y_2)$ の内積の値は，次の公式で計算できるんだよ。

内積の成分表示

$\vec{a} = (x_1, y_1)$, $\vec{b} = (x_2, y_2)$ のとき，内積 $\vec{a} \cdot \vec{b}$ は

$\vec{a} \cdot \vec{b} = \underline{x_1 x_2 + y_1 y_2}$ となる。

内積は「x 成分同士，y 成分同士の積の和」と覚えよう！

この公式の証明については，補充問題 **1 (P241)** で示している。ここでは，この公式を実際に使ってみることに専念しよう。

(c) $\vec{a} = (\sqrt{3}, 1)$, $\vec{b} = (1, \sqrt{3})$ のとき，内積 $\vec{a} \cdot \vec{b}$ を求めよう。

$\vec{a} = (\sqrt{3}, 1)$, $\vec{b} = (1, \sqrt{3})$ より，内積 $\vec{a} \cdot \vec{b}$ の値は，

$\vec{a} \cdot \vec{b} = \sqrt{3} \times 1 + 1 \times \sqrt{3} = 2\sqrt{3}$ となる。

内積の成分表示の公式
$\vec{a} \cdot \vec{b} = x_1 x_2 + y_1 y_2$ を使った！

ここで，成分が分かっているので，$|\vec{a}|$, $|\vec{b}|$ もすぐ求まるね。

$|\vec{a}| = \sqrt{(\sqrt{3})^2 + 1^2} = \sqrt{4} = 2$, $|\vec{b}| = \sqrt{1^2 + (\sqrt{3})^2} = \sqrt{4} = 2$

よって，$\vec{a}$ と $\vec{b}$ のなす角を θ とおくと，$\cos\theta$ の値も，

$\cos\theta = \dfrac{\vec{a} \cdot \vec{b}}{|\vec{a}||\vec{b}|} = \dfrac{2\sqrt{3}}{2 \times 2} = \dfrac{\sqrt{3}}{2}$ となる

$X = \dfrac{\sqrt{3}}{2}$ とみて，$\theta = 30°$ が導ける！

ので，$\theta = 30°$ ということも分かる！
以上を，公式としてまとめておこう。

成分表示と $\cos\theta$ の値

共に $\vec{0}$ でない 2 つのベクトル $\vec{a} = (x_1, y_1)$, $\vec{b} = (x_2, y_2)$ のなす角を θ とおくと，

$|\vec{a}| = \sqrt{x_1^2 + y_1^2}$, $|\vec{b}| = \sqrt{x_2^2 + y_2^2}$, $\vec{a} \cdot \vec{b} = x_1 x_2 + y_1 y_2$

$$\cos\theta = \frac{\vec{a} \cdot \vec{b}}{|\vec{a}||\vec{b}|} = \frac{x_1 x_2 + y_1 y_2}{\sqrt{x_1^2 + y_1^2}\sqrt{x_2^2 + y_2^2}}$$ となる。

エッ，公式にすると難しそうだって？でも，具体的に例題で練習して
いるから意味はよく分かったと思う。実際に計算してみることにより，公
式も本当にマスターできるんだね。

● ベクトルの内積で，三角形の面積も求まる！

では，最後にベクトルの内積を使った "三角形の面積を求める公式" に
ついて解説しておこう。

図 9(i)に示すような
△OAB について，OA = a，
OB = b，∠AOB = θ とおくと，
△OAB の面積 S が，次のよう
に計算できるのは大丈夫だね。

$$S = \frac{1}{2}ab\sin\theta \cdots ①$$

> この公式は数学 I の
> "図形と計量" で既
> に教えたね。

図 9 三角形の面積 S

（ i ）
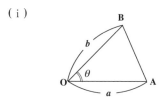

（ ii ）
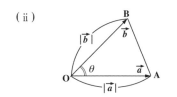

ここで，図 9 (ii)のように
$\overrightarrow{\mathrm{OA}} = \vec{a}$，$\overrightarrow{\mathrm{OB}} = \vec{b}$，$\vec{a}$ と $\vec{b}$ のなす角を θ とおくと，
$a = \mathrm{OA} = |\vec{a}|\cdots②$　　$b = \mathrm{OB} = |\vec{b}|\cdots③$ となるので，
②，③を①に代入すると，△OAB の面積 S は，
$$S = \frac{1}{2}|\vec{a}||\vec{b}|\sin\theta \cdots④ \qquad (0° < \theta < 180°) \text{ となるんだね。}$$

エッ，④の右辺の $|\vec{a}||\vec{b}|\sin\theta$ が内積の式みたいだって？そうだけど，内
積の定義式は $\vec{a}\cdot\vec{b} = |\vec{a}||\vec{b}|\cos\theta$ だから，同じとはいえないんだね。でも，
$|\vec{a}|$，$|\vec{b}|$，$\sin\theta$ はいずれも正の数だから，これらを 2 乗して，$\sqrt{}$ を付け
ても，元と同じになるんだね。なんで，そんなことするのかって？それは，
$\sin^2\theta = 1 - \cos^2\theta$ の公式を利用して，内積の形にもち込むためなんだ。

じゃ，④を変形してみよう。

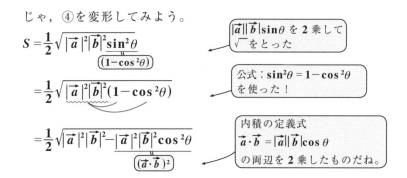

$$S = \frac{1}{2}\sqrt{|\vec{a}|^2|\vec{b}|^2\underline{\sin^2\theta}}$$
$$\underbrace{}_{(1-\cos^2\theta)}$$

$|\vec{a}||\vec{b}|\sin\theta$ を2乗して $\sqrt{}$ をとった

$$= \frac{1}{2}\sqrt{|\vec{a}|^2|\vec{b}|^2(1-\cos^2\theta)}$$

公式：$\sin^2\theta = 1-\cos^2\theta$ を使った！

$$= \frac{1}{2}\sqrt{|\vec{a}|^2|\vec{b}|^2-\underline{|\vec{a}|^2|\vec{b}|^2\cos^2\theta}}$$
$$\underbrace{}_{(\vec{a}\cdot\vec{b})^2}$$

内積の定義式
$\vec{a}\cdot\vec{b} = |\vec{a}||\vec{b}|\cos\theta$
の両辺を2乗したものだね。

ここで，内積の定義式：$\vec{a}\cdot\vec{b} = |\vec{a}||\vec{b}|\cos\theta$ を利用すると，ベクトルの内積を利用して△OABの面積Sを求める公式：

$$S = \frac{1}{2}\sqrt{|\vec{a}|^2|\vec{b}|^2-(\vec{a}\cdot\vec{b})^2} \quad \cdots ⑤ \qquad が導けるんだね。$$

エッ，⑤は，成分表示できないのかって？いい勘してるね。もちろんできて，さらにスッキリした公式が導けるよ。$\vec{a}$ と $\vec{b}$ が
$\vec{a} = (x_1, y_1)$，$\vec{b} = (x_2, y_2)$ と成分表示されているとき，

$$\begin{cases} |\vec{a}|^2 = x_1^2 + y_1^2 & \cdots\cdots⑥ \\ |\vec{b}|^2 = x_2^2 + y_2^2 & \cdots\cdots⑦ \\ \vec{a}\cdot\vec{b} = x_1x_2 + y_1y_2 & \cdots⑧ \end{cases}$$

⑥，⑦は，$|\vec{a}|$と$|\vec{b}|$の公式：
$|\vec{a}| = \sqrt{x_1^2 + y_1^2}$，$|\vec{b}| = \sqrt{x_2^2 + y_2^2}$
の両辺を2乗したものだね。

となるので，⑥，⑦，⑧を⑤に代入すると，

$$S = \frac{1}{2}\sqrt{\underbrace{(x_1^2+y_1^2)}_{|\vec{a}|^2}\underbrace{(x_2^2+y_2^2)}_{|\vec{b}|^2} - \underbrace{(x_1x_2+y_1y_2)^2}_{(\vec{a}\cdot\vec{b})^2}}$$

$$= \frac{1}{2}\sqrt{x_1^2x_2^2 + x_1^2y_2^2 + x_2^2y_1^2 + y_1^2y_2^2 - (x_1^2x_2^2 + 2x_1x_2y_1y_2 + y_1^2y_2^2)}$$

$$= \frac{1}{2}\sqrt{\underbrace{(x_1y_2)^2}_{\alpha^2} - \underbrace{2x_1y_2x_2y_1}_{\alpha\quad\beta} + \underbrace{(x_2y_1)^2}_{\beta^2}}$$

$x_1y_2 = \alpha$，$x_2y_1 = \beta$ とおくと，$\sqrt{}$ 内は $\alpha^2 - 2\alpha\beta + \beta^2$ の形になっているんだね。

ヒェ〜て，感じかも知れないけれど，$\sqrt{}$ 内は $\alpha^2 - 2\alpha\beta + \beta^2$ の形をして

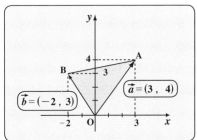

いるから，後一歩でキレイな公式が導けるよ。では，続きをいくよ。

$$S = \frac{1}{2}\sqrt{\underbrace{(x_1 y_2)^2 - 2x_1 y_2 \cdot x_2 y_1 + (x_2 y_1)^2}_{\alpha^2 - 2\alpha\beta + \beta^2 \text{とみる！}}}$$

> 公式：
> $\alpha^2 - 2\alpha\beta + \beta^2 = (\alpha - \beta)^2$
> を使った！

$$= \frac{1}{2}\sqrt{(x_1 y_2 - x_2 y_1)^2}$$

> $x_1 y_2 - x_2 y_1 = P$ とおくと，
> $\sqrt{P^2} = |P|$ と変形できる。

$$= \frac{1}{2}|x_1 y_2 - x_2 y_1|$$

よって，$\vec{a} = \overrightarrow{OA} = (x_1, y_1)$, $\vec{b} = \overrightarrow{OB} = (x_2, y_2)$ のとき△OAB の面積 S はシンプルな公式：

$$S = \frac{1}{2}|x_1 y_2 - x_2 y_1| \quad \cdots\cdots ⑨ \quad \text{で求めることができるんだね。}$$

大変だったけれど，理解できたかな？

では，例題で，この公式を使ってみよう。

$(ex)\,\overrightarrow{OA} = (3, 4)$, $\overrightarrow{OB} = (-2, 3)$

のとき，右図に示す△OAB

の面積 S を求めてみよう。

$$\begin{cases} \overrightarrow{OA} = (x_1, y_1) = (3, 4) \\ \overrightarrow{OB} = (x_2, y_2) = (-2, 3) \end{cases}$$

⑨の公式より，絶対値内の $\underset{\boxed{3}\;\boxed{3}\;\boxed{-2}\;\boxed{4}}{x_1 y_2 - x_2 y_1}$ は，上に示すように $\overrightarrow{OA}$ と $\overrightarrow{OB}$

の x 成分と y 成分を "**たすきがけ**" して，引き算すればいいので，

$$S = \frac{1}{2}|\underset{\boxed{17}}{3 \times 3 - (-2) \times 4}| = \frac{1}{2}|9 + 8| = \frac{17}{2} \quad \text{と，アッサリ計算でき}$$

るんだね。大丈夫だった？

　以上で，今日の講義も終了です！今日は特に盛り沢山な内容だったから，自分で納得がいくまで，ヨ〜ク復習しておくことだね。

では，次回また会おうな。さようなら…。

3rd day　内分点の公式，外分点の公式

みんな，おはよう。今日で，"**平面ベクトル**"も **3** 回目の講義になるけれど，調子はいい？ 今日の講義では，"**内分点の公式**"と"**外分点の公式**"について詳しく教えようと思う。つまり，これは，ベクトルの平面図形への応用ということになるんだね。　さァ，それでは講義を始めよう。

● ベクトルの内分点の公式から始めよう！

まず，ベクトルによる内分点の公式を例を使って説明するよ。図**1**(i)に示すように，平面内に線分 **AB** があり，この線分を **2：1** に内分する点を **P** とおく。つまり，

$AP：PB = 2：1$　ということだね。

ここで，ベクトルの場合，図**1**(ii)のように，ある基準点 **O** をとり，これを始点とするベクトル $\overrightarrow{OA}$, $\overrightarrow{OB}$, $\overrightarrow{OP}$ で考える。そして $\overrightarrow{OP}$ を $\overrightarrow{OA}$, $\overrightarrow{OB}$ で表すことにしてみよう。

これは，"まわり道の原理"から始めればいいんだね。図**2**のように考えて，

$$\overrightarrow{OP} = \overrightarrow{OA} + \overrightarrow{AP} \quad \cdots\cdots \text{⑦}$$

たし算形式の
まわり道の原理

ここで，$AP：AB = 2：3$ より，

$$\overrightarrow{AP} = \frac{2}{3}\overrightarrow{AB} \quad \cdots\cdots\cdots\cdots \text{④}$$

図1　線分 AB の内分点 P

(i)

(ii)

図2

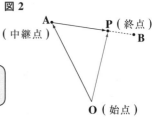

④を⑦に代入して，さらに **O** を始点とするベクトルに書き換えると，

$$\overrightarrow{OP} = \overrightarrow{OA} + \frac{2}{3}\underline{\overrightarrow{AB}}$$

$$\underline{\overrightarrow{OB} - \overrightarrow{OA}}$$

"引き算形式のまわり道の原理"により，$\overrightarrow{AB}$ を **O** を始点(中継点)とするベクトルに書き換える！

$$= \overrightarrow{OA} + \frac{2}{3}(\overrightarrow{OB} - \overrightarrow{OA}) = \overrightarrow{OA} + \frac{2}{3}\overrightarrow{OB} - \frac{2}{3}\overrightarrow{OA}$$

$$= \left(1 - \frac{2}{3}\right)\overrightarrow{OA} + \frac{2}{3}\overrightarrow{OB} = \frac{1}{3}\overrightarrow{OA} + \frac{2}{3}\overrightarrow{OB} \quad \text{となるんだね。大丈夫？}$$

これを，一般論でもう 1 度やれば，ベクトルによる "**内分点の公式**" が導けるんだね。図 3 に示すように，線分 AB を $m:n$ に内分する点を P とおく。そして，基準点 O をとって，$\overrightarrow{OP}$ を $\overrightarrow{OA}$ と $\overrightarrow{OB}$ と m と n とで表してみるよ。

図 3　線分 AB の内分点 P

まず，たし算形式のまわり道の原理を使って，

$$\overrightarrow{OP} = \overrightarrow{OA} + \overrightarrow{AP} \cdots\cdots ㋐'　となる。$$

ここで，$AP:AB = m:(m+n)$ より，

$$\overrightarrow{AP} = \frac{m}{m+n}\overrightarrow{AB} \cdots\cdots ㋑'　となる。$$

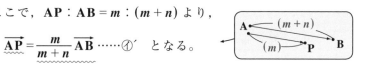

㋑' を ㋐' に代入して，さらに O を始点とするベクトルに書き換えると，

$$\overrightarrow{OP} = \overrightarrow{OA} + \frac{m}{m+n}\overrightarrow{AB}$$

$$\boxed{\overrightarrow{OB} - \overrightarrow{OA}} \leftarrow \boxed{\text{"引き算形式のまわり道の原理"}}$$

$$= \overrightarrow{OA} + \frac{m}{m+n}(\overrightarrow{OB} - \overrightarrow{OA}) = \overrightarrow{OA} + \frac{m}{m+n}\overrightarrow{OB} - \frac{m}{m+n}\overrightarrow{OA}$$

$$= \left(1 - \frac{m}{m+n}\right)\overrightarrow{OA} + \frac{m}{m+n}\overrightarrow{OB} = \frac{n}{m+n}\overrightarrow{OA} + \frac{m}{m+n}\overrightarrow{OB}$$

$$\boxed{\frac{m+n-m}{m+n} = \frac{n}{m+n}}$$

∴内分点の公式　$\boxed{\overrightarrow{OP} = \dfrac{n\overrightarrow{OA} + m\overrightarrow{OB}}{m+n}}$　が導けるんだね。

特に，$m:n = 1:1$，すなわち，点 P が線分 AB の**中点**となるときは，$m = 1$，$n = 1$ を公式に代入して，

$$\overrightarrow{OP} = \frac{n\overrightarrow{OA} + m\overrightarrow{OB}}{m+n} = \frac{1\cdot\overrightarrow{OA} + 1\cdot\overrightarrow{OB}}{1+1} = \frac{\overrightarrow{OA} + \overrightarrow{OB}}{2}　となる。これも覚えて$$

おこう！

以上を公式としてまとめて示すよ。

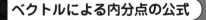

ベクトルによる内分点の公式

点 P が線分 AB を $m:n$ に内分するとき，

$$\overrightarrow{\mathrm{OP}} = \frac{n\overrightarrow{\mathrm{OA}} + m\overrightarrow{\mathrm{OB}}}{m+n} \ \ \text{となる。}$$

特に，点 P が線分 AB の中点となるとき，

$$\overrightarrow{\mathrm{OP}} = \frac{\overrightarrow{\mathrm{OA}} + \overrightarrow{\mathrm{OB}}}{2} \ \ \text{となる。}$$

公式の分子では，
n は $\overrightarrow{\mathrm{OA}}$ に，m は $\overrightarrow{\mathrm{OB}}$ に
"たすきがけ"でかかる！

この公式を使えば，さっきやった例題も，点 P が線分 AB を 2：1 に内分すると言ってるので，公式に $m=2$，$n=1$ を代入して，

$$\overrightarrow{\mathrm{OP}} = \frac{1 \cdot \overrightarrow{\mathrm{OA}} + 2 \cdot \overrightarrow{\mathrm{OB}}}{2+1} = \frac{1}{3}\overrightarrow{\mathrm{OA}} + \frac{2}{3}\overrightarrow{\mathrm{OB}} \ \ \text{とすぐに求まるんだね。大丈夫？}$$

また，点 M が，線分 QR を 5：3 に内分するときも，公式に $m=5$，$n=3$ を代入して，

$$\overrightarrow{\mathrm{OM}} = \frac{3 \cdot \overrightarrow{\mathrm{OQ}} + 5 \cdot \overrightarrow{\mathrm{OR}}}{5+3} = \frac{3}{8}\overrightarrow{\mathrm{OQ}} + \frac{5}{8}\overrightarrow{\mathrm{OR}} \ \ \text{となるんだね。}$$

ここで，基準点 O について，少し話しておこう。これを xy 座標系の原点 O と混同してるかも知れないね。でも，基準点 O は何か基準になればいい定点なので，もちろん原点 O と一致させてもいいんだけれど，原点とは別の点をとって基準点 O としてもかまわないんだよ。そして，基準点 O を始点とする $\overrightarrow{\mathrm{OA}}$ や $\overrightarrow{\mathrm{OB}}$ や $\overrightarrow{\mathrm{OP}}$ などのことを，O に関する "位置ベクトル" と呼ぶことも覚えておくといい。

それでは，内分点の公式を練習問題で，さらに練習しておこう。

| 練習問題 6 | 内分点の公式 | CHECK 1 | CHECK 2 | CHECK 3 |

$\overrightarrow{\mathrm{OB}} = (5，3)$，$\overrightarrow{\mathrm{OC}} = (-2，6)$ とする。線分 BC を 3：2 に内分する点を P とおくとき，$\overrightarrow{\mathrm{OP}}$ の成分表示を求めよ。

成分表示されたベクトルの場合，基準点 O は原点 O と一致するんだね。

$$\begin{cases} \overrightarrow{OB} = (5, 3) \\ \overrightarrow{OC} = (-2, 6) \end{cases}$$

これは, 点 B(5, 3), 点 C(−2, 6) と言ってるのと同じこと。

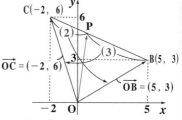

点 P は線分 BC を 3:2 に内分するので,

$$\overrightarrow{OP} = \frac{2\overrightarrow{OB} + 3\overrightarrow{OC}}{3+2}$$

内分点の公式
$$\overrightarrow{OP} = \frac{n\overrightarrow{OB} + m\overrightarrow{OC}}{m+n}$$

$$= \frac{2}{5}\overrightarrow{OB} + \frac{3}{5}\overrightarrow{OC} = \frac{2}{5}(5, 3) + \frac{3}{5}(-2, 6)$$

係数は x 成分, y 成分それぞれにかける。

$$= \left(\frac{2}{5} \times 5, \frac{2}{5} \times 3\right) + \left(\frac{3}{5} \times (-2), \frac{3}{5} \times 6\right) = \left(2, \frac{6}{5}\right) + \left(-\frac{6}{5}, \frac{18}{5}\right)$$

$$= \left(2 - \frac{6}{5}, \frac{6}{5} + \frac{18}{5}\right) = \left(\frac{4}{5}, \frac{24}{5}\right)$$

$\boxed{\dfrac{10-6}{5}}$ x 成分, y 成分同士たす

$$\therefore \overrightarrow{OP} = \left(\frac{4}{5}, \frac{24}{5}\right)$$ となって, 答えだ!

これは, 点 P の座標が $P\left(\dfrac{4}{5}, \dfrac{24}{5}\right)$ と言ってるのと同じことなんだね。

面白かった?

　それでは次, △ABC の **重心 G** についても話しておこう。図 4 に示すように, 辺 BC の中点を M とおくと, 線分 (中線)AM を 2:1 に内分する点が重心 G になるんだね。

　ここで, 図 5(ⅰ) のように基準点 O をとり, 重心 G に向かうベクトル $\overrightarrow{OG}$ を, $\overrightarrow{OA}$, $\overrightarrow{OB}$, $\overrightarrow{OC}$ で表してみることにしよう。

・図 5(ⅰ) に示すように, 点 M は線分 (辺) BC の中点なので, 公式から,

$$\overrightarrow{OM} = \frac{\overrightarrow{OB} + \overrightarrow{OC}}{2} \cdots\cdots ⑦ \quad となるね。$$

図 4　△ABC の重心 G

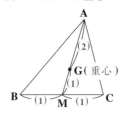

図 5(ⅰ)　△ABC の重心 G

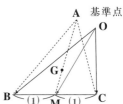

・次，図 5(ⅱ) に示すように，重心 **G** は線

分 (中線)**AM** を **2 : 1** に内分するので，

公式を使って，

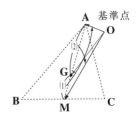

図 5(ⅱ) △**ABC** の重心 **G**

$$\overrightarrow{OG} = \frac{1 \cdot \overrightarrow{OA} + 2 \cdot \overrightarrow{OM}}{2 + 1} = \frac{\overrightarrow{OA} + 2\overrightarrow{OM}}{3} \quad \cdots ①$$

となる。

　　よって，⑦を①に代入すると，

$$\overrightarrow{OG} = \frac{\overrightarrow{OA} + 2\overrightarrow{OM}}{3} \overset{\boxed{\dfrac{\overrightarrow{OB} + \overrightarrow{OC}}{2}}}{} = \frac{\overrightarrow{OA} + \cancel{2} \times \dfrac{\overrightarrow{OB} + \overrightarrow{OC}}{\cancel{2}}}{3}$$

$$\therefore \text{公式}: \overrightarrow{OG} = \frac{\overrightarrow{OA} + \overrightarrow{OB} + \overrightarrow{OC}}{3} \quad \cdots\cdots ⑦ \quad \text{が導かれるんだね。}$$

ここで，基準点 **O** をどこにとっても⑦の公式は成り立つので，たとえば
O が **B** と一致したとすると，⑦ の **O** をすべて **B** で置き換えて，

$$\overrightarrow{BG} = \frac{\overrightarrow{BA} + \overset{\overrightarrow{0}}{\overrightarrow{BB}} + \overrightarrow{BC}}{3}, \quad \overrightarrow{BG} = \frac{\overrightarrow{BA} + \overrightarrow{BC}}{3} \quad \text{の式も導ける。}$$

　　このように，基準点 **O** を自由にとれる柔軟な頭をもっていれば，式を
さまざまに変形していくこともできるんだね。納得いった？

　　△**ABC** の重心 **G** の公式を導いたので，今度は
△**ABC** の**内心 I** についても話しておこう。内心 **I**
は△**ABC** の内接円の中心のことで，**3** つの頂角∠**A**，
∠**B**，∠**C** の二等分線が **1** 点で交わる，その交点のこ
となんだね。ここで，"**頂角の二等分線の定理**"も
覚えてる？ たとえば，頂角 **A** の二等分線と辺 **BC** と
の交点を **P** とおくと，**P** は線分 **BC** を **AB : AC** = **c** :
b の比に内分するんだったね。さらに，数学 **A** の"**図
形の性質**"で学んだ"**メネラウスの定理**"を使うこと
により，次の内心 **I** に関する練習問題も解ける。"**図
形の性質**"の知識が多用されるけれど，頑張って解いてみようか？

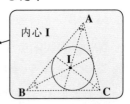

内心 **I**

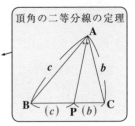

頂角の二等分線の定理

| 練習問題 7 | 内分点の公式 (応用) | CHECK 1 | CHECK 2 | CHECK 3 |

$AB = 5$, $BC = 4$, $CA = 3$ の $\triangle ABC$ がある。

$\triangle ABC$ の内心を I とおき，直線 AI と辺 BC

との交点を P，直線 BI と辺 CA との交点を

Q とおく。

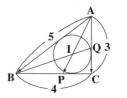

(1) $BP : PC$ の比を求めて，$\overrightarrow{AP}$ を $\overrightarrow{AB}$ と $\overrightarrow{AC}$ で表せ。

(2) $AI : IP$ の比を求めて，$\overrightarrow{AI}$ を $\overrightarrow{AB}$ と $\overrightarrow{AC}$ で表せ。

(1) AP は，頂角 $\angle A$ の二等分線なので，$BP : PC = AB : AC$ になるんだね。(2) では，
"メネラウスの定理" から $AI : IP$ の比を求めよう。

(1) 線分 AP は，頂角 $\angle A$ の二等分線なので，

$BP : PC = AB : AC = 5 : 3$ となる。

よって，点 P は線分 BC を $5 : 3$ に内分

するので，内分点の公式より，

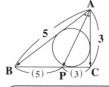

$$\overrightarrow{AP} = \frac{3\overrightarrow{AB} + 5\overrightarrow{AC}}{5 + 3}$$

> 内分点の公式
> $$\overrightarrow{AP} = \frac{n\overrightarrow{AB} + m\overrightarrow{AC}}{m + n}$$
> を使った！

> 点 A が今回の基準点
> になってるね。そし
> て，$\overrightarrow{AB}$ と $\overrightarrow{AC}$ の 1
> 次結合で答えを表す
> ことになっている！

$$\therefore \overrightarrow{AP} = \frac{3}{8}\overrightarrow{AB} + \frac{5}{8}\overrightarrow{AC} \quad \cdots\cdots① \quad となるんだね。$$

(2) 線分 BQ も頂角 $\angle B$ の二等分線なので，

$AQ : QC = BA : BC = 5 : 4$ となる。

以上より，

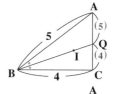

$BP : PC = 5 : 3$, $AQ : QC = 5 : 4$ が分

かったので，$AI : IP = m : n$ とおいて，

メネラウスの定理を用いると，

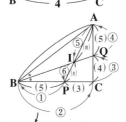

$$\frac{8}{5} \times \frac{5}{4} \times \frac{n}{m} = 1 \quad となる。$$

> メネラウスの定理：
> $$\frac{②}{①} \times \frac{④}{③} \times \frac{⑥}{⑤} = 1 を使った！$$

> メネラウスの定理：
> ①で行って，
> ②で戻って，
> ③，④で行って行って，
> ⑤，⑥で中に切り込む。

$$2 \times \frac{n}{m} = 1 \quad より，\quad \frac{n}{m} = \frac{1}{2}$$

$$\therefore AI : IP = m : n = 2 : 1$$

よって，

$AI : AP = 2 : 3$ より，

$\overrightarrow{AI} = \dfrac{2}{3}\overrightarrow{AP}$ ……② となる。

この②に，$\overrightarrow{AP} = \dfrac{3}{8}\overrightarrow{AB} + \dfrac{5}{8}\overrightarrow{AC}$ ……① を代入して，

> $\overrightarrow{AB}$ と $\overrightarrow{AC}$ の
> 1 次結合の形
> にする。

$$\overrightarrow{AI} = \frac{2}{3}\left(\frac{3}{8}\overrightarrow{AB} + \frac{5}{8}\overrightarrow{AC}\right) = \frac{\cancel{2}}{3} \times \frac{\cancel{3}}{\underset{4}{8}}\overrightarrow{AB} + \frac{2}{3} \times \frac{5}{\underset{4}{8}}\overrightarrow{AC}$$

$\therefore \overrightarrow{AI} = \dfrac{1}{4}\overrightarrow{AB} + \dfrac{5}{12}\overrightarrow{AC}$ が答えとなるんだね。いろんな要素が入っていて，結構レベルの高い問題だったけど，分かると面白いだろう。では次は，"外分点の公式"だね。

● 外分点の公式もマスターしよう！

　これから，ベクトルによる"外分点の公式"について解説しよう。これもまず，例題で解説した後で，一般化して公式を導くことにするよ。

　まず，図6(ⅰ)に示すように，点Pが線分ABを2:1に外分する場合について考える。この場合も，図6(ⅱ)に示すように，基準点Oをとって，$\overrightarrow{OP}$ を $\overrightarrow{OA}$ と $\overrightarrow{OB}$ の1次結合で表すことにする。

　図7に示すように，"たし算形式のまわり道の原理"を用いて，

$\overrightarrow{OP} = \overrightarrow{OA} + \overrightarrow{AP}$ ……⑦ となる。

ここで，$AP : AB = 2 : 1$ より，

$\overrightarrow{AP} = 2\overrightarrow{AB}$ ……④ となる。

図6　線分 AB の外分点 P
（ⅰ）

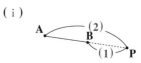

（ⅱ）

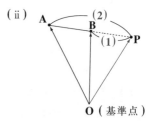

O（基準点）

図7　まわり道の原理

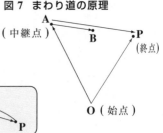

A（中継点）　　P（終点）
O（始点）

44

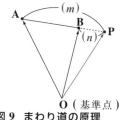

㋐を㋑に代入して，すべて **O** を始点とするベクトルに書き換えると，

$$\overrightarrow{\text{OP}} = \overrightarrow{\text{OA}} + 2\overrightarrow{\text{AB}}$$

$\boxed{\overrightarrow{\text{OB}} - \overrightarrow{\text{OA}}}$ ← "引き算形式のまわり道の原理"

$$= \overrightarrow{\text{OA}} + 2(\overrightarrow{\text{OB}} - \overrightarrow{\text{OA}}) = \overrightarrow{\text{OA}} + 2\overrightarrow{\text{OB}} - 2\overrightarrow{\text{OA}}$$

$$= (1-2)\overrightarrow{\text{OA}} + 2\overrightarrow{\text{OB}} = -\overrightarrow{\text{OA}} + 2\overrightarrow{\text{OB}}$$ となるんだね。大丈夫？

　それじゃ，これから一般論に入るよ。点 **P** が線分 **AB** を $m:n$ に外分する場合について考える。外分の場合，（ⅰ）$m>n$ か，または（ⅱ）$m<n$ かによって，外分点 **P** の位置が大きく異なるんだったね。今回の図のイメージとしては，（ⅰ）$m>n$ のときのものを使うよ。

　図 8 に示すように，点 **P** が線分 **AB** を $m:n$ $(m>n)$ に外分するものとする。このとき，基準点 **O** を定めて，$\overrightarrow{\text{OP}}$ を $\overrightarrow{\text{OA}}$ と $\overrightarrow{\text{OB}}$，そして m と n で表すことができれば，それが "外分点の公式" になるんだね。

図 8　線分 AB の外分点 P

図 9　まわり道の原理

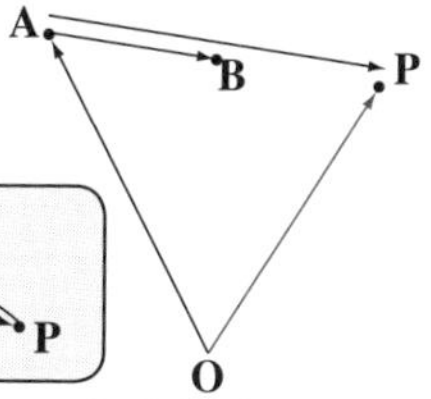

　図 9 に示すように，"たし算形式のまわり道の原理"を使って，

$$\overrightarrow{\text{OP}} = \overrightarrow{\text{OA}} + \overrightarrow{\text{AP}} \cdots\cdots ㋐' \quad \text{となる。}$$

ここで，$\text{AP}:\text{AB} = m:(m-n)$ より，

$$\overrightarrow{\text{AP}} = \frac{m}{m-n}\overrightarrow{\text{AB}} \cdots\cdots ㋑' \quad \text{となる。}$$

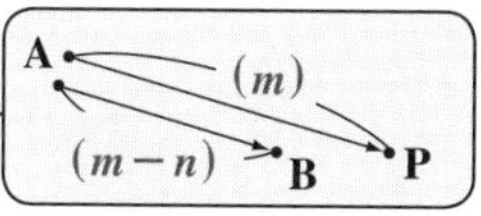

㋑' を ㋐' に代入して，すべて **O** を始点とするベクトルに書き換えると，

$$\overrightarrow{\text{OP}} = \overrightarrow{\text{OA}} + \frac{m}{m-n}\overrightarrow{\text{AB}}$$

$\boxed{\overrightarrow{\text{OB}} - \overrightarrow{\text{OA}}}$ ← "引き算形式のまわり道の原理"

$$= \overrightarrow{\text{OA}} + \frac{m}{m-n}(\overrightarrow{\text{OB}} - \overrightarrow{\text{OA}}) = \overrightarrow{\text{OA}} + \frac{m}{m-n}\overrightarrow{\text{OB}} - \frac{m}{m-n}\overrightarrow{\text{OA}}$$

$$= \left(1 - \frac{m}{m-n}\right)\overrightarrow{\text{OA}} + \frac{m}{m-n}\overrightarrow{\text{OB}} = \frac{-n}{m-n}\overrightarrow{\text{OA}} + \frac{m}{m-n}\overrightarrow{\text{OB}}$$

$\boxed{\dfrac{m-n-m}{m-n} = \dfrac{-n}{m-n}}$

$\therefore$ 外分点の公式 $\quad \overrightarrow{\mathrm{OP}} = \dfrac{-n\overrightarrow{\mathrm{OA}} + m\overrightarrow{\mathrm{OB}}}{m-n}$ が成り立つ。

これは，(ⅱ) $m < n$ のときも同じ公式になる。自分で確かめてみてごらん。また，形式的には内分点の公式の n の代わりに $-n$ が入っただけだから，覚えやすい形だね。それでは，以上をまとめておこう。

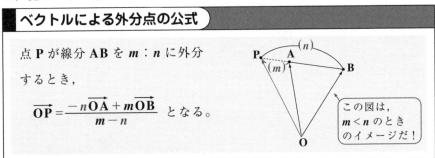

ベクトルによる外分点の公式

点 P が線分 AB を $m:n$ に外分するとき，

$$\overrightarrow{\mathrm{OP}} = \dfrac{-n\overrightarrow{\mathrm{OA}} + m\overrightarrow{\mathrm{OB}}}{m-n} \quad となる。$$

この図は，$m < n$ のときのイメージだ！

それでは，先程の例題で，点 P が線分 AB を $2:1$ に外分するとき，公式に $m = 2$，$n = 1$ を代入すればいいので，

$$\overrightarrow{\mathrm{OP}} = \dfrac{-1\cdot\overrightarrow{\mathrm{OA}} + 2\cdot\overrightarrow{\mathrm{OB}}}{2-1} = -\overrightarrow{\mathrm{OA}} + 2\overrightarrow{\mathrm{OB}} \quad と，答えがアッという間に導け$$

るんだね。

また，点 R が線分 PQ を $1:4$ に外分するとき，公式に $m=1$，$n=4$ を代入して，

$$\overrightarrow{\mathrm{OR}} = \dfrac{-4\cdot\overrightarrow{\mathrm{OP}} + 1\cdot\overrightarrow{\mathrm{OQ}}}{1-4} = \dfrac{-4\overrightarrow{\mathrm{OP}} + \overrightarrow{\mathrm{OQ}}}{-3} = \dfrac{4}{3}\overrightarrow{\mathrm{OP}} - \dfrac{1}{3}\overrightarrow{\mathrm{OQ}} \quad も求まる。$$

大丈夫？

それでは，次の練習問題をやってみてごらん。

練習問題 8	外分点の公式	CHECK 1	CHECK 2	CHECK 3

$\overrightarrow{\mathrm{OA}} = (-1,\ 2)$，$\overrightarrow{\mathrm{OB}} = (2,\ 4)$ とする。線分 AB を $3:1$ に外分する点を P とおくとき，$\overrightarrow{\mathrm{OP}}$ の成分表示を求めよ。

外分点の公式とベクトルの成分表示が組み合わされた問題だね。

$$\begin{cases} \overrightarrow{\mathrm{OA}} = \underset{\sim}{(-1,\ 2)} \\ \overrightarrow{\mathrm{OB}} = \underline{(2,\ 4)} \end{cases}$$

これは，点 A$(-1,\ 2)$ と，点 B$(2,\ 4)$ と言っているのと同じなんだね。

点 P は線分 AB を $3 : 1$ に外分するので，

$$\overrightarrow{OP} = \frac{-1 \cdot \overrightarrow{OA} + 3 \cdot \overrightarrow{OB}}{3 - 1}$$

外分点の公式
$$\overrightarrow{OP} = \frac{-n\overrightarrow{OA} + m\overrightarrow{OB}}{m - n}$$

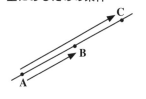
$\overrightarrow{OB} = (2, 4)$
$\overrightarrow{OA} = (-1, 2)$

$$= \frac{-\overrightarrow{OA} + 3\overrightarrow{OB}}{2} = -\frac{1}{2}\overrightarrow{OA} + \frac{3}{2}\overrightarrow{OB}$$

$$= -\frac{1}{2}(-1, 2) + \frac{3}{2}(2, 4)$$

係数は，x 成分，y 成分
のそれぞれにかける。

$$= \left(\frac{1}{2}, -1\right) + (3, 6) = \left(\frac{1}{2} + 3, -1 + 6\right)$$

x 成分同士，y 成分
同士をたす。

$$= \left(\frac{7}{2}, 5\right) となる。$$

$\therefore \overrightarrow{OP} = \left(\dfrac{7}{2}, 5\right)$ となって答えだ！

これは，点 P の座標が $P\left(\dfrac{7}{2}, 5\right)$ と言ってるのと同じなんだね。

● 3点が同一直線上にある条件も押さえよう！

それでは最後に，異なる 3 点
A，B，C が同一直線上にある
ための条件式も押さえておこ
う。図 **10** に示すように，異な
る 3 点 A，B，C が同一直線上
に存在するとき，

図 10　3 点 A，B，C が同一直線
上にあるための条件

$\overrightarrow{AB} // \overrightarrow{AC}$ となるので，

P13 のベクトルの平行条件から，異なる 3 点 A，B，C が同一直線上に存在
するための必要十分条件は

$\overrightarrow{AC} = k\overrightarrow{AB}$ （k：実数）となる。何故って？$\overrightarrow{AB}$ と $\overrightarrow{AC}$ は平行でかつ点 A
を共有しているので，3 点 A，B，C は必ず同一直線上にあることになる
からだ。そして，この実数 k の値から AB：BC，すなわち点 B による線分
AC の内分比や外分比を求めることもできる。次の練習問題で練習しよう。

47

右図のような平行四辺形 ABCD について，線分 BD を 5：3 に内分する点を P，線分 CD を 2：3 に内分する点を Q とおく。また，$\overrightarrow{AB} = \vec{b}$，$\overrightarrow{AD} = \vec{d}$ とおく。

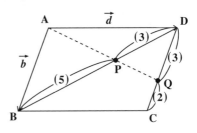

このとき，$\overrightarrow{AP}$ と $\overrightarrow{AQ}$ を，それぞれ $\vec{b}$ と $\vec{d}$ で表し，3 点 A，P，Q が同一直線上にあることを示せ。また，AP：PQ の比を求めよ。

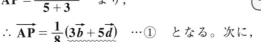

$\overrightarrow{AP}$ は内分点の公式で，また $\overrightarrow{AQ}$ はまわり道の原理から，それぞれ $\vec{b}$ と $\vec{d}$ で表し，$\overrightarrow{AQ} = k\overrightarrow{AP}$ の形で表せることを示せばいいんだね。

(ⅰ) $\overrightarrow{AP}$ を，$\vec{b}$ と $\vec{d}$ の 1 次結合で表す。

　　点 P は，線分 BD を 5：3 に内分するので，A を始点とする位置ベクトルで考えると，内分点の公式より

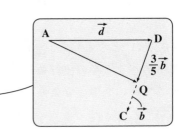

　　$\overrightarrow{AP} = \dfrac{3\vec{b} + 5\vec{d}}{5 + 3}$　より，

　　∴ $\overrightarrow{AP} = \dfrac{1}{8}(3\vec{b} + 5\vec{d})$　…①　となる。次に，

(ⅱ) $\overrightarrow{AQ}$ を，$\vec{b}$ と $\vec{d}$ の 1 次結合で表す。

　　$\overrightarrow{DC} = \overrightarrow{AB} = \vec{b}$　より，

　　$\overrightarrow{DQ} = \dfrac{3}{5}\vec{b}$　となる。

　　よって，たし算形式のまわり道の原理より，

　　$\overrightarrow{AQ} = \underset{\boxed{\vec{d}}}{\overrightarrow{AD}} + \underset{\boxed{\frac{3}{5}\vec{b}}}{\overrightarrow{DQ}} = \dfrac{3}{5}\vec{b} + \vec{d}$

$$\therefore \overrightarrow{AQ} = \frac{1}{5}(3\vec{b} + 5\vec{d}) \quad \cdots ②$$

②より $3\vec{b} + 5\vec{d} = 5\overrightarrow{AQ} \quad \cdots ②'$

となる。

②′を①に代入すると，

$$\overrightarrow{AP} = \frac{1}{8} \cdot 5\overrightarrow{AQ} \quad \therefore \overrightarrow{AP} = \frac{5}{8}\overrightarrow{AQ} \quad \cdots ③ \quad となるので，$$

$\overrightarrow{AP} /\!\!/ \overrightarrow{AQ}$，かつ点 A を共有するので，3 点 A，P，Q は同一直線上にある

と言えるんだね。納得いった？

また，③より $\overrightarrow{AQ}$ を $\frac{5}{8}$ 倍した

ものが $\overrightarrow{AP}$ より，

$|\overrightarrow{AQ}| : |\overrightarrow{AP}| = AQ : AP = 8 : 5$

となるね。これから

$AP : PQ = 5 : 3$，つまり，

点 P が線分 AQ を 5 : 3 に内分

することも分かるんだね。

面白かっただろう？

> $\overrightarrow{AP}$ のときと，係数が違うだけで，同じ $3\vec{b} + 5\vec{d}$ が出てきた！これから $\overrightarrow{AP} = k\overrightarrow{AQ}$ の形が導けるんだね。

> $\overrightarrow{AP} = k\overrightarrow{AQ}$ の形になった！

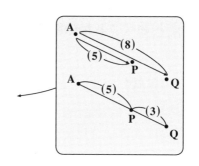

　以上で，今日の講義は終了だ！ベクトルの平面図形への応用って，結構面白くてハマるだろう？次回は，さらにこれを深めて，ベクトルを使って，直線や線分，それに円などを表してみることにしよう。次回で，平面ベクトルの講義も最終回になるけれどまた分かりやすく解説するから，楽しみに待っていてくれ。

　それでは，次回の講義までみんな元気でな！さようなら…。

4th day　ベクトル方程式

おはよう！ 今日で，"**平面ベクトル**"の講義も最終回になる。最後のテーマは"**ベクトル方程式**"だ。数学Ⅱの"**図形と方程式**"で円や直線の方程式について学習するけれど，そのベクトル・ヴァージョンがベクトル方程式ということなんだね。

これで，ベクトルと円や直線との関係をさらに深めることができて，面白くなると思うよ。では，早速講義を始めようか！

● 動点と動ベクトルの関係から始めよう！

図 1(ⅰ)に示すように，xy 座標平面上にただ**動点 P**(x , y) が与えられ

> 点 P(x , y) は，xy 座標平面上を動きまわる点なので"**動点**"と呼ぶ。

て，何の制約条件も付いていなければ，動点 P は文字通り，xy 平面上を自由に動きまわって，xy 座標平面を塗りつぶしてしまうと考えていいんだね。

これに，たとえば，

・$y = 2x + 1$ という制約条件が付けば，動点 P は傾き 2，y 切片 1 の直線上しか動けなくなる。つまり，これが"**直線の方程式**"であり，また，

図 1　(ⅰ) 動点 P

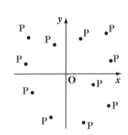

(ⅱ) 動ベクトル $\overrightarrow{\mathrm{OP}}$

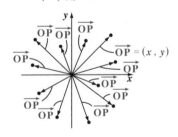

・$(x - 1)^2 + (y - 2)^2 = 4$ という制約条件が付けば，動点 P は，中心 C$(1 , 2)$，半径 2 の円周上しか動けなくなるので，これを"**円の方程式**"と呼ぶんだね。以上は，数学ⅠやⅡで学習する内容なんだけれど，ここでは，同様のことをベクトルを使って表現することにしよう。

50

ベクトルの場合，動点Pと同様の概念として，図1(ⅱ)に示すような**動ベクトル$\overrightarrow{OP} = (x, y)$**を考える。そして，これも何の制約条件も付いていなけれ

> 始点の O は定点だけど，終点の P が自由に動くので，$\overrightarrow{OP}$ を "動ベクトル" と呼ぶ。

ば，終点Pが自由に動きまわれるので，図1(ⅱ)に示すように，動ベクトル$\overrightarrow{OP}$ は，xy 座標平面全体を自由に塗りつぶすように動くことができるんだね。でも，$\overrightarrow{OP}$ についても何らかの制約条件の式を付けることによって，平面図形の直線や円など…の図形を描かせることができる。このベクトルの制約条件の式のことを，"ベクトル方程式" と呼ぶ。ここでは，"円のベクトル方程式" や "直線のベクトル方程式" について，詳しく解説しよう。

● 円のベクトル方程式をマスターしよう！

ではまず，円のベクトル方程式について考えてみよう。図2に示すように中心 A，半径 r の円を描く動点を P とおく。すると，図2に示すように P は，定点(中心) A からの距離を一定の半径 r に保って動くことになる。線分 AP の長さは，ベクトルを用いて表すと$|\overrightarrow{AP}|$ となるので，求める円のベクトル方程式は，

図2　円のベクトル方程式

$$|\overrightarrow{OP} - \overrightarrow{OA}| = r$$

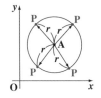

$|\overrightarrow{AP}| = r$ ……① となって，オシマイなんだね。

エッ，簡単すぎるって!? そうだね。ただし，ベクトル方程式は，$\overrightarrow{OP}$ で表現することが多い。よって，$\overrightarrow{AP}$ は原点 O を中継点とする引き算形式のまわり道の原理を使うと，$\overrightarrow{AP} = \overrightarrow{OP} - \overrightarrow{OA}$ となるので，これを①に代入したものが，円のベクトル方程式になる。まとめて，下に示すね。

■ 円のベクトル方程式

中心 A，半径 r の円のベクトル方程式は，次式で表される。
$$|\overrightarrow{OP} - \overrightarrow{OA}| = r \quad \cdots\cdots(*1)$$

では，この円のベクトル方程式：$|\overrightarrow{OP} - \overrightarrow{OA}| = r$　…($*1$) を成分で表してみよう。

$\overrightarrow{OP} = (x, y)$，$\overrightarrow{OA} = (a, b)$ とおくと

$\overrightarrow{OP} - \overrightarrow{OA} = (x, y) - (a, b) = (x - a, y - b)$

よって，この大きさ $|\overrightarrow{OP} - \overrightarrow{OA}|$ は，

$|\overrightarrow{OP} - \overrightarrow{OA}| = \sqrt{(x-a)^2 + (y-b)^2}$　…② 　となるのは，大丈夫だね。

この②を($*1$)に代入すると，

$\sqrt{(x-a)^2 + (y-b)^2} = r$　となるので，この両辺を 2 乗すると，

$(x-a)^2 + (y-b)^2 = r^2$　…($*1$)′　が導けるんだね。

> 中心 A(a, b)，半径 r の円の方程式

数学って，様々な知識が関連していて，面白いだろう？

では，例題を 1 題解いておこう。

(ex) P を動点，A を定点とするとき，方程式：

$|\overrightarrow{OP}|^2 - 2\overrightarrow{OA} \cdot \overrightarrow{OP} = 0$　……(a)

が，円の方程式であることを示し，その中心と半径を求めよう。

(ただし，A は原点 O とは異なる点とする。)

(a)を変形すると，

$|\overrightarrow{OP}|^2 - 2\overrightarrow{OA} \cdot \overrightarrow{OP} + |\overrightarrow{OA}|^2 = |\overrightarrow{OA}|^2$

> 左辺に $|\overrightarrow{OA}|^2$ をたした分，右辺にもたす。

> $p^2 - 2ap = 0$ の両辺に a^2 をたして，
> $p^2 - 2ap + a^2 = a^2$
> 2 で割って 2 乗
> $(p - a)^2 = a^2$
> 平方完成

$|\overrightarrow{OP} - \overrightarrow{OA}|^2 = |\overrightarrow{OA}|^2$

ここで，$|\overrightarrow{OA}|^2 > 0$ より，両辺は正だね。よって，この両辺の正の平方根をとると，

> $|\overrightarrow{OP} - \overrightarrow{OA}| = r$ の形が導けた！

$|\overrightarrow{OP} - \overrightarrow{OA}| = |\overrightarrow{OA}|$ となって，円の方程式が導ける。

> これから，中心は A 　　これが，半径 r に相当する。

これから，動点 P は，中心 A，半径 $|\overrightarrow{OA}|$ の円を描くことが分かるんだね。納得いった？

● 線分 AB を直径とする円の方程式も導こう！

　図3に示すように，線分 AB を直径にもつ円のベクトル方程式も簡単に導くことができるので，紹介しておこう。

直径 AB に対する円周角はすべて 90°（直角）となるのは大丈夫だね。これから図3に示すように，円周上を動く動点 P をとったとき，常に∠APB = 90° が成り立つので，2つのベクトル $\overrightarrow{AP}$ と $\overrightarrow{BP}$ は直交する。よって，$\overrightarrow{AP}$ と $\overrightarrow{BP}$ の内積は 0 となるんだね。つまり，

$$\overrightarrow{AP} \cdot \overrightarrow{BP} = 0 \quad \cdots ③$$ となる。

図3　AB を直径にもつ円の ベクトル方程式

$$(\overrightarrow{OP} - \overrightarrow{OA}) \cdot (\overrightarrow{OP} - \overrightarrow{OB}) = 0$$

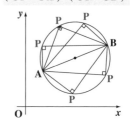

逆に言うと，③をみたす動点 P は，線分 AB を直径にもつ円を描くことになるので，③が求める円のベクトル方程式と言えるんだね。ここで，また動ベクトル $\overrightarrow{OP}$ で表現したいので，原点 O を中継点とする引き算形式のまわり道の原理を使って，$\overrightarrow{AP} = \overrightarrow{OP} - \overrightarrow{OA}$，$\overrightarrow{BP} = \overrightarrow{OP} - \overrightarrow{OB}$ とし，これらを③に代入すればいいんだね。以上を下にまとめておこう。

■ 直径 AB をもつ円のベクトル方程式

　線分 AB を直径にもつ円のベクトル方程式は次式で表される。
$$(\overrightarrow{OP} - \overrightarrow{OA}) \cdot (\overrightarrow{OP} - \overrightarrow{OB}) = 0 \quad \cdots\cdots(*2)$$

● 直線のベクトル方程式もマスターしよう！

　では次，直線のベクトル方程式について解説しよう。

図4に示すように，通る点と方向を指定すれば，直線を描くことができるんだね。この通る点を A とおき，直線の方向を"**方向ベクトル**" $\overrightarrow{d}$ で

図4　直線のベクトル方程式

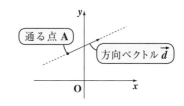

指定してやれば，“**直線のベクトル方程式**”は次のようになる。

直線のベクトル方程式

点 **A** を通り，方向ベクトル $\vec{d}$ の直線のベクトル方程式は，
“**媒介変数**” t を用いて，次式で表される。
$$\overrightarrow{OP} = \overrightarrow{OA} + t\vec{d} \quad \cdots\cdots(*3)$$

エッ，よく分からんって!?　いいよ。これから解説しよう。

図 5(ⅰ) に示すように，基準点を原点 **O** にとって，たし算形式のまわり道の原理を使うと，直線上の動点 **P** に向かう動ベクトル $\overrightarrow{OP}$ は，次式で表されるのは大丈夫だね。

$$\overrightarrow{OP} = \overrightarrow{OA} + \overrightarrow{AP} \quad \cdots\cdots①$$

ここで，①の $\overrightarrow{AP}$ は，与えられた方向ベクトル $\vec{d}$ と平行なので，変数 t を用いて，次のように表せる。

$$\overrightarrow{AP} = t\vec{d} \quad \cdots\cdots②$$

よって，②を①に代入して，

図5　直線のベクトル方程式

$$\overrightarrow{OP} = \overrightarrow{OA} + t\vec{d}$$

(ⅰ)

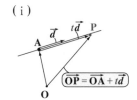

(ⅱ)

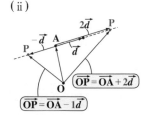

“**直線のベクトル方程式**”：

$$\overrightarrow{OP} = \overrightarrow{OA} + t\vec{d} \quad \cdots\cdots(*3) \quad$$ が導かれるんだね。

ここで，t は変数なので，様々な値を取り得る。図 5(ⅱ) では，$t = -1$，2 のときの動ベクトル $\overrightarrow{OP}$ を示してるけれど，この変数 t の値を連続的に変化させれば，動点 **P** が直線を描くことが分かると思う。面白かっただろう？

では，この直線のベクトル方程式を成分で表すことにより，さらに変形していくことにしよう。ここで，

$$\underbrace{\overrightarrow{OP} = (x, \ y)}_{\text{動ベクトル}}, \ \underbrace{\overrightarrow{OA} = (x_1, \ y_1)}_{\text{定ベクトル}}, \ \vec{d} = (l, \ m) \ \text{とおいて，これらを，直線のべ}$$

クトル方程式 ($*3$) に代入して，変形すると，

$$\underset{\overrightarrow{OP}}{(x,\ y)} = \underset{\overrightarrow{OA}}{(x_1,\ y_1)} + \underset{\overrightarrow{d}}{t\,(l,\ m)}$$

$$= (x_1,\ y_1) + (tl,\ tm)$$

$\therefore (x,\ \underline{y}) = (x_1 + tl,\ \underline{y_1 + tm})$ となるので，x 成分同士，y 成分同士それ

ぞれ等しいとおけるので，

> これを，"ベクトルの相等"
> というんだね。

$$\begin{cases} x = x_1 + tl \\ y = y_1 + tm \end{cases} \quad \cdots\cdots (*3)'$$ となるんだね。

ここで，$x_1,\ y_1,\ l,\ m$ は定数であり，変数 x と y は，変数 t を仲介して変

化することになる。よって，この変数 t のことを特に "**媒介変数**"，または "**パ**

ラメータ" と呼ぶんだよ。

ここで，$l,\ m$ が共に 0 でないものとすると，($*3)'$ はさらに次のよう

に変形できるのも大丈夫だね。

$$\begin{cases} \dfrac{x - x_1}{l} = t \quad \cdots\cdots ③ \\ \dfrac{y - y_1}{m} = t \quad \cdots\cdots ④ \end{cases}$$

③，④から t を消去すると，次のような直線の方程式が導ける。

$$\dfrac{x - x_1}{l} = \dfrac{y - y_1}{m} \quad \cdots\cdots (*3)''$$

以上をまとめて，下に示そう。

直線の方程式

点 $A(x_1,\ y_1)$ を通り，方向ベクトル $\vec{d} = (l,\ m)$ の直線の方程式は，

(i) 媒介変数 t を用いると，

$$\begin{cases} x = x_1 + tl \\ y = y_1 + tm \end{cases} \quad \cdots\cdots (*3)' \quad \text{と表せるし，また，}$$

(ii) $l \neq 0,\ m \neq 0$ のとき，

$$\dfrac{x - x_1}{l} = \dfrac{y - y_1}{m} \quad \cdots\cdots (*3)'' \quad \text{と表せる。}$$

公式ばっかりでウンザリしたって？　いいよ，これから練習問題でこれらの公式を使って練習してみよう。

次のような通る点と方向ベクトルをもつ直線を，媒介変数 t を使うものと，使わないものの **2** 通りで表せ。

(1) 点 $A(2, 1)$ を通り，方向ベクトル $\vec{d} = (3, 4)$ の直線

(2) 点 $A'(-2, 4)$ を通り，方向ベクトル $\vec{d'} = (2, -1)$ の直線

点 $A(x_1, y_1)$ を通り，方向ベクトル $\vec{d} = (l, m)$ の直線の方程式は，

(i) $\begin{cases} x = x_1 + tl \\ y = y_1 + tm \end{cases}$ (t：媒介変数) と (ii) $\dfrac{x - x_1}{l} = \dfrac{y - y_1}{m}$ の **2** 通り

で表せるんだね。早速解いてみてごらん。

(1) 点 $A(2, 1)$ を通り，方向ベクトル $\vec{d} = (3, 4)$ の直線は

(i) 媒介変数 t を用いて，

$\begin{cases} x = 2 + 3t \\ y = 1 + 4t \end{cases}$ と表せるし，また，

(ii) 媒介変数 t を消去した形で，

$\dfrac{x - 2}{3} = \dfrac{y - 1}{4}$ とも表せる。

> $x_1 = 2$, $y_1 = 1$
> $l = 3$, $m = 4$ より，
> これらを公式に
> 代入するだけだね。

(2) 点 $A'(-2, 4)$ を通り，方向ベクトル $\vec{d'} = (2, -1)$ の直線は，

(i) 媒介変数 t を用いて，

$\begin{cases} x = -2 + 2t \\ y = 4 - 1 \cdot t = 4 - t \end{cases}$ と表せるし，また，

(ii) 媒介変数 t を消去した形で，

$\dfrac{\overbrace{x + 2}^{x - (-2)}}{2} = \dfrac{y - 4}{-1}$ とも表せる。

> $x_1 = -2$, $y_1 = 4$
> $l = 2$, $m = -1$ より，
> これらを公式に
> 代入するだけだね。

どう？直線の方程式の表し方にも慣れた？思ったより簡単だっただろう。

56

● 法線ベクトルと直線の関係も押さえよう！

点$A(x_1, y_1)$を通り，方向ベクトル$\vec{d} = (l, m)$の直線の

方程式：$\dfrac{x - x_1}{l} = \dfrac{y - y_1}{m}$ ……(＊3)″ を少し変形して，

$\underbrace{\dfrac{1}{l}}_{a}(x - x_1) \underbrace{- \dfrac{1}{m}}_{+b}(y - y_1) = 0$ とし，さらに

$\dfrac{1}{l} = a,\ -\dfrac{1}{m} = b$ とおくと，この直線の方程式は，

$a(x - x_1) + b(y - y_1) = 0$ ……① となるのはいいね。

ここで，この係数a, bを，それぞれx成分，y成分にもつベクトルを新た
に$\vec{n} = (a, b)$とおくと，これは，この直線と直交するベクトルになる。こ
の$\vec{n}$を "**法線ベクトル**" と呼ぶので覚えておこう。

ン？ 何で，$\vec{n}$が直線と直交するベク
トルになるのか，よく分からんって!?
いいよ，これから解説しよう。

図6に示すように，直線上の定点
$A(x_1, y_1)$から動点$P(x, y)$に向か
うベクトルを$\overrightarrow{AP}$とおくと，

**図6　法線ベクトル$\vec{n}$を使った
直線の方程式**

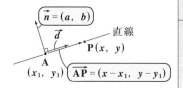

$\boxed{\text{ここで，P は A とは異なる点とする}}$

$\overrightarrow{AP} = \overrightarrow{OP} - \overrightarrow{OA} = (x, y) - (x_1, y_1)$

$= (x - x_1,\ y - y_1)$ ← $\boxed{\text{これは，}\vec{d}\text{と平行なベクトル}}$

となるのはいいね。そして，法線ベクトル$\vec{n}$を

$\vec{n} = (a, b)$とおくと，①の直線の方程式の左辺を見て何か気付かないか？
…，そうだね。①の左辺は$\vec{n}$と$\overrightarrow{AP}$の内積の成分表示になってるんだね。
つまり，

$\vec{n} \cdot \overrightarrow{AP} = (a, b) \cdot (x - x_1,\ y - y_1) = a(x - x_1) + b(y - y_1)$ となっている。そ
して，①の右辺は0だから，$\vec{n} \cdot \overrightarrow{AP} = 0$ より$\vec{n} \perp \overrightarrow{AP}$(直交)となるね。つ
まり$\vec{n}$は，直線と直交する法線ベクトルであることが，これから分かるん
だね。大丈夫？

では，これも次の練習問題で練習しておこう。

次のような通る点と法線ベクトルをもつ直線の方程式を求めよ。

(1) 点 $A(3, -2)$ を通り，法線ベクトル $\vec{n} = (2, 5)$ の直線

(2) 点 $A'\left(-\dfrac{1}{2}, \dfrac{1}{4}\right)$ を通り，法線ベクトル $\vec{n'} = \left(\dfrac{1}{3}, -\dfrac{1}{2}\right)$ の直線

点 $A(x_1, y_1)$ を通り，法線ベクトル $\vec{n} = (a, b)$ の直線の方程式は，
$a(x - x_1) + b(y - y_1) = 0$ で表されるんだね。すぐ解けるね？

(1) 点 $A(3, -2)$ を通り，法線ベクトル $\vec{n} = (2, 5)$ の直線の方程式は

$$\underbrace{2(x - 3)}_{} + \underbrace{5\underbrace{(y + 2)}_{y - (-2)}}_{} = 0 \quad \text{より，}$$

> $x_1 = 3$, $y_1 = -2$, $a = 2$, $b = 5$ を
> $a(x - x_1) + b(y - y_1) = 0$ に
> 代入したもの

$2x - 6 + 5y + 10 = 0$

よって，$2x + 5y + 4 = 0$ となるんだね。

(2) 点 $A'\left(-\dfrac{1}{2}, \dfrac{1}{4}\right)$ を通り，法線ベクトル $\vec{n'} = \left(\dfrac{1}{3}, -\dfrac{1}{2}\right)$ の直線の方程式は

$$\underbrace{\dfrac{1}{3}\underbrace{\left(x + \dfrac{1}{2}\right)}_{x - \left(-\frac{1}{2}\right)}}_{} - \underbrace{\dfrac{1}{2}\left(y - \dfrac{1}{4}\right)}_{} = 0$$

> $x_1 = -\dfrac{1}{2}$, $y_1 = \dfrac{1}{4}$, $a = \dfrac{1}{3}$, $b = -\dfrac{1}{2}$ を
> $a(x - x_1) + b(y - y_1) = 0$ に
> 代入したもの

$\dfrac{1}{3}x + \dfrac{1}{6} - \dfrac{1}{2}y + \dfrac{1}{8} = 0$ 両辺に 24 をかけて，

$8x + 4 - 12y + 3 = 0$

よって，$8x - 12y + 7 = 0$ となるんだね。納得いった？

　ベクトルを使って考えると，直線の方程式も，方向ベクトル $\vec{d}$ を使うものと法線ベクトル $\vec{n}$ を利用するものとがあることが分かったと思う。

　エッ，もう十分すぎる程，直線について分かったって!? ちょっと待ってくれ！ まだ，2 定点を通る直線や線分について教えないといけないんだ。これで，超満腹状態になるだろうね (笑)

● 直線 AB，線分 AB のベクトル方程式も導こう！

では次，**2 定点 A，B を通る "直線 AB のベクトル方程式"** を考えよう。ン？ 通る点は A で，方向ベクトル $\vec{d}$ の代わりに $\overrightarrow{AB}$ を使えばいいだけだから，簡単だって !? スバラシイね。その通りだ！ よって，直線 AB のベクトル方程式は，

$$\overrightarrow{OP} = \overrightarrow{OA} + t\,\overrightarrow{AB} \quad \cdots\cdots ① \quad (t：媒介変数)$$

（方向ベクトル $\vec{d}$ と同じ）

図7　直線 AB のベクトル方程式

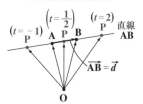

$$\overrightarrow{OP} = \alpha\overrightarrow{OA} + \beta\overrightarrow{OB}$$
$$(\alpha + \beta = 1)$$

となるね。ここで，引き算形式のまわり道の原理を使うと，

$$\overrightarrow{AB} = \overrightarrow{OB} - \overrightarrow{OA} \quad \cdots\cdots② \quad となるので，$$

②を①に代入してまとめると，

図には，$t = -1$，$\dfrac{1}{2}$，2 のとき

（β のこと）

の動点 P の位置を示した。

$$\overrightarrow{OP} = \overrightarrow{OA} + t(\overrightarrow{OB} - \overrightarrow{OA}) = \underset{(\alpha)}{(1 - t)\overrightarrow{OA}} + \underset{(\beta とおく)}{t\,\overrightarrow{OB}} \quad \cdots\cdots③ \quad となる。$$

ここでさらに，$\underset{\sim\sim}{1 - t = \alpha}$，$\underset{=\!=\!=}{t = \beta}$ とおくと，

$$\overrightarrow{OP} = \alpha\overrightarrow{OA} + \beta\overrightarrow{OB} \quad となるんだね。$$

そして，この係数 α と β の和を求めると，

$\underset{\sim\sim}{\alpha} + \underset{=\!=\!=}{\beta} = 1 - t + t = 1$ となる。よって，α と β が $\alpha + \beta = 1$ をみたしながら変化するとき，動点 P は直線 AB を描いていくことになるんだね。以上をまとめておこう。

直線 AB のベクトル方程式

$$\overrightarrow{OP} = \alpha\overrightarrow{OA} + \beta\overrightarrow{OB} \quad \cdots\cdots(*4)$$
$$(\alpha + \beta = 1)$$

> 直線 AB だけでなく，この後解説する 線分 AB，△OAB のベクトル方程式は，すべて同じ $\overrightarrow{OP} = \alpha\overrightarrow{OA} + \beta\overrightarrow{OB}$ の形をしているんだ。
> この係数 α，β に様々な条件を付けることにより，いろんな図形が描けるんだよ。

次に，線分 AB を表すベクトル方程式についても考えてみよう。③の t が $0 \leqq t \leqq 1$

（β のこと）

に限定されるとき，動点 P は，次ページの図8に示すように，線分 AB

上しか移動できないんだね。また，$0 \leqq \underset{\underset{\boxed{\beta}}{}}{t} \leqq 1$ のとき，各辺に -1 をかけて，$-1 \leqq -t \leqq 0$ となり，さらに各辺に 1 をたすと，$0 \leqq \underset{\underset{\boxed{\alpha \text{のこと}}}{}}{1-t} \leqq 1$ になるので，$0 \leqq \alpha \leqq 1$，かつ $0 \leqq \beta \leqq 1$ のとき，動点 P は，線分 AB を描くことになるんだね。大丈夫？

しかし，$0 \leqq \underset{\underset{\boxed{1-\beta \text{のこと} (\alpha + \beta = 1 \text{より})}}{}}{\alpha}$ のとき，

$0 \leqq 1-\beta$ より，$\beta \leqq 1$ となるし，

また，$0 \leqq \underset{\underset{\boxed{1-\alpha \text{のこと} (\alpha + \beta = 1 \text{より})}}{}}{\beta}$ のとき　$0 \leqq 1-\alpha$ より $\alpha \leqq 1$ も導ける。

つまり，$\alpha + \beta = 1$ の関係があるので，$\alpha \geqq 0$ かつ $\beta \geqq 0$ の条件さえあれば，$\alpha \leqq 1$ と $\beta \leqq 1$ は自動的に言えるので，これは省略できる。

以上より "線分 AB のベクトル方程式" は次のようになるんだね。

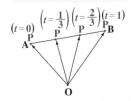

図8　線分 AB のベクトル方程式

$$\overrightarrow{\text{OP}} = \alpha \overrightarrow{\text{OA}} + \beta \overrightarrow{\text{OB}}$$
$$(\alpha + \beta = 1,\ \alpha \geqq 0,\ \beta \geqq 0)$$

図には，$\underset{\underset{\boxed{\beta \text{のこと}}}{}}{t} = 0$，$\dfrac{1}{3}$，$\dfrac{2}{3}$，$1$ のときの動点 P の位置を示した。

線分 AB のベクトル方程式

$$\overrightarrow{\text{OP}} = \alpha \overrightarrow{\text{OA}} + \beta \overrightarrow{\text{OB}} \quad \cdots\cdots(*4)' \qquad (\alpha + \beta = 1,\ \underline{\alpha \geqq 0,\ \beta \geqq 0})$$

$\boxed{(*4) \text{に，これが新たに加わると線分 AB になる。}}$

どう？ 面白いだろう？

● △OAB のベクトル方程式も押さえておこう！

では最後に，動点 P が，△OAB の周およびその内部を動くとき，つまり，動点 P が △OAB を塗りつぶすように動くときの "△OAB のベクトル方程式" についても考えてみよう。

この "△OAB のベクトル方程式" の結果を先に示しておこう。

△OAB のベクトル方程式

$$\overrightarrow{\mathrm{OP}} = \alpha\overrightarrow{\mathrm{OA}} + \beta\overrightarrow{\mathrm{OB}} \quad \cdots\cdots(*4)'' \qquad (\alpha+\beta \leqq 1, \ \alpha \geqq 0, \ \beta \geqq 0)$$

($*4$)′ に，不等号が加わることにより，△OAB を表すことになる。

($*4$)″ において，$\alpha \geqq 0$ かつ $\beta \geqq 0$ より，当然 $\alpha+\beta \geqq 0$ となるので，$\alpha+\beta$ の値は条件と併せて，$0 \leqq \alpha+\beta \leqq 1$ の範囲を動くことになるんだね。よって，ここではまず，具体的に，（ i ）$\alpha+\beta = 1$ のとき，（ ii ）$\alpha+\beta = \dfrac{2}{3}$ のとき，（ iii ）$\alpha+\beta = \dfrac{1}{3}$ のときの 3 通りについて，動点 P の描く図形を考えてみることにしよう。

（ i ）$\alpha+\beta = 1$ のとき，($*4$)″ は，

$$\overrightarrow{\mathrm{OP}} = \alpha\overrightarrow{\mathrm{OA}} + \beta\overrightarrow{\mathrm{OB}}$$

$$(\alpha+\beta = 1, \ \alpha \geqq 0, \ \beta \geqq 0)$$

となるので，これは図9に示すように動点 P は線分 AB を描くことになるんだね。

図9　△OAB のベクトル方程式

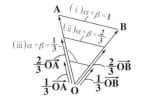

（ ii ）$\alpha+\beta = \dfrac{2}{3}$ のとき，この両辺に $\dfrac{3}{2}$ をかけて，

$$\underset{\alpha'}{\underline{\dfrac{3}{2}\alpha}} + \underset{\beta' \text{ とおく}}{\underline{\dfrac{3}{2}\beta}} = 1 \quad \leftarrow \boxed{\begin{array}{l}\text{2つの係数をたして 1}\\\text{とするのがポイントだ。}\end{array}} \quad \text{となる。}$$

$\alpha \geqq 0, \ \beta \geqq 0$ より，
$$\begin{cases} \alpha' = \dfrac{3}{2}\alpha \geqq 0 \\ \beta' = \dfrac{3}{2}\beta \geqq 0 \end{cases}$$
となる。

ここで，新たに係数 $\alpha' = \dfrac{3}{2}\alpha$，$\beta' = \dfrac{3}{2}\beta$ とおくと ($*4$)″ の方程式は，

$$\overrightarrow{\mathrm{OP}} = \underset{\alpha'}{\underline{\dfrac{3}{2}\alpha}} \cdot \dfrac{2}{3}\overrightarrow{\mathrm{OA}} + \underset{\beta'}{\underline{\dfrac{3}{2}\beta}} \cdot \dfrac{2}{3}\overrightarrow{\mathrm{OB}} \quad \text{より，}$$

$$\overrightarrow{\mathrm{OP}} = \alpha' \cdot \dfrac{2}{3}\overrightarrow{\mathrm{OA}} + \beta' \cdot \dfrac{2}{3}\overrightarrow{\mathrm{OB}} \quad \underline{(\alpha'+\beta' = 1, \ \alpha' \geqq 0, \ \beta' \geqq 0)}$$

と変形できるので， $\boxed{\text{これが線分を表す条件だからね。}}$

図 9 に示すように，動点 P は，$\frac{2}{3}\overrightarrow{OA}$ と $\frac{2}{3}\overrightarrow{OB}$ の終点を結ぶ線分を描くことになるんだね。では次，

(ⅲ) $\alpha+\beta=\frac{1}{3}$ のとき，この両辺に 3 をかけて

$$\underbrace{3\alpha}_{\boxed{\alpha''}} + \underbrace{3\beta}_{\boxed{\beta'' \text{とおく}}} = 1 \quad \longleftarrow \boxed{\begin{array}{l}\text{2 つの係数をたして 1}\\\text{とするのがポイントだ。}\end{array}} \quad \text{となる。}$$

$\boxed{\begin{array}{l}\alpha \geqq 0, \ \beta \geqq 0 \text{ より，}\\ \left\{\begin{array}{l}\alpha' = 3\alpha \geqq 0\\ \beta' = 3\beta \geqq 0\end{array}\right.\\ \text{となる。}\end{array}}$

ここで，新たに，$\alpha'' = 3\alpha$，$\beta'' = 3\beta$ とおくと $(*4)''$ の方程式は，

$$\overrightarrow{OP} = \underbrace{3\alpha}_{\boxed{\alpha''}} \cdot \frac{1}{3}\overrightarrow{OA} + \underbrace{3\beta}_{\boxed{\beta''}} \cdot \frac{1}{3}\overrightarrow{OB} \quad \text{より}$$

$$\overrightarrow{OP} = \alpha'' \cdot \frac{1}{3}\overrightarrow{OA} + \beta'' \cdot \frac{1}{3}\overrightarrow{OB} \quad \underline{(\alpha'' + \beta'' = 1, \ \alpha'' \geqq 0, \ \beta'' \geqq 0)}$$

と変形できるので，前ページの $\uparrow$ $\boxed{\text{これも，線分を表す条件だね。}}$

図 9 に示すように，動点 P は $\frac{1}{3}\overrightarrow{OA}$ と $\frac{1}{3}\overrightarrow{OB}$ の終点を結ぶ線分を描くことになるんだね。納得いった？

これまで，(ⅰ) $\alpha+\beta=1$，(ⅱ) $\alpha+\beta=\frac{2}{3}$，(ⅲ) $\alpha+\beta=\frac{1}{3}$ のときのみを調べて動点 P が 3 本の線分を描くことを導いたんだけれど，これをより細密に

$\alpha+\beta=1, \ 0.9, \ 0.8, \ \cdots\cdots,$
$\qquad 0.2, \ 0.1$

と変化させたとき，動点 P の描く図形は図 10 のように 10 本の線分になることは，容易に推測できると思う。

図 10　△OAB のベクトル方程式

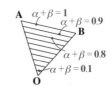

そしてさらに，$\alpha+\beta$ の値を 0 から 1 まで変化させると，動点 P は次ページの図 11 に示すように△OAB の周およびその内部をくまなく塗りつぶすことになるんだね。

以上より，△OAB を表すベクトル方程式が，

$$\overrightarrow{OP} = \alpha\overrightarrow{OA} + \beta\overrightarrow{OB} \quad \cdots\cdots(*4)''$$

$(\alpha + \beta \leqq 1, \ \alpha \geqq 0, \ \beta \geqq 0)$

となることが，理解できたと思う。

図11　△OAB のベクトル方程式

$$\overrightarrow{OP} = \alpha\overrightarrow{OA} + \beta\overrightarrow{OB}$$
$(\alpha + \beta \leqq 1, \ \alpha \geqq 0, \ \beta \geqq 0)$

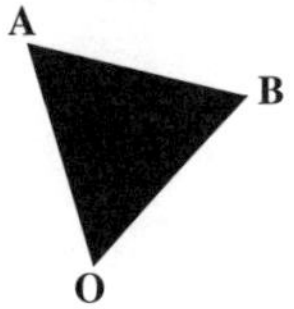

では，最後にもう 1 度，(Ⅰ) 直線 AB，(Ⅱ) 線分 AB，そして，(Ⅲ) △OAB を表すベクトル方程式を下にまとめて示すから，シッカリ頭に入れておいてくれ。

(Ⅰ) 直線 AB のベクトル方程式

$$\overrightarrow{OP} = \alpha\overrightarrow{OA} + \beta\overrightarrow{OB} \quad (\alpha + \beta = 1)$$

(Ⅱ) 線分 AB のベクトル方程式

$$\overrightarrow{OP} = \alpha\overrightarrow{OA} + \beta\overrightarrow{OB} \quad (\alpha + \beta = 1, \ \alpha \geqq 0, \ \beta \geqq 0)$$

(Ⅲ) △OAB のベクトル方程式

$$\overrightarrow{OP} = \alpha\overrightarrow{OA} + \beta\overrightarrow{OB} \quad (\alpha + \beta \leqq 1, \ \alpha \geqq 0, \ \beta \geqq 0)$$

　これで，"**平面ベクトル**"の講義はすべて終了です！ 最後のベクトル方程式まで理解するのは結構大変だったと思うけれど，みんな，よく頑張ったね (^o^)！ でも，まだ理解があやふやな所もあると思うから，何度でも自分で納得がいくまで，復習しておいてくれ。この反復練習こそ，本物の実力を身に付けるサクセス・ロードそのものなんだからね。

　そして，次回からは，"**空間ベクトル**"の講義に入ろう。これもまた，図を沢山使って分かりやすく解説していくから，みんな楽しみに待っていてくれ！

　それでは，次回の講義でまた会おう！ みんな元気でな！復習忘れるなよ〜！ じゃあ，バイバイ…。

1. ベクトルの成分表示と大きさ

$\vec{a}=(x_1,\ y_1)$ について, $|\vec{a}|=\sqrt{x_1{}^2+y_1{}^2}$

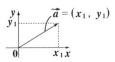

2. $\vec{a}$ と $\vec{b}$ の内積の定義（平面・空間共通）

$\vec{a}\cdot\vec{b}=|\vec{a}||\vec{b}|\cos\theta$ （$\theta:\vec{a}$ と $\vec{b}$ のなす角）

3. ベクトルの平行・直交条件　（$\vec{a}\neq\vec{0},\ \vec{b}\neq\vec{0},\ k\neq0$）（平面・空間共通）

（ⅰ）平行条件：$\vec{a}/\!/\vec{b}\Longleftrightarrow\vec{a}=k\vec{b}$　　（ⅱ）垂直条件：$\vec{a}\perp\vec{b}\Longleftrightarrow\vec{a}\cdot\vec{b}=0$

4. 内積の成分表示

$\vec{a}=(x_1,\ y_1),\quad\vec{b}=(x_2,\ y_2)$ のとき,

> 注意 空間ベクトルでは, z 成分の項が新たに加わる。

（ⅰ）$\vec{a}\cdot\vec{b}=x_1x_2+y_1y_2$

（ⅱ）$\cos\theta=\dfrac{\vec{a}\cdot\vec{b}}{|\vec{a}||\vec{b}|}=\dfrac{x_1x_2+y_1y_2}{\sqrt{x_1{}^2+y_1{}^2}\sqrt{x_2{}^2+y_2{}^2}}$ （$\because\vec{a}\cdot\vec{b}=|\vec{a}||\vec{b}|\cos\theta$）

5. 内分点の公式（平面・空間共通）

点 P が線分 AB を $m:n$ に内分するとき,

$$\overrightarrow{OP}=\frac{n\overrightarrow{OA}+m\overrightarrow{OB}}{m+n}$$

特に, 点 P が線分 AB の中点となるとき,

$$\overrightarrow{OP}=\frac{\overrightarrow{OA}+\overrightarrow{OB}}{2}$$

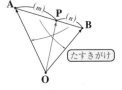

6. 外分点の公式（平面・空間共通）

点 Q が線分 AB を $m:n$ に外分するとき,

$$\overrightarrow{OQ}=\frac{-n\overrightarrow{OA}+m\overrightarrow{OB}}{m-n}$$

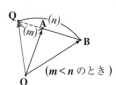

7. ベクトル方程式

（ⅰ）円のベクトル方程式：$|\overrightarrow{OP}-\overrightarrow{OA}|=r$

（ⅱ）直線のベクトル方程式：$\overrightarrow{OP}=\overrightarrow{OA}+t\vec{d}$

$$\overrightarrow{OP}=\alpha\overrightarrow{OA}+\beta\overrightarrow{OB}\quad(\alpha+\beta=1)$$

第 2 章
CHAPTER **2** 空間ベクトル

――――― テーマ ―――――

▶ 空間図形と空間座標の基本

▶ 空間ベクトルの演算，成分表示，内積

▶ 空間ベクトルの空間図形への応用

わからない事は
まっかせなさーい！

5th day　空間図形と空間座標の基本

みんな，おはよう！ サァ，今日から気分も新たに，"**空間ベクトル**"の講義を始めよう。前章で学習した"**平面ベクトル**"は，文字通り 2 次元平面上のベクトルだったわけだけれど，今日から学習する"**空間ベクトル**"は 3 次元空間におけるベクトルだから，次元が 1 つ上がるんだね。

エッ，難しそうだって!? 確かに，レベルアップはするけれど，平面ベクトルで学んだ知識もかなり活かせるので，それ程違和感なく入っていけると思うよ。それに，また分かりやすく教えるしね…。

で，今日の講義では，本格的な空間ベクトルの話に入る前の準備として，空間図形の基本的性質と，空間座標の基本について解説しようと思う。まず，ウォーミング・アップということだ。

では，早速講義を始めるよ。

● 空間における 2 直線の位置関係を押さえよう！

平面上における 2 直線の位置関係は，(i) 1 点で交わるか，(ii) 平行であるか，のいずれかしかなかったんだけれど，空間においては，これ以外に，並行でもなく，かつ交わることもない，(iii) **ねじれの位置**にある場合もあるんだね。以上，空間における 2 直線 *l* と *m* の位置関係を図 1(i)(ii)(iii) に示しておこう。

図 1　空間における 2 直線の位置関係

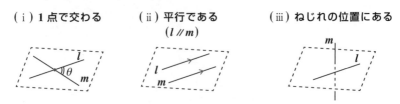

(i) 1 点で交わる　(ii) 平行である　　(iii) ねじれの位置にある
　　　　　　　　　　（*l* ∥ *m*）

図 1(i)(ii) の場合，2 直線 *l*, *m* は同一平面上にあるんだけれど，(iii)ねじれの位置の場合は *l*, *m* は同一平面上にないことに気を付けよう。また，2 直線のなす角 θ についても解説しよう。

(ⅰ) **1** 点で交わる場合のなす角 θ は，一般に **0°** 以上 **90°** 以下の角で表す。たとえば，右図のような場合，**2** 直線 l，m のなす角 θ は，**120°** ではなく，$\theta = 60°$ となるんだね。

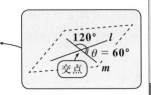

(ⅱ) **2** 直線 l，m が並行（$l /\!/ m$ と表す）な場合，l または m を平行移動させれば一致するので，このときのなす角 θ は $\theta = 0°$ となるんだね。

(ⅲ) ねじれの位置にある場合は，右図のように，l または m を平行移動して，**1** 点で交わるようにすれば，後は，(ⅰ) と同じ要領で，なす角 θ を定義できるんだね。納得いった？

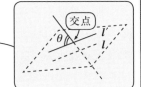

そして，**2** 直線 l，m が (ⅰ) **1** 点で交わるか，または (ⅲ) ねじれの位置にある場合，なす角 $\theta = 90°$ であれば，l と m は **垂直である**といい，$l \perp m$ で表す。

● 空間における直線と平面の位置関係は **3** つある！

直線 l と平面 α の関係は，図 **2** に示すように，(ⅰ) 含まれるか，(ⅱ) 交わるか，または (ⅲ) 平行であるか，のいずれかなんだね。

図2　空間における直線と平面の位置関係

(ⅰ) 含まれる

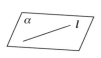

(ⅱ) 交わる

(ⅲ) 平行である ($l /\!/ \alpha$)

そして，右図に示すように，直線 l が平面 α 上のすべての直線と垂直であるとき，l は α と **"直交する"**，または **"垂直"** であるといい，$l \perp \alpha$ と表す。また，このとき l を **"垂線"** と呼ぶので覚えておこう。

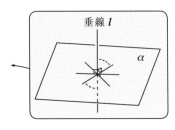

67

逆に，直線 l が平面 α の垂線であること
を示すには，右図に示すように，l が，
α 上の任意の平行でない2直線と垂直で
あることを示せばいいんだね。これも重
要ポイントだよ。

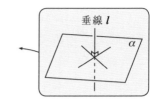
垂線 l

α

● 空間における2平面の位置関係は2つだけだ！

空間における異なる2平面 α と β の位置関係は，図3に示すように (i)
交わるか，(ii) 平行である

図3　空間における2平面の位置関係

かの2通りのみなんだね。

そして，図3(i) に示す
ように，2平面が交わると
き，共有する直線が存在し，
これを "**交線**" と呼ぶんだ
ね。また，図3(ii) に示す

(i) 交わる

交線

β

α

(ii) 平行である
$(\alpha /\!/ \beta)$

β

α

ように，α と β が共有点をもたないとき，α と β は "**平行である**" といい，
$\alpha /\!/ \beta$ で表すことも覚えておこう。

次に，2平面 α と β が交わるときのなす
角 θ についても教えておこう。右図のよう
に，α と β の交線を l とおき，l 上に1点
O をとる。そして，O から l と垂直な直線
OA を α 上に引き，同様に l と垂直な直線

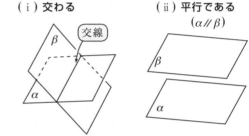
β
交線 l
B
θ
O　A
α

OB を β 上に引く。すると，$\angle AOB$ が，2平面 α と β のなす角 θ という
ことになるんだね。納得いった？

以上の内容は，実は数学 **A** の "**図形の性質**" で解説しているので，ほ
とんどの人にとっては，復習になったと思う。では，これから，空間座標
の話に入るけれど，これからが数学 **III・C** の範囲になるんだね。

● 空間座標とは 3 次元の座標

2 次元平面上の点の座標を指定するのに，これまで xy 座標系を用いてきたんだね。でも，これだと，3 次元の空間における点の座標を指定することはムリだね。x 座標と y 座標だけでは情報量がたりないからだ。したがって，空間上の点の座標を決めるには，図 4 に示すように，x 軸，y 軸でできる xy 座標平面と直交する新たな z 軸を設けて，xyz 座標系を作る必要があるんだね。

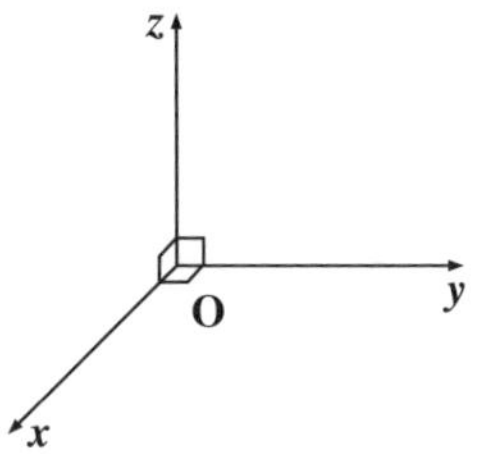

したがって，xy 座標平面上の点 P は，$P(x_1, y_1)$ のように表したけれど，xyz 座標空間上の点 P の座標は，図 5 に示すように，$P(x_1, y_1, z_1)$ で表

これが新たに加わった！

すことになるんだね。図 5 に点線で示した直方体は，お父さんがお中元などでもらうウィスキーの箱だと考えてくれたらいいんだよ。すると，点 $P(x_1, y_1, z_1)$ の各座標の値 x_1，y_1，z_1 それぞれと x 軸，y 軸，z 軸における各位置の対応関係がつかめると思うよ。

ン？意味は分かったけれど，xyz 座標に慣れるために練習してみたいって!? 当然だね。次の練習問題を解いて，空間座標における点の座標表示がシッカリできるようになってくれ。そして，これが，この後に学習する"**空間ベクトル**"の成分表示と密接に関係してくるんだよ。では，次の練習問題を解いてみてごらん。

図 4 xyz 座標系

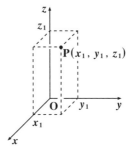

図 5 空間上の点 P の座標
$P(x_1, y_1, z_1)$

69

xyz 座標上に右図のような直方体がある。

(1) 4 点 **A**, **B**, **C**, **D** の座標を求めよ。

(2) 点 **A** と, *xy* 平面に関して対称な点を **A′**, また *yz* 平面に関して対称な点を **A″**, また *zx* 平面に関して対称な点を **A‴** とおく。3 点 **A′**, **A″**, **A‴** の座標を求めよ。

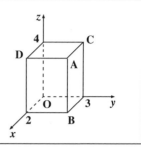

---

(1) 点 **A** の座標はスグに求まるね。また, 点 **B, C, D** はそれぞれ *xy* 平面, *yz* 平面, *zx* 平面上の点であることに気を付けよう。(2) は, グラフのイメージをつかむことがポイントなんだね。

(1) 右図から,

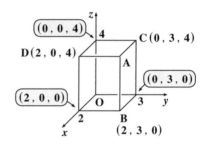

(ⅰ) 点 **A** の *x* 座標は **2**, *y* 座標は **3**, *z* 座標は **4** より, 点 **A** の座標は **A(2 , 3 , 4)** となる。

(ⅱ) 点 **B** は *xy* 平面上の点

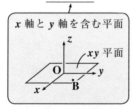

より, 点 **A** の *z* 座標が **0** となったものが点 **B** の座標になる。よって, **B(2 , 3 , 0)** だね。

(ⅲ) 点 **C** は, *yz* 平面上の点より, 点 **A** の *x* 座標が **0** となる。

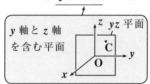

よって, 点 **C** の座標は, **C(0 , 3 , 4)** となるんだね。

(iv) 点 D は, <u>zx 平面上の点</u>より, 点 A の y 座標が 0 となる。よって,

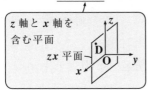

点 D の座標は D(2, 0, 4) となるんだね。納得いった？

(2)(ⅰ) 点 A と, xy 平面に関して対称
な点 A′ の座標は, 右図から明
らかに, 点 A の z 座標のみの
符号が変わるんだね。よって,
点 A′ の座標は, A′(2, 3, −4)
となる。

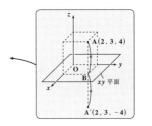

(ⅱ) 点 A と yz 平面に関して対称な
点 A″ の座標は, 右図から明ら
かに, 点 A の x 座標のみの符
号が変わる。よって, 点 A″ の
座標は, A″(−2, 3, 4) だね。

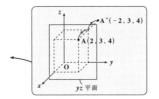

(ⅲ) 点 A と zx 平面に関して対称な
点 A‴ の座標は, 右図から明
らかに, 点 A の y 座標のみの
符号が変わる。よって, 点 A‴
の座標は, A‴(2, −3, 4) とな
るんだね。大丈夫だった？

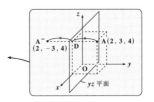

ちなみに, 問題文の図の x 軸上の x 座標が 2 の点の座標は, (2, 0, 0)
であり, y 軸上の y 座標が 3 の点の座標は, (0, 3, 0) であり, また, z
軸上の z 座標が 4 の点の座標は, (0, 0, 4) となることも, 前のページ
の図で確認しておいてくれ。

● 簡単な平面の方程式を導いてみよう！

xyz 座標空間上の動点 $P(x, y, z)$ について，もし何の制約条件も付かなければ，点 P は自由に全空間を塗りつぶしてしまうことになる。したがって，点 P に何らかの制約条件，つまり方程式が与えられれば，点 P はある図形を描くことになるんだね。この考え方は，前に平面ベクトルの章のベクトル方程式 (**P50**) のところで解説したものと同様だから，理解できると思う。

したがって，図 6 に示す yz 平面上を動く動点 P の x 座標は常に 0 だけど，y と z 座標は自由に変化できるので，この場合の動点 P の制約条件の式は $x = 0$ となる。つまり，これが yz 平面を表す方程式になるんだね。

であるならば，この <u>yz 平面 ($x = 0$) と平行な平面</u>の方程式も同様に考えて，

> これは，x 軸と垂直な平面のこと

この平面が x 軸と交わる x 座標 (x 切片) を a とすると，この方程式は，$x = a$ となるんだね。何故なら，この平面上の動点 P の座標は $P(a, y, z)$ となり，x 座標のみは一定の a だけれど，y と z 座標は自由に変化できるので，図 6 の yz 平面と平行な平面全体を P が塗りつぶすことになるからなんだね。

同様に考えれば，今度は右図から，zx 平面の方程式は，$y = 0$ であり，この zx 平面と平行 (y 軸と垂直) な平面で，その y 切片が b であるものの方程式は，$y = b$ となるのもいいね。

図 6　x 軸に垂直な平面の方程式：$x = a$

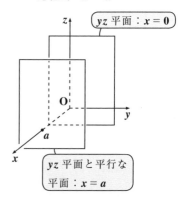

yz 平面：$x = 0$

yz 平面と平行な平面：$x = a$

zx 平面：$y = 0$

zx 平面と平行な平面：$y = b$

同様に，右図から，xy 平面の
方程式は，$z = 0$ であり，こ
の xy 平面と平行（z 軸と垂直）
な平面で，その z 切片が c であ
るものの方程式は，$z = c$ とな
る。これも大丈夫だね。
以上をまとめると次のようにな
るので，覚えておこう。

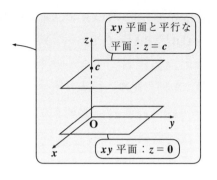

（i）yz 平面と平行（x 軸と垂直）で，x 切片 a の平面の方程式は，
　　$x = a$ である。 ← $a = 0$ のとき，yz 平面：$x = 0$ になる

（ii）zx 平面と平行（y 軸と垂直）で，y 切片 b の平面の方程式は，
　　$y = b$ である。 ← $b = 0$ のとき，zx 平面：$y = 0$ になる

（iii）xy 平面と平行（z 軸と垂直）で，z 切片 c の平面の方程式は，
　　$z = c$ である。 ← $c = 0$ のとき，xy 平面：$z = 0$ になる

● 2点間の距離もマスターしよう！

平面ベクトルの章で，$\overrightarrow{OA} = (x_1, y_1)$ の大きさ $|\overrightarrow{OA}| = \sqrt{x_1{}^2 + y_1{}^2}$ (P23) であ
り，$\overrightarrow{AB} = (x_2 - x_1, y_2 - y_1)$ の大きさ $|\overrightarrow{AB}| = \sqrt{(x_2 - x_1)^2 + (y_2 - y_1)^2}$ (P27)
であることは既に教えたね。これは，2点 $A(x_1, y_1)$，$B(x_2, y_2)$ であるとき，
2点 O，A 間の距離が $OA = \sqrt{x_1{}^2 + y_1{}^2}$ であり，2点 A，B 間の距離が AB
$= \sqrt{(x_2 - x_1)^2 + (y_2 - y_1)^2}$ と言っているのと同じなんだね。

では次，xyz 座標空間における2点
間の距離について考えてみよう。右図
のように点 A，B，C を $A(x_1, y_1, z_1)$，
$B(x_1, y_1, 0)$，$C(x_1, 0, 0)$ となるように
とる。まず，直角三角形 OBC に三平
方の定理を用いると，
$$OB = \sqrt{x_1{}^2 + y_1{}^2}$$
となるのはいいね。

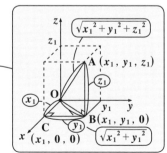

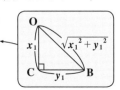

さらに，直角三角形 OAB に三平方の定理を用いると，

$$OA^2 = OB^2 + BA^2 = (\sqrt{{x_1}^2 + {y_1}^2})^2 + {z_1}^2$$
$$= {x_1}^2 + {y_1}^2 + {z_1}^2 \quad となるので，$$

2 点 O，A 間の距離，つまり線分 OA の長さは

$$OA = \sqrt{{x_1}^2 + {y_1}^2 + \underline{{z_1}^2}} \quad と表されるんだね。$$

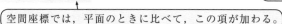

> 空間座標では，平面のときに比べて，この項が加わる。

同様に考えれば，2 点 A(x_1, y_1, z_1)，B(x_2, y_2, z_2) の間の距離，
すなわち，線分 AB の長さも

$$AB = \sqrt{(x_2 - x_1)^2 + (y_2 - y_1)^2 + \underline{(z_2 - z_1)^2}} \quad となるんだね。$$

> 平面座標に比べて，これが加わる。

　それでは，次の練習問題で，実際に空間座標における 2 点間の距離を求めてみることにしよう。

練習問題 13　　2 点間の距離　　CHECK 1　CHECK 2　CHECK 3

xyz 座標上に 3 点 A$(1, -4, \sqrt{2})$，B$(4, -4, \sqrt{2})$，C$(4, -2, 3\sqrt{2})$
がある。

(1) 線分 OA の長さを求めよ。

(2) 線分 AB，BC，CA の長さを求め，△ABC が直角三角形であることを示せ。

線分の長さ (2 点間の距離) は，公式：$OA = \sqrt{{x_1}^2 + {y_1}^2 + {z_1}^2}$ か，または，
$AB = \sqrt{(x_2 - x_1)^2 + (y_2 - y_1)^2 + (z_2 - z_1)^2}$ を使えばいいんだね。

(1)A$(1, -4, \sqrt{2})$ より，線分 OA の長さは，

> A(x_1, y_1, z_1) のとき，
> $OA = \sqrt{{x_1}^2 + {y_1}^2 + {z_1}^2}$

$$OA = \sqrt{1^2 + (-4)^2 + (\sqrt{2})^2}$$
$$= \sqrt{1 + 16 + 2} = \sqrt{19} \quad となる。$$

(2)(i)A$(1, -4, \sqrt{2})$，B$(4, -4, \sqrt{2})$ より，線分 AB の長さは，

$$AB = \sqrt{(4 - 1)^2 + (-4 + 4)^2 + (\sqrt{2} - \sqrt{2})^2} = \sqrt{3^2} = 3$$

> A(x_1, y_1, z_1)，B(x_2, y_2, z_2) のとき，
> $AB = \sqrt{(x_2 - x_1)^2 + (y_2 - y_1)^2 + (z_2 - z_1)^2}$

(ⅱ) 同様に, $B(4, -4, \sqrt{2})$, $C(4, -2, 3\sqrt{2})$ より, 線分 BC の長さは,
$$BC = \sqrt{(4-4)^2 + (-2+4)^2 + (3\sqrt{2} - \sqrt{2})^2}$$
$$= \sqrt{2^2 + (2\sqrt{2})^2} = \sqrt{4+8} = \sqrt{12} = 2\sqrt{3} \quad となる。$$

(ⅲ) 同様に, $C(4, -2, 3\sqrt{2})$, $A(1, -4, \sqrt{2})$ より, 線分 CA の長さは,
$$CA = \sqrt{(1-4)^2 + (-4+2)^2 + (\sqrt{2} - 3\sqrt{2})^2}$$
$$= \sqrt{(-3)^2 + (-2)^2 + (-2\sqrt{2})^2} = \sqrt{9+4+8} = \sqrt{21} \quad となる。$$

以上より, $AB^2 = 9$, $BC^2 = 12$, $CA^2 = 21$ となり,
△ABC において, 三平方の定理:
$CA^2 = AB^2 + BC^2$ が成り立つので,
[$21 = 9 + 12$]
△ABC は, $\angle ABC = 90°$ の直角三角形に
なることが分かったんだね。納得いった？

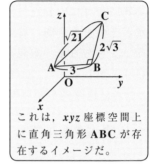

これは, xyz 座標空間上に直角三角形 ABC が存在するイメージだ。

以上で, 今日の講義は終了です。空間座標は, みんなにとって初体験だったかも知れないけれど, 点の座標の取り方や, 2 点間の距離の計算法にも自信がついたと思う。

次回からは, 今日学んだ内容を基にして, 本格的な"**空間ベクトル**"の講義に入ろう。ベクトルを使えば, 空間図形や空間座標の理解がさらに深まって面白くなると思うよ。

では, 次回の講義も楽しみに待っててくれ！それまで, みんな体調を整えて, 元気でな…。また会おう！さようなら。

75

6th day 空間ベクトルの演算，成分表示，内積

みんな，おはよう！今日から，"空間ベクトル"の本格的な講義に入ろう。平面ベクトルは，あくまでも平面上のベクトルであったのに対して，空間ベクトルは文字通り 3 次元空間内に存在するベクトルだから，ベクトルが平面から空間に飛び出したって，感じなんだね。

でも，ベクトルの実数倍や和・差の演算，まわり道の原理，内積の定義と演算，それに内分点・外分点の公式などなど…，平面ベクトルで学んだ知識がそのまま空間ベクトルでも使えるので，それ程違和感なく学べると思うよ。もちろん，空間ベクトル独特のものもあるので，これについては詳しく解説しよう。

さァ，早速講義を始めよう。みんな準備はいい？

● 空間ベクトルでも，平面ベクトルの公式が使える！

これまで勉強してきた"**平面ベクトル**"と，これから解説する"**空間ベクトル**"のイメージを図1に，それぞれ示しておくよ。平面ベクトルの場合，ある平面内に存在するベクトルのみを扱うわけだけれど，空間ベクトルになると文字通

図1 平面ベクトルと空間ベクトル

（ⅰ）平面ベクトル （ⅱ）空間ベクトル

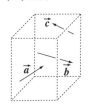

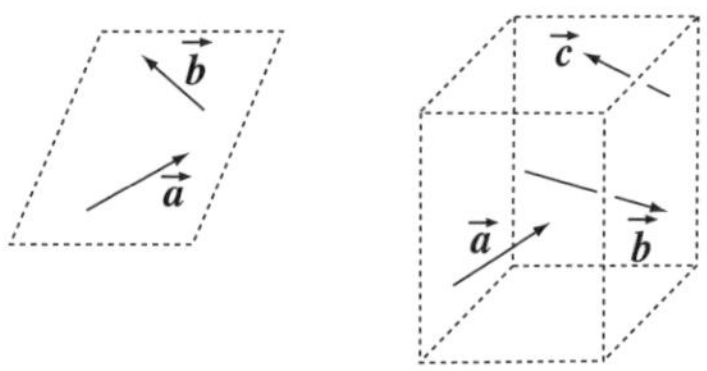

り，3 次元空間上にベクトルが自由に存在できるようになるんだね。その分，確かにベクトルのヴァリエーションが広がったと言えるんだね。

だから，もちろん，空間ベクトル独特のものもあるんだけれど，ベクトルの基本的な考え方や公式については，"**空間ベクトル**"になっても"**平面ベクトル**"のときと同じものがほとんどなんだよ。したがって，空間ベクトルにおいても，平面ベクトルの知識がそのまま使えるものについては，解説は既に終わっているので，簡単に列挙することにしよう。また，平面ベクトルとは異なり，空間ベクトル独特の性質については，その後に詳しく解説しよう。

（Ⅰ）まず，空間ベクトルと平面ベクトルで，公式や考え方の同じものを下に示すよ。

(1) ベクトルの実数倍

$k\vec{a}$

$\vec{a}$

(2) ベクトルの和と差

$\vec{b}$ $\vec{a}+\vec{b}$

$-\vec{b}$ $\vec{a}$

$\vec{a}-\vec{b}$

(3) まわり道の原理

・たし算形式
$$\overrightarrow{AB} = \overrightarrow{AC} + \overrightarrow{CB} \text{ など}$$
・引き算形式
$$\overrightarrow{AB} = \overrightarrow{OB} - \overrightarrow{OA} \text{ など}$$

(4) ベクトルの計算

$2(\vec{a}-\vec{b})-3\vec{c}$
$=2\vec{a}-2\vec{b}-3\vec{c}$
などの計算

(5) 内積の定義

$$\vec{a}\cdot\vec{b} = |\vec{a}||\vec{b}|\cos\theta$$

$\vec{b}$

θ $\vec{a}$

(6) 内積の演算

・$(\vec{a}-\vec{b})\cdot(2\vec{b}+\vec{c})$
などの計算
・$|\vec{a}+\vec{b}|^2$ などの計算

(7) 三角形の面積 S

$$S = \frac{1}{2}\sqrt{|\vec{a}|^2|\vec{b}|^2-(\vec{a}\cdot\vec{b})^2}$$

$\vec{b}$ S

$\vec{a}$

(8) 内分点の公式

点 **P** が線分 **AB** を $m:n$ に内分するとき
$$\overrightarrow{OP} = \frac{n\overrightarrow{OA}+m\overrightarrow{OB}}{m+n}$$

(9) 外分点の公式

点 **P** が線分 **AB** を $m:n$ に外分するとき
$$\overrightarrow{OP} = \frac{-n\overrightarrow{OA}+m\overrightarrow{OB}}{m-n}$$

(10) ベクトルの平行・直交条件

・$\vec{a}/\!/\vec{b}$ のとき
$\vec{a}=k\vec{b}$
・$\vec{a}\perp\vec{b}$ のとき
$\vec{a}\cdot\vec{b}=0$

(11) 3点が同一直線上

3点 **A**, **B**, **C** が同一直線上にあるとき，
$$\overrightarrow{AC} = k\overrightarrow{AB}$$

(12) 直線の方程式

$$\overrightarrow{OP} = \overrightarrow{OA} + k\vec{d}$$
$$\left(\begin{array}{l}\textbf{A}：通る点 \\ \vec{d}：方向ベクトル\end{array}\right)$$

これで見る限り，ほとんどのものが，平面ベクトルと同様に使えることが分かると思う。エッ，全部一緒だって？　違うよ。そうでないものもあるんだよ。

（Ⅱ）それでは，空間ベクトルと平面ベクトルで異なるものについて詳しく解説しよう。

（ⅰ）1次結合

・平面ベクトルの場合，図 **2** に示すように，$\vec{a}\neq\vec{0}$, $\vec{b}\neq\vec{0}$, $\vec{a}\!\!\not/\!\!/\vec{b}$ をみたす**2**つの**1**次独立なベクトル$\vec{a}$と$\vec{b}$の**1**次結合：

$s\vec{a}+t\vec{b}(s , t：実数)$ によって，平面上の

図2　平面ベクトルの1次結合

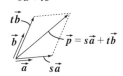

$s\vec{a}+t\vec{b}$

$t\vec{b}$

$\vec{b}$ $\vec{p}=s\vec{a}+t\vec{b}$

$\vec{a}$ $s\vec{a}$

どんなベクトルでも表すことができるんだったね。これが、$\overset{.}{2}$次元平面と呼ばれる理由でもあったんだね。これに対して、空間ベクトルの場合はどうなるか？　そうだね。$\overset{.}{3}$次元空間と言うから、空間ベクトルでは$\overset{.}{3}$つのベクトル$\vec{a}$, $\vec{b}$, $\vec{c}$ の1次結合で、空間内のすべてのベクトルを表すことができるんだね。ここで、この$\underline{3}$つのベクトルはすべて$\vec{0}$でなく、かつ$\underline{1つが他の2つの1次結合}$ $\underline{では表せない}$という条件が付くんだよ。 これを"**1次独立**"という。

つまり、空間ベクトルの場合、図3に示すように、$\vec{a} \neq \vec{0}$, $\vec{b} \neq \vec{0}$, $\vec{c} \neq \vec{0}$, かつ互いに1次独立な$\overset{.}{3}$つのベクトル$\vec{a}$, $\vec{b}$, $\vec{c}$ の1次結合：$s\vec{a} + t\vec{b} + u\vec{c}$ （s, t, u：実数）

空間ベクトルでは、この項が1つ増える！

によって、空間内のどんなベクトルも表すことができるんだよ。納得いった？

(ⅱ) 成分表示

・平面ベクトルの場合、図4に示すように、ベクトル$\vec{a}$の始点をxy座標系の原点Oと一致させることにより、終点の座標(x_1, y_1)が決まる。これを、$\vec{a} = (x_1, y_1)$と表し、$\vec{a}$の成分表示と言うんだったね。これに対して、

・空間ベクトルの場合、図5に示すように、空間ベクトル$\vec{a}$の始点をxyz座標系の原点Oと一致させると、この終点の座標(x_1, y_1, z_1)が決まるね。これを$\vec{a} = (x_1, y_1, z_1)$と表し、空間ベクトル$\vec{a}$の**成分表示**

空間ベクトルでは、この**z成分**が新たに増える

と言うんだよ。

xyz座標系は、x軸、y軸にz軸が加わった3次元の座標系で、3つの軸は互いに直交してるんだよ。

図3　空間ベクトルの1次結合

$$s\vec{a} + t\vec{b} + u\vec{c}$$
$$\vec{p} = s\vec{a} + t\vec{b} + u\vec{c}$$

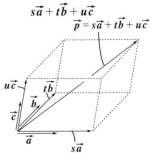

図4　平面ベクトルの成分表示

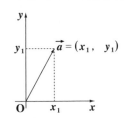

図5　空間ベクトルの成分表示

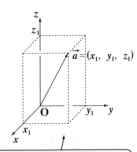

$\vec{a}$の3つの成分x_1, y_1, z_1を決定するために、薬の入った箱のような形を作るといいんだね。

以上が，空間ベクトルと平面ベクトルの（Ⅰ）一致すると点と，（Ⅱ）相違点だったんだね。

エッ，そろそろ実際に問題を解いてみたいって？ そうだね。実際に問題を解くことにより，空間ベクトルにも慣れることができるからね。

● 空間ベクトルの問題にチャレンジだ！

それでは，次の練習問題にチャレンジしてごらん。

練習問題 **14**	空間ベクトル（Ⅰ）	CHECK *1*	CHECK *2*	CHECK *3*

空間上に，右図に示すような，$\vec{0}$ ではなくかつ互いに **1** 次独立な **3** つのベクトル $\overrightarrow{OA}$，$\overrightarrow{OB}$，$\overrightarrow{OC}$ がある。線分 **AB** を **1 : 2** に内分する点を **P**，線分 **BC** の中点を **Q** とおく。
(1) $\overrightarrow{OP}$ と $\overrightarrow{OQ}$ を，$\overrightarrow{OA}$，$\overrightarrow{OB}$，$\overrightarrow{OC}$ で表せ。
(2) $\overrightarrow{PQ}$ を $\overrightarrow{OA}$，$\overrightarrow{OB}$，$\overrightarrow{OC}$ で表せ。

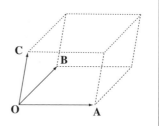

この問題で，空間ベクトルでの"内分点の公式"と"まわり道の原理"が，平面ベクトルのときと全く同様であることを確認してくれ。

(1) ・ 点 **P** は，線分 **AB** を **1 : 2** に内分するので，

内分点の公式も平面ベクトルのときと同じだね。

$$\overrightarrow{OP} = \frac{2 \cdot \overrightarrow{OA} + 1 \cdot \overrightarrow{OB}}{1 + 2} = \frac{2}{3}\overrightarrow{OA} + \frac{1}{3}\overrightarrow{OB} \cdots ① \text{ となる。}$$

・ 点 **Q** は，線分 **BC** の中点より，

$$\overrightarrow{OQ} = \frac{\overrightarrow{OB} + \overrightarrow{OC}}{2} = \frac{1}{2}\overrightarrow{OB} + \frac{1}{2}\overrightarrow{OC} \cdots ② \text{ となる。}$$

(2) $\overrightarrow{PQ} = \overrightarrow{OQ} - \overrightarrow{OP} \cdots ③$ より，

"まわり道の原理"も平面ベクトルのときと同じ！

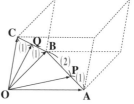

①，②を③に代入して，

$$\overrightarrow{PQ} = \frac{1}{2}\overrightarrow{OB} + \frac{1}{2}\overrightarrow{OC} - \left(\frac{2}{3}\overrightarrow{OA} + \frac{1}{3}\overrightarrow{OB}\right) = \frac{1}{2}\overrightarrow{OB} + \frac{1}{2}\overrightarrow{OC} - \frac{2}{3}\overrightarrow{OA} - \frac{1}{3}\overrightarrow{OB}$$

$$\therefore \overrightarrow{PQ} = -\frac{2}{3}\overrightarrow{OA} + \left(\frac{1}{2} - \frac{1}{3}\right)\overrightarrow{OB} + \frac{1}{2}\overrightarrow{OC} = -\frac{2}{3}\overrightarrow{OA} + \frac{1}{6}\overrightarrow{OB} + \frac{1}{2}\overrightarrow{OC} \text{ と}$$

$$\boxed{\frac{3-2}{6}}$$

$\overrightarrow{OA}$ と $\overrightarrow{OB}$ と $\overrightarrow{OC}$ の **1** 次結合

なって，答えだ。$\overrightarrow{PQ}$ が，$\overrightarrow{OA}$ と $\overrightarrow{OB}$ と $\overrightarrow{OC}$ の 1 次結合で表されることも分かっただろう。

それじゃ次，空間ベクトルの "**内積**" や "**内積の演算**" についても，練習問題でシッカリ練習しておこう。

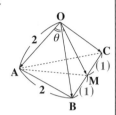

練習問題 **15**	空間ベクトル(Ⅱ)	CHECK **1**	CHECK **2**	CHECK **3**

図に示すように，1 辺の長さが 2 の正四面体 OABC
があり，辺 BC の中点を M とおく。

(1) $\overrightarrow{OM}$ を $\overrightarrow{OB}$ と $\overrightarrow{OC}$ で表せ。

(2) 内積 $\overrightarrow{OA}\cdot\overrightarrow{OB}$，$\overrightarrow{OA}\cdot\overrightarrow{OC}$，$\overrightarrow{OA}\cdot\overrightarrow{OM}$ の値を求めよ。

(3) $\overrightarrow{OA}$ と $\overrightarrow{OM}$ のなす角を θ とおくとき，$\cos\theta$ の値
を求めよ。

空間ベクトルでも，内積の定義は，$\vec{a}\cdot\vec{b}=|\vec{a}||\vec{b}|\cos\theta$（$\theta:\vec{a}$ と $\vec{b}$ のなす角）で，平面ベクトルと同じだよ。また，$|\vec{a}+\vec{b}|^2=|\vec{a}|^2+2\vec{a}\cdot\vec{b}+|\vec{b}|^2$ など，内積の演算も，平面ベクトルのときとまったく同様だから，チャレンジしてみてごらん。

---

1 辺の長さが 2 の正四面体 OABC とは，1 辺の長さが 2 の 4 枚の正三角形△OBC，△OCA，△OAB，△ABC から出来た "<ruby>三角錐<rt>さんかくすい</rt></ruby>" のことなんだ。そして，これは立体図形の問題でもあるので，パーツ（部品）や断面で考えることも有効だよ。

(1) 点 M は，線分（辺）BC の中点なので，

$$\overrightarrow{OM}=\frac{\overrightarrow{OB}+\overrightarrow{OC}}{2}$$

"内分点の公式" も平面ベクトルのときと同じ！

$$\therefore \overrightarrow{OM}=\frac{1}{2}(\overrightarrow{OB}+\overrightarrow{OC}) \quad \cdots\cdots① \quad となる。$$

(2) 次，3 つの内積を順に求めてみよう。

(i)△OAB は 1 辺の長さが 2 の正三角形より，

内積の定義も平面ベクトルと同じ！

$$|\overrightarrow{OA}|=|\overrightarrow{OB}|=2，\quad \angle AOB=60° \quad よって，$$

$$内積 \ \overrightarrow{OA}\cdot\overrightarrow{OB}=\underset{\boxed{2}}{|\overrightarrow{OA}|}\ \underset{\boxed{2}}{|\overrightarrow{OB}|}\underset{\boxed{\frac{1}{2}}}{\cos60°}=2\times2\times\frac{1}{2}=2 \ \cdots②$$

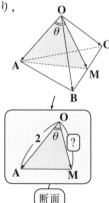

（ⅱ）△OCA も 1 辺の長さが 2 の正三角形より，

$|\overrightarrow{OC}| = |\overrightarrow{OA}| = 2$， $\angle COA = 60°$　よって， 内積の定義も平面ベクトルと同じ！

内積 $\overrightarrow{OA} \cdot \overrightarrow{OC} = |\overrightarrow{OA}||\overrightarrow{OC}|\cos 60° = 2 \times 2 \times \dfrac{1}{2} = 2$ …③

（ⅲ）内積 $\overrightarrow{OA} \cdot \overrightarrow{OM}$ について，これに①を代入すると，

$$\overrightarrow{OA} \cdot \overrightarrow{OM} = \overrightarrow{OA} \cdot \dfrac{1}{2}(\overrightarrow{OB} + \overrightarrow{OC}) = \dfrac{1}{2}\overrightarrow{OA} \cdot (\overrightarrow{OB} + \overrightarrow{OC})$$

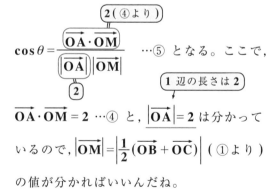

k を正の実数とし，θ を $\vec{a}$ と $\vec{b}$ のなす角とすると，
$\vec{a} \cdot k\vec{b} = |\vec{a}||k\vec{b}|\cos\theta = k|\vec{a}||\vec{b}|\cos\theta = k\vec{a} \cdot \vec{b}$ となるので，

正の実数 k は，内積の前にもってきてもいいよ。

$$= \dfrac{1}{2}(\overrightarrow{OA} \cdot \overrightarrow{OB} + \overrightarrow{OA} \cdot \overrightarrow{OC})$$

内積の演算も平面ベクトルと同じ

2（②より）　2（③より）

これに②，③を代入して，

$$\overrightarrow{OA} \cdot \overrightarrow{OM} = \dfrac{1}{2}(2 + 2) = \dfrac{4}{2} = 2 \text{ …④　となる。}$$

（3）$\overrightarrow{OA}$ と $\overrightarrow{OM}$ のなす角を θ とおくと，内積の定義式より，

2（④より）

$$\cos\theta = \dfrac{\overrightarrow{OA} \cdot \overrightarrow{OM}}{|\overrightarrow{OA}||\overrightarrow{OM}|} \text{ …⑤　となる。ここで，}$$

2

1 辺の長さは 2

$\overrightarrow{OA} \cdot \overrightarrow{OM} = 2$ …④ と，$|\overrightarrow{OA}| = 2$ は分かって

いるので，$|\overrightarrow{OM}| = \left|\dfrac{1}{2}(\overrightarrow{OB} + \overrightarrow{OC})\right|$（①より）

の値が分かればいいんだね。

$|\overrightarrow{OM}| = \dfrac{1}{2}|\overrightarrow{OB} + \overrightarrow{OC}|$ より，この両辺を 2 乗して，

絶対値記号の中にベクトルの式が入っているので，"2 乗して展開する！"

$$\left|\overrightarrow{\mathbf{OM}}\right|^2 = \left(\frac{1}{2}\right)^2 \cdot \left|\overrightarrow{\mathbf{OB}} + \overrightarrow{\mathbf{OC}}\right|^2 = \frac{1}{4}\left(\underset{\boxed{2^2}}{\left|\overrightarrow{\mathbf{OB}}\right|^2} + \underset{}{2\overrightarrow{\mathbf{OB}} \cdot \overrightarrow{\mathbf{OC}}} + \underset{\boxed{2^2}}{\left|\overrightarrow{\mathbf{OC}}\right|^2}\right)$$

$$\boxed{\left|\overrightarrow{\mathbf{OB}}\right| \cdot \left|\overrightarrow{\mathbf{OC}}\right| \cos 60° = 2 \cdot 2 \cdot \frac{1}{2} = 2}$$

$$= \frac{1}{4}(4 + 4 + 4) = \frac{12}{4} = 3$$

$$\therefore \left|\overrightarrow{\mathbf{OM}}\right| = \sqrt{3}$$

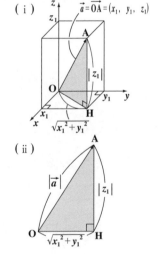 からも $\left|\overrightarrow{\mathbf{OM}}\right| = \sqrt{3}$ が分かるね。

以上より，$\overrightarrow{\mathbf{OA}} \cdot \overrightarrow{\mathbf{OM}} = 2$，$\left|\overrightarrow{\mathbf{OA}}\right| = 2$，$\left|\overrightarrow{\mathbf{OM}}\right| = \sqrt{3}$ を⑤に代入して，

$$\cos\theta = \frac{\overset{\boxed{2}}{\overbrace{\overrightarrow{\mathbf{OA}} \cdot \overrightarrow{\mathbf{OM}}}}}{\underset{\boxed{2}\quad\boxed{\sqrt{3}}}{\underbrace{\left|\overrightarrow{\mathbf{OA}}\right| \left|\overrightarrow{\mathbf{OM}}\right|}}} = \frac{2}{2 \cdot \sqrt{3}} = \frac{1}{\sqrt{3}}$$ となって，答えだね。

どう？ これで，空間ベクトルにもなじみがもてるようになってきただろう？

● 空間ベクトルの成分表示にも慣れよう！

空間ベクトル $\vec{a} = \overrightarrow{\mathbf{OA}}$ とおく。そして，始点 O を xyz 座標系の原点に一致させると，終点 A の座標が $(x_1,\ y_1,\ z_1)$ と決まるね。

このとき，$\vec{a} = \overrightarrow{\mathbf{OA}}$ は，成分表示で，

> z 成分が新たに加わる

$\vec{a} = \overrightarrow{\mathbf{OA}} = (x_1,\ y_1,\ \underline{z_1})$ と表せる。

この様子をもう 1 度，図 6(ⅰ) に示しておいた。

ここで，点 A から xy 平面に下した垂線の足を H とおくと，$\triangle\mathbf{OAH}$ は，$\angle\mathbf{H} = 90°$ の直角三角形となる。図 6(ⅱ) に示すように，

$\mathbf{OH} = \sqrt{x_1{}^2 + y_1{}^2}$，$\mathbf{AH} = |z_1|$ となるので，直角三角形 OAH に三平方の定理を用いると，

図 6 空間ベクトルの成分表示

(ⅰ) $\vec{a} = \overrightarrow{\mathbf{OA}} = (x_1,\ y_1,\ z_1)$

(ⅱ)

$|\vec{a}|^2 = \overline{OH}^2 + \overline{AH}^2 = \underbrace{x_1{}^2 + y_1{}^2}_{x_1{}^2+y_1{}^2} + \underbrace{z_1{}^2}_{|z_1|^2}$ となる。よって，

空間ベクトル $\vec{a}$ の大きさ $|\vec{a}|$ は，$|\vec{a}| = \sqrt{x_1{}^2 + y_1{}^2 + \underline{z_1{}^2}}$ となるんだね。大丈夫？

> 空間ベクトルでは，この項が新たに加わる。

また，$\underrightarrow{\overline{OA}} = (x_1,\ y_1,\ z_1)$，$\overline{OB} = (x_2,\ y_2,\ z_2)$ のとき，

$$\overline{AB} = \overline{OB} - \overline{OA}$$
$$= (x_2,\ y_2,\ z_2) - (x_1,\ y_1,\ z_1)$$
$$= (x_2 - x_1,\ y_2 - y_1,\ z_2 - z_1)$$

> 成分表示されたベクトル同士の引き算は，x，y，z 成分同士それぞれ引けばいい。これも平面ベクトルと同じだね。

となるので，$\overline{AB}$ の大きさ $|\overline{AB}|$ も同様に，

$$|\overline{AB}| = \sqrt{(x_2 - x_1)^2 + (y_2 - y_1)^2 + \underline{(z_2 - z_1)^2}} \quad \text{となる。}$$

以上をまとめて示すよ。

> 空間ベクトルでは，この項が新たに加わる。

■ 空間ベクトルの大きさ

（ⅰ）空間ベクトル $\vec{a}$ が，$\vec{a} = (x_1,\ y_1,\ z_1)$ のとき，

$\vec{a}$ の大きさ $|\vec{a}|$ は

$\quad |\vec{a}| = \sqrt{x_1{}^2 + y_1{}^2 + z_1{}^2}$ となる。

（ⅱ）$\overline{OA} = (x_1,\ y_1,\ z_1)$，$\overline{OB} = (x_2,\ y_2,\ z_2)$ のとき，

$\quad \overline{AB} = (x_2 - x_1,\ y_2 - y_1,\ z_2 - z_1)$ の大きさ

$\quad |\overline{AB}|$ は

$\quad |\overline{AB}| = \sqrt{(x_2 - x_1)^2 + (y_2 - y_1)^2 + (z_2 - z_1)^2}$

となる。

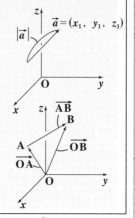

また，成分表示された 2 つのベクトル $\vec{a} = (x_1,\ y_1,\ z_1)$，$\vec{b} = (x_2,\ y_2,\ z_2)$ について，**和**，**差**，**実数倍**の演算は次のようになる。

（ⅰ）$\vec{a} + \vec{b} = (x_1,\ y_1,\ z_1) + (x_2,\ y_2,\ z_2) = (x_1 + x_2,\ y_1 + y_2,\ z_1 + z_2)$

（ⅱ）$\vec{a} - \vec{b} = (x_1,\ y_1,\ z_1) - (x_2,\ y_2,\ z_2) = (x_1 - x_2,\ y_1 - y_2,\ z_1 - z_2)$

（ⅲ）$k\vec{a} = k(x_1,\ y_1,\ z_1) = (kx_1,\ ky_1,\ kz_1)$ 　（k：実数）

空間ベクトルの成分表示では，新たに，z 成分が加わっているけれど，計算のやり方は平面ベクトルのときと同じだから，特に問題はないと思う。

また，空間ベクトルについても，"ベクトルの相等"，すなわち

$$\vec{a} = \vec{b} \iff x_1 = x_2 \text{ かつ } y_1 = y_2 \text{ かつ } z_1 = z_2$$

が成り立つのも大丈夫だね。

また，右図に示すような3つの
x軸，y軸，z軸の正の向きの
<u>単位ベクトル $\vec{e_1} = (1, 0, 0)$</u>，
> 大きさ1のベクトルのこと

$\vec{e_2} = (0, 1, 0)$，$\vec{e_3} = (0, 0, 1)$ の

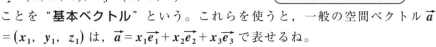

ことを "**基本ベクトル**" という。これらを使うと，一般の空間ベクトル $\vec{a}$
$= (x_1, y_1, z_1)$ は，$\vec{a} = \underline{x_1\vec{e_1} + x_2\vec{e_2} + x_3\vec{e_3}}$ で表せるね。

> これは，1次独立な3つのベクトル $\vec{e_1}$, $\vec{e_2}$, $\vec{e_3}$ の1次結合の形だね。

何故なら，

$\vec{a} = x_1\vec{e_1} + x_2\vec{e_2} + x_3\vec{e_3}$

$= x_1(1, 0, 0) + x_2(0, 1, 0) + x_3(0, 0, 1)$

$= (x_1, 0, 0) + (0, x_2, 0) + (0, 0, x_3)$

$= (x_1, x_2, x_3)$ と変形できるからなんだね。大丈夫？

解説が長くなったね。では，練習問題でまた練習してみよう！

練習問題 16　空間ベクトルの成分表示　CHECK 1　CHECK 2　CHECK 3

$\overrightarrow{OA} = (2, 1, 0)$，$\overrightarrow{OB} = (-1, 0, 3)$，$\overrightarrow{OC} = (0, 1, -1)$ とする。
このとき，$\overrightarrow{OP} = (3, 3, -5)$ を，$\overrightarrow{OA}$，$\overrightarrow{OB}$，$\overrightarrow{OC}$ の1次結合，すなわち
$\overrightarrow{OP} = k\overrightarrow{OA} + l\overrightarrow{OB} + m\overrightarrow{OC}$ …① の形で表すものとする。実数 k, l, m の
値を求めよ。

---

①式を，$\overrightarrow{OP}$，$\overrightarrow{OA}$，$\overrightarrow{OB}$，$\overrightarrow{OC}$ の成分表示で表して，ベクトルの相等にもち込めばいいんだよ。

$\overrightarrow{OP} = (3, 3, -5)$，$\overrightarrow{OA} = (2, 1, 0)$，$\overrightarrow{OB} = (-1, 0, 3)$，$\overrightarrow{OC} = (0, 1, -1)$
を①に代入して，右辺を変形すると，

$$\underset{\overrightarrow{OP}}{(3, 3, -5)} = k\underset{\overrightarrow{OA}}{(2, 1, 0)} + l\underset{\overrightarrow{OB}}{(-1, 0, 3)} + m\underset{\overrightarrow{OC}}{(0, 1, -1)}$$

$$(3,\ \underline{3},\ \underline{-5}) = (2k,\ k,\ 0) + (-l,\ 0,\ 3l) + (0,\ m,\ -m)$$
$$= (\underline{2k-l},\ \underline{k+m},\ \underline{3l-m})$$

よって，ベクトルの相等より，x，y，z 成分はそれぞれ等しくなるので，

$$\begin{cases} 2k-l = 3 & \cdots\cdots① \\ k+m = 3 & \cdots\cdots② \\ 3l-m = -5 & \cdots③ \end{cases}$$ となるんだね。

> これと①を連立させればいいんだね。

②＋③より m を消去して，$k+3l = -2$ …④

④より，$k = -3l-2$ …④´　　④´を①に代入して，

$$2(-3l-2)-l = 3 \qquad -6l-4-l = 3 \qquad -7l = 7$$

両辺を -7 で割って，$l = -1$ ……⑤

⑤を④´に代入して，$k = -3\cdot(-1)-2 = 3-2 = 1$ ……⑥

⑥を②に代入して，$1+m = 3$　　$\therefore m = 2$

以上より，$k = 1$，$l = -1$，$m = 2$ となって，答えだ。

　では，次の問題も解いてみよう！

練習問題 17　空間ベクトルの成分表示　CHECK 1　CHECK 2　CHECK 3

空間ベクトル $\vec{a} = (2,\ -1,\ 2)$ について，

(1) $\vec{a}$ の大きさ $|\vec{a}|$ を求めよ。

(2) $\vec{a}$ と同じ向きで，大きさ 5 のベクトル $\vec{b}$ の成分表示を求めよ。

---

(1) $\vec{a} = (2,\ -1,\ 2)$ で与えられているので，大きさ $|\vec{a}|$ は公式通り計算すればいいね。
(2) $\vec{a}$ を自分自身の大きさ $|\vec{a}|$ で割ると，$\vec{a}$ と同じ向きの単位ベクトル $\vec{e}$ になるのはいいね。さらに，これを 5 倍したものが，求める $\vec{b}$ になる。

(1)　$a = (2,\ -1,\ 2)$ より，この大きさ $|\vec{a}|$ は，

$$|\vec{a}| = \sqrt{2^2 + (-1)^2 + 2^2} = \sqrt{4+1+4}$$
$$= \sqrt{9} = 3 \text{ となる。}$$

> $\vec{a} = (x_1,\ y_1,\ z_1)$ のとき，
> $|\vec{a}| = \sqrt{x_1{}^2 + y_1{}^2 + z_1{}^2}$ となるんだね。

(2)　$\vec{a}$ を，自分自身の大きさ $|\vec{a}| = 3$ で割ると，

$\vec{a}$ と同じ向きの単位ベクトル（大きさ 1 の

ベクトル）$\vec{e}$ になるんだね。

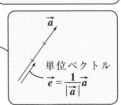

単位ベクトル
$\vec{e} = \dfrac{1}{|\vec{a}|}\vec{a}$

　　よって，$\vec{e} = \dfrac{1}{|\vec{a}|}\vec{a} = \dfrac{1}{3}\vec{a}$ となる。

ここで，大きさ 1 というのは，色で言うなら白だろうね。白い画用紙の上に自分の好きな色を自由に塗ることができるだろう。これと同様に，ベクトルも自分自身の長さ $|\vec{a}|$ で割って，大きさ 1 の単位ベクトルにしてしまえば，後は好みの長さをかけることにより，$\vec{a}$ と同じ向きのさまざまな大きさのベクトルを自由に求めることができるんだ。

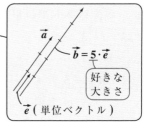

　よって，$\vec{a}$ と同じ向きの大きさ 5 のベクトル $\vec{b}$ は，

$$\vec{b} = 5 \cdot \vec{e} = 5 \cdot \frac{1}{3}\vec{a} = \frac{5}{3}(2, \ -1, \ 2) = \left(\frac{5}{3} \times 2, \ \frac{5}{3} \times (-1), \ \frac{5}{3} \times 2\right)$$

$\therefore \vec{b} = \left(\dfrac{10}{3}, \ -\dfrac{5}{3}, \ \dfrac{10}{3}\right)$ となるんだね。納得いった？

● 内積の成分表示もマスターしよう！

　成分表示された 2 つの平面ベクトル $\vec{a} = (x_1, \ y_1)$ と $\vec{b} = (x_2, \ y_2)$ の内積が

$$\vec{a} \cdot \vec{b} = |\vec{a}||\vec{b}|\cos\theta = x_1 x_2 + y_1 y_2 \quad (\theta : \vec{a} \text{と} \vec{b} \text{のなす角})$$

となるのは覚えているね。

　右図のように空間ベクトルにおいても，2 つのベクトル $\vec{a}$ と $\vec{b}$ の内積の定義式は，次の通りだ。

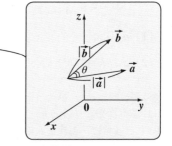

$$\vec{a} \cdot \vec{b} = |\vec{a}||\vec{b}|\cos\theta \cdots (*1)$$
$$(\theta : \vec{a} \text{と} \vec{b} \text{のなす角})$$

平面ベクトルの内積とまったく同じだね。

ただし，$\vec{a} = (x_1, \ y_1, \ z_1)$，$\vec{b} = (x_2, \ y_2, \ z_2)$ のように成分表示された場合，内積 $\vec{a} \cdot \vec{b}$ はどうなるか？…，もう，分かっただろう。そう，

$$\vec{a} \cdot \vec{b} = x_1 x_2 + y_1 y_2 + \underline{z_1 z_2} \cdots (*2) \qquad \text{となるんだね。}$$

> 空間ベクトルの内積では，この項が新たに加わる。

ここで，$|\vec{a}| = \sqrt{x_1{}^2 + y_1{}^2 + z_1{}^2}$，$|\vec{b}| = \sqrt{x_2{}^2 + y_2{}^2 + z_2{}^2}$ は大丈夫だね。よって，$\vec{a} \neq \vec{0}, \vec{b} \neq \vec{0}$ すなわち $|\vec{a}| \neq 0, |\vec{b}| \neq 0$ のとき，$(*1)$ の両辺を $|\vec{a}||\vec{b}|$ で割って，

$\cos\theta = \dfrac{\vec{a} \cdot \vec{b}}{|\vec{a}||\vec{b}|}$ と変形できるので，右辺を成分で表すと，公式：

$\cos\theta = \dfrac{x_1 x_2 + y_1 y_2 + z_1 z_2}{\sqrt{x_1{}^2 + y_1{}^2 + z_1{}^2}\sqrt{x_2{}^2 + y_2{}^2 + z_2{}^2}}$ も導けるんだね。

それでは，以上のこともまとめて下に示しておこう。

■ 空間ベクトルの内積の成分表示

$\vec{a} = (x_1,\ y_1,\ z_1),\quad \vec{b} = (x_2,\ y_2,\ z_2)$ のとき，

(1) $\vec{a}$ と $\vec{b}$ の内積 $\vec{a} \cdot \vec{b}$ は，

> 新たに加わった項！

$$\vec{a} \cdot \vec{b} = x_1 x_2 + y_1 y_2 + z_1 z_2$$

(2) $\vec{a} \neq \vec{0},\ \vec{b} \neq \vec{0}$ のとき，$\vec{a}$ と $\vec{b}$ のなす角を $\theta\ (0 \leq \theta \leq \pi)$ とおくと，

$$\cos\theta = \dfrac{\vec{a} \cdot \vec{b}}{|\vec{a}||\vec{b}|}\ \text{より,}$$

> 新たに加わった項！

$$\cos\theta = \dfrac{x_1 x_2 + y_1 y_2 + z_1 z_2}{\sqrt{x_1{}^2 + y_1{}^2 + z_1{}^2}\sqrt{x_2{}^2 + y_2{}^2 + z_2{}^2}}$$

それでは，これも練習問題で実際にこの公式を使ってみよう。

練習問題 18 　空間ベクトルの内積 　CHECK 1　CHECK 2　CHECK 3

2 つのベクトル $\overrightarrow{OA} = (2,\ 0,\ 2)$，$\overrightarrow{OB} = (1,\ -1,\ 2)$ がある。

(1) $\overrightarrow{OA}$ と $\overrightarrow{OB}$ のなす角 θ を求めよ。

(2) $\triangle OAB$ の面積を求めよ。

(1) 成分表示された 2 つのベクトルのなす角を θ とおくと，内積の定義式から $\cos\theta$ が求まるんだね。(2) $\triangle OAB$ の面積を S とおくと，

$S = \dfrac{1}{2} \cdot |\overrightarrow{OA}| \cdot |\overrightarrow{OB}| \sin\theta$ だね。

(1) $\overrightarrow{OA} = (2,\ 0,\ 2)$，$\overrightarrow{OB} = (1,\ -1,\ 2)$ より，

$|\overrightarrow{OA}| = \sqrt{2^2 + 0^2 + 2^2} = \sqrt{8} = 2\sqrt{2}$

$|\overrightarrow{OB}| = \sqrt{1^2 + (-1)^2 + 2^2} = \sqrt{6}$

$\overrightarrow{OA} \cdot \overrightarrow{OB} = 2 \cdot 1 + 0 \cdot (-1) + 2 \cdot 2 = 6$

> $\overrightarrow{OA} = (x_1,\ y_1,\ z_1),\ \overrightarrow{OB} = (x_2,\ y_2,\ z_2)$ のとき，
> $|\overrightarrow{OA}| = \sqrt{x_1{}^2 + y_1{}^2 + z_1{}^2}$
> $|\overrightarrow{OB}| = \sqrt{x_2{}^2 + y_2{}^2 + z_2{}^2}$
> $\overrightarrow{OA} \cdot \overrightarrow{OB} = x_1 x_2 + y_1 y_2 + z_1 z_2$ だね。

$\therefore \overrightarrow{OA}$ と $\overrightarrow{OB}$ のなす角を θ とおくと，内積の定義式より，

$$\cos\theta = \frac{\overset{6}{\overbrace{\overrightarrow{OA}\cdot\overrightarrow{OB}}}}{\underset{2\sqrt{2}}{\underbrace{|\overrightarrow{OA}|}}\,\underset{\sqrt{6}}{\underbrace{|\overrightarrow{OB}|}}} = \frac{\overset{\sqrt{6}}{\overbrace{6}}}{2\sqrt{2}\cdot\sqrt{6}} = \frac{\overset{\sqrt{3}}{\overbrace{\sqrt{6}}}}{2\sqrt{2}} = \frac{\sqrt{3}}{2}$$

$X = \dfrac{\sqrt{3}}{2}$ とみて

$\therefore \theta = 30°$ になる。

(2) △OAB の面積は，2 つの辺の長さ

$$\begin{cases} OA = |\overrightarrow{OA}| = \underline{2\sqrt{2}} \\ OB = |\overrightarrow{OB}| = \underline{\sqrt{6}} \ \ \text{が分かり，} \end{cases}$$

$OB = |\overrightarrow{OB}| = \sqrt{6}$ $\quad$ $OA = |\overrightarrow{OA}| = 2\sqrt{2}$

かつそのなす角が $\theta = 30°$ と分かっているので，

△OAB の面積を S とおくと，

三角形の面積 S を
求める公式：
$$S = \frac{1}{2}bc\sin A$$
を使った！

$$S = \frac{1}{2}OA\cdot OB\cdot\sin 30° = \frac{1}{2}\cdot 2\sqrt{2}\cdot\sqrt{6}\cdot\frac{1}{2}$$

$$= \frac{\sqrt{2}\times\overset{\sqrt{2}\times\sqrt{3}}{\overbrace{\sqrt{6}}}}{2} = \frac{2\cdot\sqrt{3}}{2} = \sqrt{3} \ \ \text{となって，答えだ！}$$

納得いった？

エッ？ベクトルを使った三角形の面積の公式 $S = \dfrac{1}{2}\sqrt{|\vec{a}|^2|\vec{b}|^2 - (\vec{a}\cdot\vec{b})^2}$ は使えないのかって！？よく復習してるね。この公式は，平面ベクトルのところで解説した **(P35，36)** けれど，この公式はもちろん空間ベクトル（空間内の三角形）においても利用できる。**(2)** の別解として，実際に計算してみよう。

$\overrightarrow{OA} = (2,\ 0,\ 2),\ \overrightarrow{OB} = (1,\ -1,\ 2)$
より，まず，$|\overrightarrow{OA}|^2,\ |\overrightarrow{OB}|^2$，そして
内積 $\overrightarrow{OA}\cdot\overrightarrow{OB}$ を求めて，△OAB の
面積を S を求める公式：

面積 S

$$S = \frac{1}{2}\sqrt{|\overrightarrow{OA}|^2\cdot|\overrightarrow{OB}|^2 - (\overrightarrow{OA}\cdot\overrightarrow{OB})^2}$$

$$S = \frac{1}{2}\sqrt{|\overrightarrow{OA}|^2\cdot|\overrightarrow{OB}|^2 - (\overrightarrow{OA}\cdot\overrightarrow{OB})^2} \cdots(*)$$

に代入すればいいんだね。

$$\begin{cases} \cdot |\overrightarrow{OA}|^2 = 2^2 + 0^2 + 2^2 = 4 + 4 = 8 & \cdots\cdots\text{①} \\ \cdot |\overrightarrow{OB}|^2 = 1^2 + (-1)^2 + 2^2 = 1 + 1 + 4 = 6 & \cdots\cdots\text{②} \\ \cdot \overrightarrow{OA}\cdot\overrightarrow{OB} = 2\times 1 + 0\times(-1) + 2\times 2 = 2 + 4 = 6 & \cdots\cdots\text{③} \end{cases}$$

$$\overrightarrow{OA} = (x_1,\ y_1,\ z_1),\ \overrightarrow{OB} = (x_2,\ y_2,\ z_2)\ のとき,$$
$$|\overrightarrow{OA}|^2 = x_1{}^2 + y_1{}^2 + z_1{}^2,\ |\overrightarrow{OB}|^2 = x_2{}^2 + y_2{}^2 + z_2{}^2,\ \overrightarrow{OA} \cdot \overrightarrow{OB} = x_1x_2 + y_1y_2 + z_1z_2$$
となるからね。

サァ，①，②，③を $(*)$ に代入して，$\triangle OAB$ の面積 S を求めると

$$S = \frac{1}{2}\sqrt{\underbrace{8}_{|\overrightarrow{OA}|^2} \times \underbrace{6}_{|\overrightarrow{OB}|^2} - \underbrace{6^2}_{(\overrightarrow{OA} \cdot \overrightarrow{OB})^2}} = \frac{1}{2}\sqrt{48 - 36} = \frac{1}{2}\underbrace{\sqrt{12}}_{2\sqrt{3}} = \frac{1}{2} \times 2\sqrt{3} = \sqrt{3}$$

となって，同じ結果が導けるんだね。

数学って，知識が増えると様々な解き方ができて，本当に面白くなるだろう？楽しみながら強くなるのがコツなんだね。

　以上で，今日の講義は終了です！　本格的な空間ベクトルの解説だったので，相当盛り沢山な内容だったと思う。でも，平面ベクトルの知識もかなり利用できたので，いい復習にもなったはずだ。ただ，空間ベクトルでは，z 成分が新たに加わる点に気を付けないといけないんだね。まだ，知識があやふやな人も，何度も反復練習して，シッカリマスターするといいよ。

　では，次回は，さらに空間ベクトルを深めて，空間座標における直線や平面などについて，詳しく解説しよう。また，分かりやすく解説するから，すべて理解できるはずだ。楽しみに待っていてくれ！

　それでは次回まで，みんな元気でな，さようなら…。

みんな，元気そうだね。おはよう！ 今日で，"**空間ベクトル**"も最終講義になる。最終回のテーマは，"**ベクトルの空間図形への応用**"なんだね。具体的には，空間における線分の内分点・外分点の公式，それに，球面や直線や平面についても詳しく解説するつもりだ。内容は盛り沢山で大変だけれど，空間図形にベクトルを応用することにより，空間ベクトルについての理解がさらに深まって，面白くなるはずだ。

それじゃ，早速講義を始めよう！ みんな，準備はいい？

● まず，内分点・外分点の公式から始めよう！

図 **1** に示すように，xyz 座標空間上の線分 **AB** を，点 **P** が $m:n$ に内分するとき，次の公式が成り立つことは，平面ベクトルのときと変わらない。

$$\overrightarrow{OP} = \frac{n\overrightarrow{OA} + m\overrightarrow{OB}}{m+n} \quad \cdots\cdots ①$$

でも，$\overrightarrow{OP}$, $\overrightarrow{OA}$, $\overrightarrow{OB}$ はすべて空間ベクトルなので，$\overrightarrow{OA}$ と $\overrightarrow{OB}$ を成分表示して，$\overrightarrow{OA} = (x_1, y_1, z_1)$, $\overrightarrow{OB} = (x_2, y_2, z_2)$ とおくと，$\overrightarrow{OP}$ は，

図 1　内分点の公式

$$\overrightarrow{OP} = \frac{n\overrightarrow{OA} + m\overrightarrow{OB}}{m+n}$$

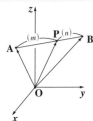

$$\overrightarrow{OP} = \left(\frac{nx_1 + mx_2}{m+n}, \frac{ny_1 + my_2}{m+n}, \frac{nz_1 + mz_2}{m+n} \right) \quad \cdots\cdots ①' \quad \text{となる。}$$

同様に，空間上において，線分 **AB** を，点 **P** が $m:n$ に外分するとき，次の外分点の公式が成り立つ。

$$\overrightarrow{OP} = \frac{-n\overrightarrow{OA} + m\overrightarrow{OB}}{m-n} \quad \cdots\cdots\cdots\cdots\cdots\cdots\cdots\cdots\cdots\cdots\cdots ②$$

$$\overrightarrow{OP} = \left(\frac{-nx_1 + mx_2}{m-n}, \frac{-ny_1 + my_2}{m-n}, \frac{-nz_1 + mz_2}{m-n} \right) \cdots\cdots ②'$$

以上を公式として，まとめておこう。

空間ベクトルによる内分点・外分点の公式

xyz 座標空間上に 2 点 $A(x_1, y_1, z_1)$, $B(x_2, y_2, z_2)$ がある。

これから，$\overrightarrow{OA} = (x_1, y_1, z_1)$ $\overrightarrow{OB} = (x_2, y_2, z_2)$ とおける。

（Ⅰ）点 P が線分 AB を $m:n$ に内分するとき，

$$\overrightarrow{OP} = \frac{n\overrightarrow{OA} + m\overrightarrow{OB}}{m+n} \quad \cdots\cdots\cdots ①$$

$$\overrightarrow{OP} = \left(\frac{nx_1 + mx_2}{m+n}, \frac{ny_1 + my_2}{m+n}, \frac{nz_1 + mz_2}{m+n} \right) \quad \cdots\cdots ①'$$

①′は①を成分
表示したもの

（Ⅱ）点 P が線分 AB を $m:n$ に外分するとき，

$$\overrightarrow{OP} = \frac{-n\overrightarrow{OA} + m\overrightarrow{OB}}{m-n} \quad \cdots\cdots\cdots ②$$

$$\overrightarrow{OP} = \left(\frac{-nx_1 + mx_2}{m-n}, \frac{-ny_1 + my_2}{m-n}, \frac{-nz_1 + mz_2}{m-n} \right) \quad \cdots ②'$$

②′は②を成分
表示したもの

ン？①を変形して，①′になることを確認したいって!? いいよ，やっておこう。

①に，$\overrightarrow{OA} = (x_1, y_1, z_1)$，$\overrightarrow{OB} = (x_2, y_2, z_2)$ を代入すればいいんだね。

$$\overrightarrow{OP} = \frac{n\overrightarrow{OA} + m\overrightarrow{OB}}{m+n} = \frac{n}{m+n}\underbrace{\overrightarrow{OA}}_{(x_1, y_1, z_1)} + \frac{m}{m+n}\underbrace{\overrightarrow{OB}}_{(x_2, y_2, z_2)}$$

$$= \frac{n}{m+n}(x_1, y_1, z_1) + \frac{m}{m+n}(x_2, y_2, z_2) \quad \leftarrow \text{各成分に係数をかける}$$

$$= \left(\frac{nx_1}{m+n}, \frac{ny_1}{m+n}, \frac{nz_1}{m+n} \right) + \left(\frac{mx_2}{m+n}, \frac{my_2}{m+n}, \frac{mz_2}{m+n} \right)$$

$$= \left(\frac{nx_1}{m+n} + \frac{mx_2}{m+n}, \frac{ny_1}{m+n} + \frac{my_2}{m+n}, \frac{nz_1}{m+n} + \frac{mz_2}{m+n} \right) \quad \leftarrow \text{各成分同士の和をとる}$$

$$= \left(\frac{nx_1 + mx_2}{m+n}, \frac{ny_1 + my_2}{m+n}, \frac{nz_1 + mz_2}{m+n} \right) \quad \cdots\cdots ①' \quad \text{となって}$$

①から①′が導かれるんだね。納得いった？

外分点の公式の成分表示も同様だから，興味のある人は，②から②′を導いてみるといい。では，ここで 1 題練習問題をやっておこう。

xyz 座標空間内に 2 点 A$(5, -1, 0)$, B$(-1, 2, 3)$ がある。

(1) 線分 AB を 2：1 に内分する点 C の座標を求めよ。

(2) 線分 AB を 2：1 に外分する点 D の座標を求めよ。

2 点 A, B の座標が与えられているので, 位置ベクトル $\overrightarrow{OA}$, $\overrightarrow{OB}$ の成分が表示されているのと同じだね。よって, (1) では内分点の公式, (2) では外分点の公式を利用して $\overrightarrow{OC}$, $\overrightarrow{OD}$ の成分を求め, 2 点 C, D の座標が分かるんだね。

$\overrightarrow{OA} = (5, -1, 0)$, $\overrightarrow{OB} = (-1, 2, 3)$ より,

(1) 線分 AB を 2：1 に内分する点を

C とおくと, 内分点の公式より,

$$\overrightarrow{OC} = \frac{1 \cdot \overrightarrow{OA} + 2 \cdot \overrightarrow{OB}}{2+1}$$

$$= \left(\frac{1 \cdot 5 + 2 \cdot (-1)}{2+1}, \frac{1 \cdot (-1) + 2 \cdot 2}{2+1}, \frac{1 \cdot 0 + 2 \cdot 3}{2+1} \right)$$

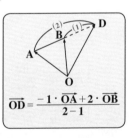

$$\overrightarrow{OC} = \frac{1 \cdot \overrightarrow{OA} + 2 \cdot \overrightarrow{OB}}{2+1}$$

x, y, z 成分毎に内分点の公式を利用する。

$$= \left(\frac{3}{3}, \frac{3}{3}, \frac{6}{3} \right) = (1, 1, 2) \quad となる。$$

よって, 内分点 C の座標は, C$(1, 1, 2)$ となる。

(2) 線分 AB を 2：1 に外分する点を

D とおくと, 外分点の公式より,

$$\overrightarrow{OD} = \frac{-1 \cdot \overrightarrow{OA} + 2 \cdot \overrightarrow{OB}}{2-1}$$

$$= \left(\frac{-1 \cdot 5 + 2 \cdot (-1)}{2-1}, \frac{-1 \cdot (-1) + 2 \cdot 2}{2-1}, \frac{-1 \cdot 0 + 2 \cdot 3}{2-1} \right)$$

$$\overrightarrow{OD} = \frac{-1 \cdot \overrightarrow{OA} + 2 \cdot \overrightarrow{OB}}{2-1}$$

$$= (-7, 5, 6) \quad となる。$$

よって, 外分点 D の座標は, D$(-7, 5, 6)$ となる。大丈夫？

また，右図に示すように，座標空間上にある△ABC の重心 G についても，平面ベクトルのときと同じ公式：

$$\overrightarrow{OG} = \frac{1}{3}(\overrightarrow{OA} + \overrightarrow{OB} + \overrightarrow{OC})$$

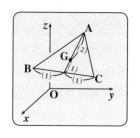

が成り立つことも覚えておこう。

平面ベクトルのときと同様に内分点の公式を利用すれば，空間ベクトルにおいても同じ式が導けるからだ。

● 空間ベクトルの平行条件と直交条件も押さえよう！

さらに，2 つの空間ベクトル $\vec{a}(\neq \vec{0})$ と $\vec{b}(\neq \vec{0})$ について，次のような**平行条件**と**直交条件**の公式がある。

(i) $\vec{a} /\!/ \vec{b} \iff \vec{a} = k\vec{b}$　　(k：実数)　　←─[平行条件]
(ii) $\vec{a} \perp \vec{b} \iff \vec{a} \cdot \vec{b} = 0$　　　　　　　←─[直交条件]

これも，平面ベクトルのときの公式と同じだから，特に問題ないと思う。ただし，$\vec{a} = (x_1, y_1, z_1)$, $\vec{b} = (x_2, y_2, z_2)$ と成分表示されている場合について，解説しておこう。

(i) $\vec{a} /\!/ \vec{b}$ (平行) のとき，$\vec{a} = k\vec{b}$ となるので，

$(x_1, y_1, z_1) = k(x_2, y_2, z_2) = (kx_2, ky_2, kz_2)$ より，

$x_1 = kx_2$ …①，かつ $y_1 = ky_2$ …②，かつ $z_1 = kz_2$ …③ となる。

①，②，③より，x_2, y_2, z_2 がすべて 0 でないとすると，

$\dfrac{x_1}{x_2} = \dfrac{y_1}{y_2} = \dfrac{z_1}{z_2}$ ($= k$) となるんだね。つまり，$\vec{a} /\!/ \vec{b}$ のとき，各成分の比が等しくなることを頭に入れておこう。

(ii) $\vec{a} \perp \vec{b}$ (垂直) のとき，$\vec{a} \cdot \vec{b} = 0$ より，

$\vec{a} \cdot \vec{b} = x_1 x_2 + y_1 y_2 + z_1 z_2 = 0$ となるので，

$x_1 x_2 + y_1 y_2 + z_1 z_2 = 0$ が，$\vec{a}$ と $\vec{b}$ の成分表示による直交条件ということになるんだね。納得いった？

では，$\vec{a}$ と $\vec{b}$ の平行条件と直交条件についても，次の練習問題で練習しておこう。

2 つの空間ベクトル $\vec{a} = (s, 3, t)$ と $\vec{b} = (2, -1, 3)$ がある。

(1) $\vec{a}$ と $\vec{b}$ が平行であるとき，s と t の値を求めよ。

(2) $\vec{a}$ と $\vec{b}$ が垂直で，かつ $|\vec{a}| = \sqrt{10}$ であるとき，s と t の値を求めよ。
　　　ただし，t は整数とする。

$\vec{a} = (x_1, y_1, z_1)$，$\vec{b} = (x_2, y_2, z_2)$ のとき，**(1)** $\vec{a} /\!/ \vec{b}$ となる条件は，$\dfrac{x_1}{x_2} = \dfrac{y_1}{y_2} = \dfrac{z_1}{z_2}$ であり，**(2)** $\vec{a} \perp \vec{b}$ となる条件は $x_1 x_2 + y_1 y_2 + z_1 z_2 = 0$ なんだね。シッカリ計算しよう。

$\vec{a} = (s, 3, t)$ と $\vec{b} = (2, -1, 3)$ について

(1) $\vec{a} /\!/ \vec{b}$ となるとき，

$$\underset{(\mathrm{i})}{\underbrace{\dfrac{s}{2}}} = \underset{(\mathrm{ii})}{\underbrace{\dfrac{3}{-1}}} = \dfrac{t}{3} \quad \cdots\cdots ① \quad \text{が成り立つ。}$$

> これは，(ⅰ)と(ⅱ)の 2 つの方程式に分解できる。

(ⅰ) $\dfrac{s}{2} = \boxed{\dfrac{3}{-1}}^{\;-3}$ より，$s = -3 \times 2 = -6$

(ⅱ) $\dfrac{3}{-1} = \dfrac{t}{3}$ より，$t = -3 \times 3 = -9$

∴ $\vec{a} /\!/ \vec{b}$ となるとき，$s = -6$，$t = -9$ となる。

(2) $\vec{a} \perp \vec{b}$ となるとき，$\vec{a} \cdot \vec{b} = 0$ より，

$s \cdot 2 + 3 \cdot (-1) + t \cdot 3 = 0 \qquad 2s - 3 + 3t = 0$

$s = \dfrac{3 - 3t}{2} = \dfrac{3}{2}(1 - t) \quad \cdots\cdots ②$ となる。

また，$|\vec{a}| = \sqrt{10}$ より，$|\vec{a}|^2 = 10$

> $\vec{a} = (x_1, y_1, z_1)$ のとき，$|\vec{a}|^2 = x_1^2 + y_1^2 + z_1^2$ だからね。

よって，$s^2 + 9 + t^2 = 10$

$s^2 + t^2 = 1 \quad \cdots\cdots ③$

③に②を代入して，t の 2 次方程式をもち込もう。

$\left\{ \dfrac{3}{2}(1 - t) \right\}^2 + t^2 = 1 \qquad \dfrac{9}{4}(1 - t)^2 + t^2 = 1$

> 両辺に **4** をかける。

$$9\overbrace{(1-2t+t^2)}+4t^2=4 \qquad 9-18t+9t^2+4t^2=4$$

$$13t^2-18t+5=0 \qquad (t-1)(13t-5)=0$$

$$\begin{array}{cc} 1 & -1 \\ 13 & -5 \end{array}$$ ← たすきがけ

> t は整数より，$\dfrac{5}{13}$ は解ではない！

ここで，t は整数より，$t=1$ …④ ←

④を②に代入して，$s=\dfrac{3}{2}(1-1)=0$

以上より，$\vec{a}\perp\vec{b}$ かつ $|\vec{a}|=\sqrt{10}$ となるとき，$s=0$，$t=1$ である。

これで，ベクトルの平行条件・直交条件にも慣れただろう？

また，3 点 A，B，C が同一直線上にあるための条件も，平面ベクトルのときと同様で，

$$\overrightarrow{AC}=k\overrightarrow{AB} \quad (k:\text{実数}) \quad \text{となる。}$$

この式は平行条件の式だから $\overrightarrow{AC}/\!/\overrightarrow{AB}$（平行）であり，かつ点 A を共有しているので，3 点 A，B，C は右図にように同一直線上に存在することになるんだね。大丈夫？

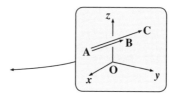

● 球面のベクトル方程式って，円のものと同じ⁉

では次，**球面のベクトル方程式**について解説しよう。図 2 に示すように xyz 座標空間上の点 A を中心とし，半径 $r(>0)$ の球面のベクトル方程式は，球面上を動く動点を P とおくと，P は A からの距離を一定の半径 r に保って動くので，

$$|\overrightarrow{AP}|=r \quad \cdots\cdots① \quad \text{となる。}$$

$\boxed{\overrightarrow{OP}-\overrightarrow{OA}}$ ← まわり道の原理

図 2　球面のベクトル方程式

$$|\overrightarrow{OP}-\overrightarrow{OA}|=r$$

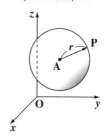

さらに，引き算形式のまわり道の原理より，$\overrightarrow{AP}=\overrightarrow{OP}-\overrightarrow{OA}$ ……②だね。

よって，②を①に代入して，空間内で点 A を中心とする半径 r の球面の
方程式は次のようになるんだね。

$|\overrightarrow{\mathrm{OP}} - \overrightarrow{\mathrm{OA}}| = r$ ……③ （中心 A，半径 r の球面）

これって，平面ベクトルで学習した円のベクトル方程式 (P51) とまった
く同じ形をしてるって!? …，そうだね。形式的にはまったく同じだけれど，
空間上では，③は球面の方程式になることは，③を成分表示で表すと明ら
かになる。

動点 P と中心 (定点)A の位置ベクトルをそれぞれ，

$\overrightarrow{\mathrm{OP}} = (x, y, z)$, $\overrightarrow{\mathrm{OA}} = (a, b, c)$ とおくと，

$\overrightarrow{\mathrm{OP}} - \overrightarrow{\mathrm{OA}} = (x, y, z) - (a, b, c)$

$= (x-a, y-b, z-c)$ となるね。

よって，これを③に代入すると，

$|(x-a, y-b, z-c)| = r$

$\sqrt{(x-a)^2 + (y-b)^2 + (z-c)^2} = r$

> $\vec{a} = (x_1, y_1, z_1)$ のとき，
> $|\vec{a}| = \sqrt{x_1{}^2 + y_1{}^2 + z_1{}^2}$
> だからね。

この両辺を 2 乗すると，次のような球面の方程式が得られるんだね。

$(x-a)^2 + (y-b)^2 + \underline{(z-c)^2} = r^2$ （中心 A，半径 r の球面）

球面の場合，円と比べて，この項が新たに加わる。

だから，中心が原点 $\mathrm{O}(0, 0, 0)$ のとき，半径 r の球面の方程式は
$(x-0)^2 + (y-0)^2 + (z-0)^2 = r^2$ となるので，

$x^2 + y^2 + z^2 = r^2$ （中心 O，半径 r の球面）となるのもいいね。

それでは，例題で少し練習しておこう。

(1) 中心 $\mathrm{A}(2, 1, -3)$，半径 $r = \sqrt{5}$ の球面の方程式を求めよう。

球面の方程式は，$(x-2)^2 + (y-1)^2 + \{z-(-3)\}^2 = (\sqrt{5})^2$ より，

$(x-2)^2 + (y-1)^2 + (z+3)^2 = 5$ となるんだね。

(2) 方程式 $(x+2)^2 + y^2 + (z-4)^2 = 16$ が，どのような球面を表すのか調べ
てみよう。

$\{x-(-2)\}^2 + (y-0)^2 + (z-4)^2 = 4^2$ より，

$[\ (x-a)^2 + (y-b)^2 + (z-c)^2 = r^2\ ]$

この方程式は，中心 $\mathrm{A}(-2, 0, 4)$，半径 $r = 4$ の球面の方程式である
ことが分かるんだね。大丈夫だった？

● 直線は，通る点と方向ベクトルで決まる！

　ではいよいよ，空間における直線の
ベクトル方程式について解説しよう。

　図3に示すように，xyz座標空間上
に，点Aを通り，方向ベクトル$\vec{d}$の
直線があるものとする。この直線上を
自由に動く動点Pをとると，図より，
$\overrightarrow{AP} /\!/ \vec{d}$から，実数変数$t$を用いて，

$$\overrightarrow{AP} = t\vec{d} \quad \cdots\cdots(\mathcal{P}) \quad (t：実数変数)$$

と表せる。また，$\overrightarrow{OP}$は，中継点Aを
経由するたし算形式のまわり道の原理を用いると，

$$\overrightarrow{OP} = \overrightarrow{OA} + \underset{\boxed{t\vec{d}}}{\overrightarrow{AP}} \quad \cdots\cdots(\mathcal{1})　となるね。$$

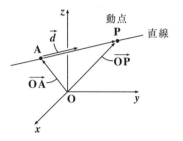

図3　直線のベクトル方程式

$$\overrightarrow{OP} = \overrightarrow{OA} + t\vec{d}$$

ここで，(イ)に(ア)を代入すれば，点Aを通り，方向ベクトル$\vec{d}$の直線
のベクトル方程式が

> これも，平面ベクトルの直線の式と形式的に同じだ。

$$\overrightarrow{OP} = \overrightarrow{OA} + t\vec{d} \quad \cdots\cdots(\mathcal{ウ})　と導けるんだね。$$

　次に，図4に示すように，空間上の異
なる2点A，Bを通る直線，すなわち直
線ABのベクトル方程式についても考え
ておこう。

　これは，(ウ)の方向ベクトル$\vec{d}$を$\overrightarrow{AB}$
に置き換えればいいだけで，これから，
これは，点Aを通り方向ベクトル$\overrightarrow{AB}$の
直線なので，このベクトル方程式は，

$$\overrightarrow{OP} = \overrightarrow{OA} + t\underset{\boxed{(\overrightarrow{OB}-\overrightarrow{OA})}}{\overrightarrow{AB}} \quad \cdots\cdots(\mathcal{エ})$$

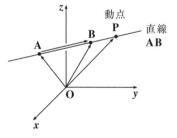

図4　2点A，Bを通る直線の
　　　ベクトル方程式

$$\overrightarrow{OP} = \alpha\overrightarrow{OA} + \beta\overrightarrow{OB}$$
$$(\alpha + \beta = 1)$$

となるんだね。ここで，$\overrightarrow{AB}$に，Oを中継点とする引き算形式のまわり道
の原理を用いると，$\overrightarrow{AB} = \overrightarrow{OB} - \overrightarrow{OA}$　$\cdots\cdots(\mathcal{オ})$より，(オ)を(エ)に代入
してまとめると，

$$\overrightarrow{OP} = \overrightarrow{OA} + t(\overrightarrow{OB} - \overrightarrow{OA}) = (1-t)\overrightarrow{OA} + t\overrightarrow{OB} \quad \cdots\cdots(\mathcal{カ})　となる。$$

97

ここで，(カ) の右辺の 2 つの係数を，$1-t=\alpha$，$t=\beta$ とおくと

$$\overrightarrow{\text{OP}} = \underset{\textstyle\widehat{\alpha}}{(1-t)}\overrightarrow{\text{OA}} + \underset{\textstyle\widehat{\beta}}{t}\overrightarrow{\text{OB}} \quad \cdots\cdots(カ)$$

$\alpha + \beta = 1 - t + t = 1$ となるので，直線 AB のベクトル方程式は，

$$\overrightarrow{\text{OP}} = \alpha\overrightarrow{\text{OA}} + \beta\overrightarrow{\text{OB}} \quad (\alpha + \beta = 1) \quad となるんだね。$$

以上を下にまとめて示しておこう。

空間における直線のベクトル方程式

(I) 点 A を通り，方向ベクトル $\vec{d}$ の直線のベクトル方程式：

$$\overrightarrow{\text{OP}} = \overrightarrow{\text{OA}} + t\vec{d} \quad \cdots\cdots\cdots\cdots\cdots\cdots\cdots(*) \quad (t：媒介変数)$$

(II) 直線 AB のベクトル方程式：

$$\overrightarrow{\text{OP}} = \alpha\overrightarrow{\text{OA}} + \beta\overrightarrow{\text{OB}} \quad (\alpha + \beta = 1) \quad \cdots\cdots(*)'$$

エッ，この結果は，平面ベクトルの章で学んだ直線のベクトル方程式と同じだって!? その通りだね。特に，異なる 2 点 A，B について，

(i) 線分 AB のベクトル方程式は，

$$\overrightarrow{\text{OP}} = \alpha\overrightarrow{\text{OA}} + \beta\overrightarrow{\text{OB}} \quad (\alpha + \beta = 1, \ \alpha \geqq 0, \ \beta \geqq 0) \quad であり，$$

(ii) △OAB のベクトル方程式は，

$$\overrightarrow{\text{OP}} = \alpha\overrightarrow{\text{OA}} + \beta\overrightarrow{\text{OB}} \quad (\alpha + \beta \leqq 1, \ \alpha \geqq 0, \ \beta \geqq 0) \quad であることも，$$

平面ベクトルの章で学んだものと同じなんだ。空間ベクトルにおいても同様に導けるからなんだね。

でも，(I) について，動ベクトル $\overrightarrow{\text{OP}} = (x, y, z)$，定ベクトル $\overrightarrow{\text{OA}} = (x_1, y_1, z_1)$，方向ベクトル $\vec{d} = (l, m, n)$ と，成分表示で (*) のベクトル方程式を書き換えてみると，平面ベクトルのときとは，少し違った形の直線の式が導ける。早速変形してみよう。(*) を成分表示で表すと，

$$(x, y, z) = (x_1, y_1, z_1) + t(l, m, n) \quad \overset{\frown}{}$$

各成分に係数 t がかかる

$$\qquad = (x_1, y_1, z_1) + (tl, tm, tn)$$

$$\qquad = (x_1 + tl, y_1 + tm, z_1 + tn) \quad となる。よって，$$

$$\begin{cases} x = x_1 + tl & \cdots\cdots① \\ y = y_1 + tm & \cdots\cdots② \quad が導かれるんだね。 \\ z = z_1 + tn & \cdots\cdots③ \end{cases}$$

①, ②, ③において, x_1, y_1, z_1 と l, m, n は当然定数なので, 3つの変数 x, y, z は, 1つの変数 t を仲立ちとして決まる。よって, この仲立ち (媒介) する変数のことを, 特に "**媒介変数**" と呼ぶ。そして, この①, ②, ③の3つを1組として, 点 $A(x_1, y_1, z_1)$ を通り, 方向ベクトル $\vec{d} = (l, m, n)$ の直線の媒介変数表示された方程式と呼ぶんだね。覚えておこう。

次に, $l \neq 0$, $m \neq 0$, $n \neq 0$ として, ①, ②, ③の方程式を t でまとめると,

$\dfrac{x - x_1}{l} = t$ …①′, $\dfrac{y - y_1}{m} = t$ …②′, $\dfrac{z - z_1}{n} = t$ …③′

となるので, ①′, ②′, ③′から, この直線の方程式は

$\dfrac{x - x_1}{l} = \dfrac{y - y_1}{m} = \dfrac{z - z_1}{n}$ $(= t)$ ……④ と表すこともできる。

平面における直線に比べて, 空間における直線では, この式が新たに加わるんだね。違いが分かった?

では, これもまとめて下に示しておこう。

空間における直線の方程式

点 $A(x_1, y_1, z_1)$ を通り方向ベクトル $\vec{d} = (l, m, n)$ の直線について,

(I) 媒介変数表示された方程式:

$\begin{cases} x = x_1 + tl & \cdots\cdots① \\ y = y_1 + tm & \cdots\cdots② \\ z = z_1 + tn & \cdots\cdots③ \end{cases}$ …(**) (t:媒介変数)

(II) 媒介変数を消去した形の方程式:

$\dfrac{x - x_1}{l} = \dfrac{y - y_1}{m} = \dfrac{z - z_1}{n}$ …(**)′ (ただし, $l \neq 0$, $m \neq 0$, $n \neq 0$)

解説では, (**) から (**)′ を導いたけれど, (**)′ の式, すなわち $\dfrac{x - x_1}{l} = \dfrac{y - y_1}{m} = \dfrac{z - z_1}{n} = t$ とおいて, $\dfrac{x - x_1}{l} = t$ より, $x = x_1 + tl$ が, $\dfrac{y - y_1}{m} = t$ から $y = y_1 + tm$ が, そして, $\dfrac{z - z_1}{n} = t$ より $z = z_1 + tn$ が導けるんだね。(**) と (**)′ のいずれにも, 慣れておくことが必要だ。

では，直線の方程式についても，次の練習問題で練習しておこう。

練習問題 21 　　直線の方程式　　CHECK*1*　　CHECK*2*　　CHECK*3*

点 A$(2, 4, -3)$ を通り，方向ベクトル $\vec{d} = (1, 3, -3)$ の直線 L について，次の問いに答えよ。

(1) 直線 L の方程式を求めよ。

(2) 直線 L と xy 平面との交点 P の座標と，直線 L と yz 平面との交点 Q の座標を求めよ。

---

(1) 点 A(x_1, y_1, z_1) を通り，方向ベクトル $\vec{d} = (l, m, n)$ の直線の方程式は $\dfrac{x - x_1}{l} = \dfrac{y - y_1}{m} = \dfrac{z - z_1}{n}$ となる。(2) xy 平面との交点 P の z 座標は 0 となるし，また yz 平面との交点 Q の x 座標は 0 となることが鍵だね。

(1) 点 A$(2, 4, -3)$ を通り，方向ベクトル $\vec{d} = (1, 3, -3)$ の直線の方程式は，

$$\frac{x - 2}{1} = \frac{y - 4}{3} = \frac{\overbrace{z - (-3)}^{z + 3}}{-3} \quad \text{より,}$$

$$\boxed{\text{直線の方程式：} \quad \frac{x - x_1}{l} = \frac{y - y_1}{m} = \frac{z - z_1}{n}}$$

直線 $L : \dfrac{x - 2}{1} = \dfrac{y - 4}{3} = \dfrac{z + 3}{-3}$ ……① となるんだね。

(2) ① $= t$ とおいて，直線 L の方程式を媒介変数 t を用いて表すと，

$$\frac{x - 2}{1} = \frac{y - 4}{3} = \frac{z + 3}{-3} = t \quad \text{より,}$$

$$\begin{cases} x = t + 2 & \cdots\cdots② \\ y = 3t + 4 & \cdots\cdots③ \\ z = -3t - 3 & \cdots\cdots④ \end{cases} \quad \text{となる。}$$

$$\boxed{\begin{array}{l} \text{媒介変数表示された} \\ \text{直線の方程式：} \\ \begin{cases} x = x_1 + t \cdot l \\ y = y_1 + t \cdot m \\ z = z_1 + t \cdot n \end{cases} \end{array}}$$

（ⅰ）ここで，xy 平面は，$z = 0$ と表されるので，④に $z = 0$ を代入すると，

$0 = -3t - 3$ より，

$3t = -3$ ∴ $t = -1$

となって，媒介変数 t の値が決まる。よって，この $t = -1$ を②，③に代入して，

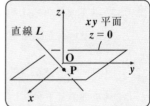

$x = -1 + 2 = 1$，$y = 3 \times (-1) + 4 = 1$ となって，x と y の値も決まるんだね。以上より，直線 L と xy 平面との交点 P の座標は，$P(1, 1, 0)$ となる。

（ⅱ）次に，yz 平面は，$x = 0$ と表されるので，今度は②に $x = 0$ を代入して，t の値をまず決定すると，

$0 = t + 2$ より，

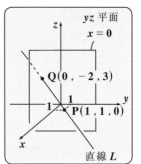

$t = -2$ となる。よって，この $t = -2$ を③，④に代入して，y と z の値を決めることができる。

$y = 3 \times (-2) + 4 = -6 + 4 = -2$，

$z = -3 \times (-2) - 3 = 6 - 3 = 3$

以上より，直線 L と yz 平面との交点 Q の座標は，$Q(0, -2, 3)$ となるんだね。大丈夫だった？

このように，直線上のある点の座標を求めたかったら，媒介変数 t で表示された直線の方程式を作って，t の値を決定すればウマクいくことが分かってもらえたと思う。

● 空間上の平面の方程式にもチャレンジしよう！

それでは次，空間上にある平面の方程式について解説しよう。図 5 に示すように，空間上に同一直線上にない異なる 3 つの点 A，B，C が与えられたならば，この 3 点を通る平面が決まるので，これを平面 ABC と呼ぶことにしよう。そしてこの平面 ABC 上に点 P が存在するものとする。すると，4 つの点 A，B，C，P は同一平面上の点なので，平面ベクトルの問題になるんだね。つまり，$\overrightarrow{AB}$ と $\overrightarrow{AC}$ は 1 次独立なベクトルなのでこの平面上の

図5 平面 ABC とその平面上の点 P

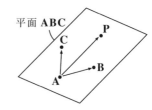

$$\overrightarrow{AB} \not\parallel \overrightarrow{AC}（平行でない）かつ \overrightarrow{AB} \neq \vec{0} かつ \overrightarrow{AC} \neq \vec{0}$$

101

ベクトルである $\overrightarrow{\text{AP}}$ は，次のように実数 s と t を用いて，$\overrightarrow{\text{AB}}$ と $\overrightarrow{\text{AC}}$ の 1 次結合の式で表せるのはいいね。

$$\overrightarrow{\text{AP}} = s\overrightarrow{\text{AB}} + t\overrightarrow{\text{AC}} \quad \cdots\cdots ① \quad (s,\ t：実数変数)$$

この様子を図 6 に示す。ここで，発想を変えて，実数 s と t が変数として

自由に値を変えることができるものとしよう。すると，$\overrightarrow{\text{AP}}$ は平面 ABC 上のあらゆる向きと大きさをもつベクトルになるね。ここで，A は定点だから，動点である点 P が，平面 ABC 上を自由に動きまわって，平面 ABC をすべて塗りつぶしてしまうことになる。つまり，s と t を実数変数と考えると，

図 6　平面 ABC のベクトル方程式

①は既に平面 ABC を表すベクトル方程式であることが分かると思う。もちろん，これは動ベクトル $\overrightarrow{\text{OP}}$ で表したいので，①の左辺 $\overrightarrow{\text{AP}}$ に，O を中継点とする引き算形式のまわり道の原理を用いて，

$$\overrightarrow{\text{AP}} = \overrightarrow{\text{OP}} - \overrightarrow{\text{OA}} \quad \cdots\cdots ② \quad と変形して，②を①に代入しよう。$$

すると，

$$\overrightarrow{\text{OP}} - \overrightarrow{\text{OA}} = s\overrightarrow{\text{AB}} + t\overrightarrow{\text{AC}}$$

よって，平面のベクトル方程式が次のように導けるんだね。

$$\overrightarrow{\text{OP}} = \overrightarrow{\text{OA}} + s\overrightarrow{\text{AB}} + t\overrightarrow{\text{AC}} \quad \cdots\cdots\cdots\cdots (**)$$

(ただし，s, t：実数変数，$\overrightarrow{\text{AB}}$ と $\overrightarrow{\text{AC}}$ は 1 次独立)

ここで，$\overrightarrow{\text{AB}} = \vec{d_1}$，$\overrightarrow{\text{AC}} = \vec{d_2}$ とおくと，$\vec{d_1}$ と $\vec{d_2}$ は 1 次独立な平面上の異な

$$\boxed{\vec{d_1} \not\parallel \vec{d_2} \text{ かつ } \vec{d_1} \neq \vec{0} \text{ かつ } \vec{d_2} \neq \vec{0}}$$

る 2 方向を表すベクトルになるので，これを平面上の 1 次独立な 2 つの方向ベクトルと呼ぶことにしよう。すると，(**) は，次のように表される。

$$\overrightarrow{\text{OP}} = \overrightarrow{\text{OA}} + s\vec{d_1} + t\vec{d_2} \quad \cdots\cdots\cdots\cdots\cdots (**)'$$

(ただし，s, t：実数変数，$\vec{d_1}$, $\vec{d_2}$：1 次独立な平面の方向ベクトル)

　以上をまとめて示しておこう。

平面のベクトル方程式

（Ⅰ）同一直線上にない **3** 点 **A**，**B**，**C** を通る平面のベクトル方程式：

$$\overrightarrow{OP} = \overrightarrow{OA} + s\overrightarrow{AB} + t\overrightarrow{AC} \quad \cdots\cdots\cdots (**) \quad (s,\ t：実数変数)$$

（Ⅱ）点 **A** を通り，**1** 次独立な **2** つの方向ベクトル $\overrightarrow{d_1}$，$\overrightarrow{d_2}$ をもつ平面のベクトル方程式：

$$\overrightarrow{OP} = \overrightarrow{OA} + s\overrightarrow{d_1} + t\overrightarrow{d_2} \quad \cdots\cdots\cdots (**)' \quad (s,\ t：実数変数)$$

（Ⅰ）の平面 **ABC** の方程式 $(**)$ について，$\overrightarrow{AB}$ と $\overrightarrow{AC}$ も，**O** を中継点とする引き算形式のまわり道の原理を用いて変形すると，

$$\overrightarrow{AB} = \overrightarrow{OB} - \overrightarrow{OA} \ \cdots\cdots③ \quad \overrightarrow{AC} = \overrightarrow{OC} - \overrightarrow{OA} \ \cdots\cdots④ \quad となるね。$$

この③，④を $(**)$ に代入して変形すると，

$$\begin{aligned}
\overrightarrow{OP} &= \overrightarrow{OA} + s(\overrightarrow{OB} - \overrightarrow{OA}) + t(\overrightarrow{OC} - \overrightarrow{OA}) \\
&= \overrightarrow{OA} + s\overrightarrow{OB} - s\overrightarrow{OA} + t\overrightarrow{OC} - t\overrightarrow{OA} \\
&= \underset{\alpha}{(1 - s - t)}\overrightarrow{OA} + \underset{\beta}{s\overrightarrow{OB}} + \underset{\gamma}{t\overrightarrow{OC}} \quad となる。
\end{aligned}$$

ここで，$\overrightarrow{OA}$，$\overrightarrow{OB}$，$\overrightarrow{OC}$ の各係数を $1 - s - t = \alpha$，$s = \beta$，$t = \gamma$ とおくと，$\alpha + \beta + \gamma = 1 - s - t + s + t = 1$ となるんだね。よって，平面 **ABC** のベクトル方程式は，次のように表すこともできる。

$$\overrightarrow{OP} = \alpha\overrightarrow{OA} + \beta\overrightarrow{OB} + \gamma\overrightarrow{OC} \quad \cdots\cdots (**)''$$
$$(\alpha + \beta + \gamma = 1)$$

> これは，直線 **AB** の方程式：
> $\overrightarrow{OP} = \alpha\overrightarrow{OA} + \beta\overrightarrow{OB} \quad (\alpha + \beta = 1)$
> と一緒に覚えておくといい。

$(**)''$ は，**3** つの係数 α，β，γ が，$\alpha + \beta + \gamma = 1$ の条件をみたしながら，変数として変化するとき，動点 **P** が動いて平面 **ABC** を表すという意味なんだね。でも，右図のように，定点 **P** が，平面 **ABC** 上にあるための条件として，$\alpha + \beta + \gamma = 1$ をみたすと考えることもできる。この場合，当然 α，β，γ は，$\alpha + \beta + \gamma = 1$ をみたす定数であることに気をつけよう。

平面 **ABC**

（Ⅱ）の点 A を通り，2 つの方向ベクトル $\vec{d_1}$ と $\vec{d_2}$ をもつ平面のベクトル方程式：

$$\overrightarrow{OP} = \overrightarrow{OA} + s\vec{d_1} + t\vec{d_2} \quad \cdots\cdots (**)' \quad (s,\ t：媒介変数)$$

は，点 A を通り，方向ベクトル $\vec{d}$ をもつ直線のベクトル方程式：

$$\overrightarrow{OP} = \overrightarrow{OA} + t\vec{d} \quad (t：媒介変数)\quad と対比して覚えると忘れないはずだ。1$$

次元の直線では 1 つの媒介変数 t のみで表されるが，平面の方程式 $(**)'$ では，s と t の 2 つの媒介変数が必要となる。これは，平面が 2 次元であることに対応しているんだね。納得いった？

では，1 題練習問題で平面の方程式の問題を解いてみよう。

練習問題 22	平面の方程式	CHECK 1	CHECK 2	CHECK 3

xyz 座標空間上に 4 点 $A(2,1,0)$，$B(-1,2,3)$，$C(3,-1,4)$，$D(1,-2,z_1)$ がある。点 D が平面 ABC 上にあるとき，z_1 の値を求めよ。

平面のベクトル方程式 $\overrightarrow{OP} = \overrightarrow{OA} + s\overrightarrow{AB} + t\overrightarrow{AC}$ を使って，D は平面上の点より P に D を代入すればいいんだね。

平面 ABC を表す動ベクトル $\overrightarrow{OP} = (x,y,z)$ を用いると，平面 ABC の方程式は，

$$\overrightarrow{OP} = \overrightarrow{OA} + s\overrightarrow{AB} + t\overrightarrow{AC} \quad \cdots\cdots① \quad となる。$$

点 A を通り，2 つの方向ベクトル $\overrightarrow{AB}$ と $\overrightarrow{AC}$ をもつ平面の方程式だ。

ここで，$A(2,1,0)$，$B(-1,2,3)$，$C(3,-1,4)$ より，

$$\begin{cases} \overrightarrow{OA} = (2,1,0) \\ \overrightarrow{AB} = \overrightarrow{OB} - \overrightarrow{OA} = (-1,2,3)-(2,1,0) = (-3,1,3) \\ \overrightarrow{AC} = \overrightarrow{OC} - \overrightarrow{OA} = (3,-1,4)-(2,1,0) = (1,-2,4) \end{cases} となるね。$$

以上を①に代入すると，

$$\underbrace{(x,y,z)}_{\overrightarrow{OP}} = \underbrace{(2,1,0)}_{\overrightarrow{OA}} + s\underbrace{(-3,1,3)}_{\overrightarrow{AB}} + t\underbrace{(1,-2,4)}_{\overrightarrow{AC}}$$

$$= (2,1,0)+(-3s,s,3s)+(t,-2t,4t)$$

$$\therefore (x,y,z) = (2-3s+t,\ 1+s-2t,\ 3s+4t) \quad \cdots\cdots①'$$

ここで，点 D は平面 ABC 上の点より，P に D を代入できる。

すなわち，$\overrightarrow{OP}$ に $\overrightarrow{OD} = (1,-2,z_1)$ を代入できる。

よって，$(1, -2, z_1) = (2 - 3s + t, 1 + s - 2t, 3s + 4t)$　より，

$$\begin{cases} 1 = 2 - 3s + t & \cdots ② \\ -2 = 1 + s - 2t & \cdots ③ \quad \text{となる。} \\ z_1 = 3s + 4t & \cdots\cdots ④ \end{cases}$$

②，③より，$s = 1$，$t = 2$ となるので，

②より，$t = 3s - 1$　…②′　②′を③に代入
して，$-2 = 1 + s - 2(3s - 1)$
$-2 = 1 + s - 6s + 2$　より，$5s = 5$
$\therefore s = 1$　これを②′に代入して，$t = 2$

これを④に代入して，

$z_1 = 3 \times 1 + 4 \times 2 = 11$　となるんだね。大丈夫だった？

　でも，平面 ABC のベクトル方程式①を成分表示して具体的に求めてみると，①′となり，x, y, z は，2 つの媒介変数 s, t により，

$x = 2 - 3s + t$，$y = 1 + s - 2t$，$z = 3s + 4t$ と表されるので，かなり使いづらい形の方程式になるんだね。エッ，もっと平面の方程式をシンプルに表現できないのかって!? 了解！平面の方程式を x, y, z の 1 つの方程式で表す方法についても教えよう。

● 法線ベクトルを使った平面の方程式も使いこなそう！

xyz 座標空間上で，点 $A(x_1, y_1, z_1)$ を通る平面を平面 α とおくと，平面 α の方程式は，

$a(x - x_1) + b(y - y_1) + c(z - z_1) = 0$　……（∗3）　と表せる。

ここで，（∗3）の各係数 a, b, c を成分にもつベクトルを $\vec{n}$ とおくと，

$\vec{n} = (a, b, c)$ ……（ア）

は，平面 α と垂直なベクトル，すなわち**法線ベクトル**になるんだね。何故って!? 図 7 に示すように，平面 α 上の定点 A を始点とし，α 上を自由に動く動点 P を終点とするベクトル $\overrightarrow{AP}$ は，まわり道の原理より，

図7　法線ベクトルを使った平面の方程式

$a(x - x_1) + b(y - y_1) + c(z - z_1) = 0$

法線ベクトル
$\vec{n} = (a, b, c)$

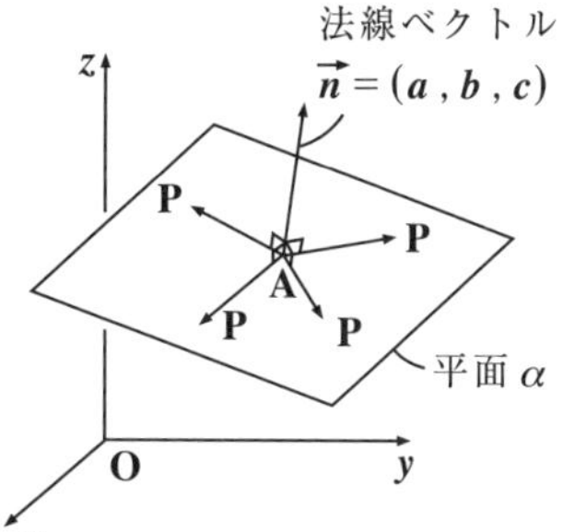

$\overrightarrow{AP} = \overrightarrow{OP} - \overrightarrow{OA}$

$\therefore \overrightarrow{AP} = (x, y, z) - (x_1, y_1, z_1) = (x - x_1, y - y_1, z - z_1)$ …（イ）

となるのは大丈夫だね。（ただし，$\overrightarrow{OP} = (x, y, z)$ とした。）

$\vec{n} = (a, b, c) \cdots (\mathcal{P})$ と $\overrightarrow{AP} = (x - x_1, y - y_1, z - z_1) \cdots (\mathcal{A})$

の内積 $\vec{n} \cdot \overrightarrow{AP} = 0$, すなわち, これを成分表示したものが,

$a(x - x_1) + b(y - y_1) + c(z - z_1) = 0$ ……$(*3)$ となって

平面の方程式そのものになるからなんだね。

図7をもう1度見てくれ。$\overrightarrow{AP}$ がどんなに変化しても, $\vec{n}$ は $\overrightarrow{AP}$ に対して垂直なベクトルになっていることが分かるはずだ。

では, 前に解説した平面上の2つの方向ベクトル $\vec{d_1}$, $\vec{d_2}$ と, 法線ベクトル $\vec{n}$ との関係はどうなるのか, 分かるね。右図に示すように, $\vec{n}$ は平面 α と直交するわけだから, 当然 $\vec{d_1}$ と $\vec{d_2}$ とも垂直になる。つまり, $\vec{n} \perp \vec{d_1}$, $\vec{n} \perp \vec{d_2}$ となるんだね。納得いった？

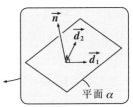

平面 α

では, これも公式として下にまとめておこう。

平面の方程式

xyz 座標空間上で, 点 $A(x_1, y_1, z_1)$ を通り, 法線ベクトル $\vec{n} = (a, b, c)$ をもつ平面 α の方程式は, 次のように表せる。

$a(x - x_1) + b(y - y_1) + c(z - z_1) = 0$ ……$(*3)$

では, 例題で少し練習しておこう。

$(ex1)$ 点 $A(\underset{x_1}{4}, \underset{y_1}{-1}, \underset{z_1}{-2})$ を通り, 法線ベクトル $\vec{n} = (\underset{a}{2}, \underset{b}{1}, \underset{c}{2})$ をもつ

平面 α の方程式は, 公式より,

$2(x - 4) + 1(y + 1) + 2(z + 2) = 0$ となる。

これをまとめて

$2x - 8 + y + 1 + 2z + 4 = 0$ より,

$2x + y + 2z - 3 = 0$ となるんだね。

最終的には, 平面の方程式は, $ax + by + cz + d = 0$ の形にまとめればいいんだよ。

$(ex2)$ 点 $\mathbf{B}(\underbrace{-1}_{x_1}, \underbrace{1}_{y_1}, \underbrace{3}_{z_1})$ を通り，法線ベクトル $\vec{n} = (\underbrace{3}_{a}, \underbrace{-2}_{b}, \underbrace{-1}_{c})$ をも

つ平面 β の方程式は，公式 $a(x - x_1) + b(y - y_1) + c(z - z_1) = 0$ を用

いると，

$3\overbrace{(x + 1)} - 2\overbrace{(y - 1)} - 1 \cdot \overbrace{(z - 3)} = 0$　　より，これを変形して

$[a(x - x_1) + b(y - y_1) + c(z - z_1) = 0]$

$3x + 3 - 2y + 2 - z + 3 = 0$

$\therefore 3x - 2y - z + 8 = 0$　　となるんだね。納得いった？

　以上で，"空間ベクトル"の講義はすべて終了です。特に今日の講義は
内容満載だったからね。フ～，疲れたって？…そうだね。疲れたら，まず
ゆっくり休むことだ。そして，元気を回復したら，またもう1度ヨ～ク復
習してみるといいよ。さらに理解が深まって，空間ベクトルについても本
格的な実践力を身につけることができると思うよ。

　数学力を磨くのに，平面図形，空間図形を含めて，図形的なセンスは欠
かせない。そして，この図形問題を解く有力な切り札の1つがベクトルだ
からね。ベクトルに強くなれば，数学 III・C においても様々な形の図形問
題にも切り込んでいくことができるんだね。だから，今は疲れている人も，
またヤル気を出して，復習してチャレンジしてほしい。

　キミ達の成長を心より祈っている…。

　では，次回は新たなテーマに入るけれど，みんな元気に出ておいで。
それじゃ，またな。さようなら…。

第2章● 空間ベクトル　公式エッセンス

1. 2点 $A(x_1, y_1, z_1)$, $B(x_2, y_2, z_2)$ 間の距離

$$AB = \sqrt{(x_1 - x_2)^2 + (y_1 - y_2)^2 + (z_1 - z_2)^2}$$

2. 空間ベクトルの1次結合

3つの1次独立なベクトル $\vec{a}, \vec{b}, \vec{c}$ により，任意の空間ベクトル $\vec{p}$ は，

$\vec{p} = s\vec{a} + t\vec{b} + u\vec{c}$　　(s, t, u：実数)　と表される。

3. 空間ベクトル $\vec{a}$ の大きさ $|\vec{a}|$

$\vec{a} = (x_1, y_1, z_1)$ のとき，$|\vec{a}| = \sqrt{x_1{}^2 + y_1{}^2 + z_1{}^2}$

4. 空間ベクトル $\vec{a}$ と $\vec{b}$ の内積 $\vec{a} \cdot \vec{b}$

$\vec{a} = (x_1, y_1, z_1)$, $\vec{b} = (x_2, y_2, z_2)$ のとき，

$\vec{a} \cdot \vec{b} = |\vec{a}||\vec{b}|\cos\theta = x_1x_2 + y_1y_2 + z_1z_2$　　(θ：$\vec{a}$ と $\vec{b}$ のなす角)

5. 空間ベクトルの内分点の公式

$A(x_1, y_1, z_1)$, $B(x_2, y_2, z_2)$ のとき，線分 AB を $m:n$ に内分する点を P とおくと，

$$\overrightarrow{OP} = \frac{n\overrightarrow{OA} + m\overrightarrow{OB}}{m + n} = \left(\frac{nx_1 + mx_2}{m + n}, \frac{ny_1 + my_2}{m + n}, \frac{nz_1 + mz_2}{m + n}\right)$$

6. 球面のベクトル方程式

$|\overrightarrow{OP} - \overrightarrow{OA}| = r$　　(中心 A，半径 r の球面)

7. 直線の方程式

(ⅰ) 点 $A(x_1, y_1, z_1)$ を通り，方向ベクトル $\vec{d} = (l, m, n)$ の直線のベクトル方程式：

$\overrightarrow{OP} = \overrightarrow{OA} + t\vec{d}$　(t：媒介変数)

(ⅱ) $\dfrac{x - x_1}{l} = \dfrac{y - y_1}{m} = \dfrac{z - z_1}{n}$　$(= t)$

8. 平面の方程式

(ⅰ) 点 A を通り，2つの方向ベクトル $\vec{d_1}$, $\vec{d_2}$ をもつ平面のベクトル方程式：$\overrightarrow{OP} = \overrightarrow{OA} + s\vec{d_1} + t\vec{d_2}$　(s, t：媒介変数)

(ⅱ) 点 $A(x_1, y_1, z_1)$ を通り，法線ベクトル $\vec{n} = (a, b, c)$ の平面の方程式：$a(x - x_1) + b(y - y_1) + c(z - z_1) = 0$

③ 複素数平面

テーマ

▶ 複素数平面の基本

▶ 複素数の極形式，ド・モアブルの定理

▶ 複素数と平面図形

まかせなさい！

8th day　複素数平面の基本

みんな，おはよう！さわやかな朝で気持ちがいいね。サァ，今日から，"複素数平面"の講義を始めよう。

この後の**Part1**では，"式と曲線"，"関数"，について解説する。そして，さらに**Part2**では，"数列の極限"，"関数の極限"，"微分法とその応用"，"積分法とその応用"について解説するつもりだ。

エッ，バリバリの理系数学だから，難しそうだって？　そうだね。確かにレベルは上がるよ。でも，これまでと同様に，初めから分かりやすく丁寧に解説するから，すべて理解できるはずだ。頑張ろう！

それでは，まず"複素数平面の基本"の講義から始めよう！

● 複素数が平面上の点を表す!?

複素数って，何だったか覚えてる？　ン，自信がないって？　いいよ。この講義は初めから始める講義だからね。みんな，まず，**2**次方程式 $x^2 - 2x + 5 = 0$ を解いてごらん。

これを解くと，

$$x = -(-1) \pm \sqrt{(-1)^2 - 1 \cdot 5}$$
$$= 1 \pm \sqrt{-4} = 1 \pm 2i$$

$$\boxed{\sqrt{4} \cdot \sqrt{-1} = 2i}$$

> $ax^2 + 2b'x + c = 0 \ (a \neq 0)$ の解は，
> $$x = \frac{-b' \pm \sqrt{b'^2 - ac}}{a}$$
> 今回は，$a = 1$，$b' = -1$，$c = 5$ だね。

となるのはいいね。このように $1 + 2i$ や $1 - 2i$ のように，**2**つの実数 a，b と虚数単位 i $(i = \sqrt{-1}$，正確には，$i^2 = -1$ と表す$)$ を用いて，$a + bi$ の形で表される数のことを"**複素数**"というんだったね。

そして，複素数は一般に，z や w，および $\overset{\text{アルファ ベータ ガンマ}}{\alpha, \ \beta, \ \gamma}$ などの文字で表すことが多いので，ここではまず，$\alpha = \underbrace{a}_{\text{実部}} + \underbrace{b}_{\text{虚部}} i$ とおくことにしよう。a，b は共に実数なんだけれど，a を"**実部**"，b は i がかかっているので"**虚部**"という。以上をまとめて次に示しておこう。

複素数 $\alpha = a + bi$

複素数 $\alpha = a + bi$ （a, b：実数, i：虚数単位 $(i^2 = -1)$）

（a を実部, b を虚部という）

そして，$b = 0$ ならば，$\alpha = a$（実数）となるし，$b \neq 0$ ならば，α は "**虚数**" になる。さらに，$a = 0$ で，かつ $b \neq 0$ ならば，$\alpha = bi$ となって，これを**純虚数**というんだね。

つまり，複素数には，2 や $\sqrt{3}$ …などの実数や，$2 + i$ や $3 - \sqrt{2}\,i$ …などの虚数，それに $5i$ や $-2i$ …などの純虚数が含まれるってことなんだね。

これで，数学 II で習った複素数についても，思い出せただろう。

では，この複素数 $\alpha = a + bi$ が，xy 座標平面上の点 (a, b) と対応するものとすると，図 1 に示すように，すべての複素数は，この xy 平面上の点で表すことができる。このような xy 座標平面のことを "**複素数平面**" と呼び，x 軸を**実軸**，y 軸を**虚軸**と呼ぶ。

図1 複素数平面

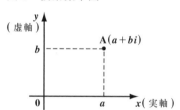

そして，複素数 $\alpha = a + bi$ の表す点を一般に $\mathrm{A}(\alpha)$ や $\mathrm{A}(a + bi)$ と表すんだけれど，もっと簡単に点 α ということもあるので覚えておこう。

ン？ でも，みんな，納得いかない顔をしているね。その心を当ててみようか？「もし，xy 座標平面上の点 $\mathrm{A}(a, b)$ を表すんだったら，このままでいいはずで，何で，たし算の形の複素数 $\alpha = a + bi$ なんかをもち出して，これを点 α と呼ぶんだろう？」って，ことだろう？ これは，初めて複素数平面を学ぶ人が最初に直面する当然の疑問で，これに答えている教材は少ないので，ここでキチンと解説しておこう。

xy 座標平面上の点 A の座標 (a, b) は，平面ベクトル $\overrightarrow{\mathrm{OA}}$ を成分表示した $\overrightarrow{\mathrm{OA}} = (a, b)$ でもあることは，みんな大丈夫だね。実は，この $\overrightarrow{\mathrm{OA}} = (a, b)$ と複素数平面上の点 $\alpha = a + bi$ は同じ構造をしているんだね。

111

ン？よく分からんって!? いいよ，解説しよう。

まず，$\overrightarrow{\mathrm{OA}}$ の成分表示 $\overrightarrow{\mathrm{OA}}=(a,\ b)$ を変形すると，

$\overrightarrow{\mathrm{OA}}=(a,\ b)=(a,\ 0)+(0,\ b)=a\underbrace{(1,\ 0)}_{\overrightarrow{e_1}}+b\underbrace{(0,\ 1)}_{\overrightarrow{e_2}}$ となる。

よって，x 軸と y 軸の正の向きの**単位ベクトル**を，それ

〔大きさ 1 のベクトルのこと〕

ぞれ $\overrightarrow{e_1}=(1,\ 0)$，$\overrightarrow{e_2}=(0,\ 1)$ とおくと，

$\overrightarrow{\mathrm{OA}}=a\overrightarrow{e_1}+b\overrightarrow{e_2}$ …① と表せるんだね。この様子を図 **2** に示す。

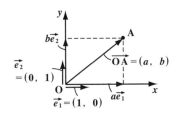

図 2　成分表示されたベクトル
$\overrightarrow{\mathrm{OA}}=(a,\ b)=a\overrightarrow{e_1}+b\overrightarrow{e_2}$

では次，複素数平面について，その実軸と虚軸の目盛りをキチンと示すと，実軸（x 軸）のメモリは，実数で $\cdots,\ -2,\ -1,\ 0,\ 1,\ 2,\ 3,\ \cdots$ であるけれど，虚軸（y 軸）の目盛りは

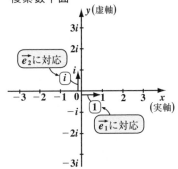

図 3　複素数平面

$\cdots,\ -2i,\ -i,\ 0,\ i,\ 2i,\ 3i,\ \cdots$

となるんだね。ということは，図 **2** の 2 つの基本ベクトル $\overrightarrow{e_1}=(1,\ 0)$ と $\overrightarrow{e_2}=(0,\ 1)$ に対応するものが，複素数平面においては，それぞれ 1 と i ということになるんだね。これから複素数 $\alpha=a+bi$ を

$\alpha=a\cdot\underbrace{1}_{\overrightarrow{e_1}}+b\cdot\underbrace{i}_{\overrightarrow{e_2}\text{に対応する}}$ ……② と表せば…

どう？見事に，複素数 α の式②が，成分表示された平面ベクトル $\overrightarrow{\mathrm{OA}}$ の式①と対応していることが分かるだろう？このように，点 α は，$\overrightarrow{\mathrm{OA}}$ の成分表示と同じ構造をしているので，点 **A** と同様に，複素数平面上では，

点 α と表現できるんだね。これで納得いっただろう？

では次，複素数の**絶対値**についても解説しよう。図 **4** に示すように，複素数 α $=a+bi$ について，原点 **0** と点 $\mathbf{A}(\alpha)$ と

点 α と同じ

の間の距離を，複素数 α の**絶対値**と呼び，これを $|\alpha|$ で表す。これは，三平方の定理より $|\alpha|=\sqrt{a^2+b^2}$ となることも大丈夫だね。以上をまとめておこう。

図 **4**　複素数 α の絶対値 $|\alpha|$

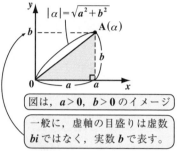

図は，$a>0$，$b>0$ のイメージ

一般に，虚軸の目盛りは虚数 bi ではなく，実数 b で表す。

複素数 α の絶対値 $|\alpha|$

複素数 $\alpha=a+bi$　$(a, b：実数, i：虚数単位)$ の絶対値 $|\alpha|$ は，$|\alpha|=\sqrt{a^2+b^2}$ となる。

これは，平面ベクトル $\overrightarrow{\mathrm{OA}}=(a, b)$ のときの $|\overrightarrow{\mathrm{OA}}|=\sqrt{a^2+b^2}$ と同じだ。

では，次の練習問題をやってみよう。

練習問題 23　　複素数の絶対値　　CHECK 1　CHECK 2　CHECK 3

次の複素数を複素数平面上の点で示し，またその絶対値を求めよ。

$\alpha=3+2i$，$\beta=3-2i$，$\gamma=-2$，$\delta=-3i$

一般に，複素数 $\alpha=a+bi$ は，点 $\mathbf{A}(a, b)$ を表し，また，その絶対値 $|\alpha|$ は，$|\alpha|=\sqrt{a^2+b^2}$ で求まるんだね。実際に計算してみよう。

複素数 α，β，γ，δ の表す点を，それぞれ $\mathbf{A}(\alpha)$，$\mathbf{B}(\beta)$，$\mathbf{C}(\gamma)$，$\mathbf{D}(\delta)$ と表して，複素数平面上の点で表すと，右図のようになる。

実数 $\gamma=-2$ は実軸上の点 **C** に，また純虚数 $\delta=-3i$ は虚軸上の点 **D** になることに気を付けよう。

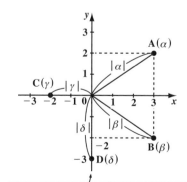

一般に，複素数平面の虚軸の目盛りは，このように実数で表す。

次，各複素数の絶対値を求めておこう。

公式：$\alpha = a + bi$ のとき $|\alpha| = \sqrt{a^2 + b^2}$

・$\alpha = \underset{\boxed{a}}{3} + \underset{\boxed{b}}{2}i$ より，$|\alpha| = \sqrt{3^2 + 2^2} = \sqrt{9+4} = \sqrt{13}$

・$\beta = 3 - 2i = \underset{\boxed{a}}{3} + \underset{\boxed{b}}{(-2)} \cdot i$ より，$|\beta| = \sqrt{3^2 + (-2)^2} = \sqrt{9+4} = \sqrt{13}$

・$\gamma = -2 = \underset{\boxed{a}}{-2} + \underset{\boxed{b}}{0} \cdot i$ より，$|\gamma| = \sqrt{(-2)^2 + 0^2} = \sqrt{4} = 2$

・$\delta = -3i = \underset{\boxed{a}}{0} + \underset{\boxed{b}}{(-3)} \cdot i$ より，$|\delta| = \sqrt{0^2 + (-3)^2} = \sqrt{9} = 3$

　どう？これで，複素数の絶対値の計算の仕方にも自信がついた？

● 重要公式 $|\alpha|^2 = \alpha \cdot \overline{\alpha}$ を押さえよう！

　複素数 $\alpha = a + bi$ の **共役複素数** $\overline{\alpha}$ は，$\overline{\alpha} = a - bi$ で定義される。実は，

これは "共役な複素数" ともいう。

練習問題 23 の $\alpha = 3 + 2i$ の共役複素数 $\overline{\alpha}$ が $\beta = 3 - 2i$ だったんだね。この共役な関係とは，相対的なもので，$3 + 2i$ の共役複素数は $3 - 2i$ だけれど，逆に，$3 - 2i$ の共役複素数は $3 + 2i$ とも言えるんだね。大丈夫？

　ここで，$\alpha = a + bi$ と $\overline{\alpha} = a - bi$，$-\alpha = -(a+bi) = -a - bi$，$-\overline{\alpha} = -(a-bi) = -a + bi$ の 4 点を，複素数平面上に示すと，図 5 のようになるのはいいね。

　α と $\overline{\alpha}$ は実軸に関して対称であり，α と $-\alpha$ は原点に関して対称となる。また，α と $-\overline{\alpha}$ は虚軸に関して対称であることも分かるね。

図 5　α, $\overline{\alpha}$, $-\alpha$, $-\overline{\alpha}$ の位置関係

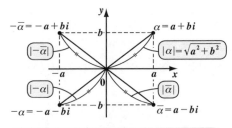

これは，$a > 0$, $b > 0$ のときのイメージだ。

　図 5 に示すように，4 点 α，$\overline{\alpha}$，$-\alpha$，$-\overline{\alpha}$ の原点 0 からの距離はすべて等しいので，これらの絶対値はみんな等しい。よって，

$|\alpha| = |\overline{\alpha}| = |-\alpha| = |-\overline{\alpha}|$ ……($*1$)　が成り立つんだね。

114

また，$|\alpha| = \sqrt{a^2 + b^2}$ より，この両辺を 2 乗して，

$|\alpha|^2 = a^2 + b^2$ …① となる。　ここで，$\alpha \cdot \overline{\alpha}$ を求めると，

$\alpha \cdot \overline{\alpha} = (a + bi) \cdot (a - bi) = a^2 - \underbrace{(bi)^2}_{\boxed{b^2 i^2 = b^2 \cdot (-1)}} = a^2 - (-1) \cdot b^2 = a^2 + b^2$ ……②

となって，①と一致する。これから，公式：

$|\alpha|^2 = \alpha \cdot \overline{\alpha}$ ……($*2$) も導ける。これは，とても重要な公式なので，シッカリ頭に入れておこう。

では，以上をまとめて下に示そう。

複素数の絶対値の性質

複素数 $\alpha = a + bi$ について，次式が成り立つ。

(1) $|\alpha| = |\overline{\alpha}| = |-\alpha| = |-\overline{\alpha}|$　　　　(2) $|\alpha|^2 = \alpha \cdot \overline{\alpha}$　$(= a^2 + b^2)$

この 4 つの絶対値はいずれも $\sqrt{a^2 + b^2}$ になるんだね。

● 他の共役複素数や絶対値の公式も押さえよう！

共役な複素数の和・差・積・商について，次の公式が成り立つ。

共役複素数の和・差・積・商の公式

2 つの複素数 α, β について，次の公式が成り立つ。

(1) $\overline{\alpha + \beta} = \overline{\alpha} + \overline{\beta}$　　　　　(2) $\overline{\alpha - \beta} = \overline{\alpha} - \overline{\beta}$

(3) $\overline{\alpha \cdot \beta} = \overline{\alpha} \cdot \overline{\beta}$　　　　　(4) $\overline{\left(\dfrac{\alpha}{\beta}\right)} = \dfrac{\overline{\alpha}}{\overline{\beta}}$　$(\beta \neq 0)$

これらの公式が成り立つことを，$\alpha = 1 + 3i$, $\beta = 2 + i$ の例を使って確認しておくことにしよう。

(1) $\begin{cases} \overline{\alpha + \beta} = \overline{1 + 3i + 2 + i} = \overline{3 + 4i} = 3 - 4i \\ \overline{\alpha} + \overline{\beta} = \overline{1 + 3i} + \overline{2 + i} = 1 - 3i + 2 - i = 3 - 4i \end{cases}$

よって，$\overline{\alpha + \beta} = \overline{\alpha} + \overline{\beta}$ となることが，確認できた。

(2)
$$\begin{cases} \overline{\alpha - \beta} = \overline{1 + 3i - (2 + i)} = \overline{1 + 3i - 2 - i} = \overline{-1 + 2i} = -1 - 2i \\ \overline{\alpha} - \overline{\beta} = \overline{1 + 3i} - \overline{(2 + i)} = 1 - 3i - (2 - i) = 1 - 2 - 3i + i = -1 - 2i \end{cases}$$

よって，$\overline{\alpha - \beta} = \overline{\alpha} - \overline{\beta}$ となることが，確認できた。

(3)
$$\begin{cases} \overline{\alpha \times \beta} = \overline{(1 + 3i)(2 + i)} = \overline{2 + i + 6i + 3i^2} = \overline{-1 + 7i} \\ \qquad\qquad\qquad\qquad\qquad\qquad\quad \boxed{-1} \\ \qquad = -1 - 7i \\ \overline{\alpha} \times \overline{\beta} = \overline{(1 + 3i)} \times \overline{(2 + i)} = (1 - 3i) \times (2 - i) \\ \qquad = 2 - i - 6i + 3i^2 = -1 - 7i \\ \qquad\qquad\qquad\qquad\quad \boxed{-1} \end{cases}$$

よって，$\overline{\alpha \times \beta} = \overline{\alpha} \times \overline{\beta}$ が成り立つことも確認できた。

(4) まず，$\dfrac{\alpha}{\beta}$ を求めよう。

$$\dfrac{\alpha}{\beta} = \dfrac{1 + 3i}{2 + i} = \dfrac{(1 + 3i)(2 - i)}{(2 + i)(2 - i)}$$

$\underbrace{2 - i + 6i - 3i^2 = 5 + 5i}$　分子・分母に $(2 - i)$ をかけた。　こうして，分母を実数化するんだったね。

$\underbrace{2^2 - i^2 = 4 - (-1) = 5}$

$$= \dfrac{5 + 5i}{5} = 1 + i \quad \text{となる。よって，}$$

$$\begin{cases} \cdot\ \overline{\left(\dfrac{\alpha}{\beta}\right)} = \overline{1 + i} = 1 - i \\ \\ \cdot\ \dfrac{\overline{\alpha}}{\overline{\beta}} = \dfrac{\overline{1 + 3i}}{\overline{2 + i}} = \dfrac{1 - 3i}{2 - i} = \dfrac{(1 - 3i)(2 + i)}{(2 - i)(2 + i)} \\ \\ \qquad = \dfrac{5 - 5i}{5} = 1 - i \quad \text{となる。} \end{cases}$$

分母の実数化

$\underbrace{2 + i - 6i - 3i^2 = 5 - 5i}$　分子・分母に $(2 + i)$ をかけた。

$\underbrace{2^2 - i^2 = 5}$

よって，$\overline{\left(\dfrac{\alpha}{\beta}\right)} = \dfrac{\overline{\alpha}}{\overline{\beta}}$ が成り立つことも確認できたんだね。

　以上は，あくまでも，例題による公式の確認であって，証明ではないんだけれど，公式の意味がよく分かったと思う。後は，これらの公式は，問題を解く上での便利な道具と考えて，どんどん使いこなしていくことが大事なんだね。

さらに共役複素数 $\overline{\alpha}$ は，複素数 α が（ⅰ）実数か，または（ⅱ）純虚数

$\boxed{2, \ -1, \ \sqrt{3}, \ \cdots など}$ $\boxed{2i, \ -i, \ \sqrt{3}\,i, \ \cdots など}$

かを見分ける次の公式でも，使われているんだよ。

α の実数条件と純虚数条件

複素数 α について，

（ⅰ）α が実数 $\iff \alpha = \overline{\alpha}$

（ⅱ）α が純虚数 $\iff \alpha + \overline{\alpha} = 0$ かつ $\alpha \neq 0$

ン？意味がよく分からんって!? いいよ。解説しよう。

（ⅰ）・$\alpha = a$（実数）であるならば，$\alpha = a + 0 \cdot i$ と表せるので，この共役
な複素数 $\overline{\alpha}$ は，$\overline{\alpha} = a - 0 \cdot i = a$ となる。よって，$\alpha = \overline{\alpha}$ となる。

・逆に，$\alpha = a + bi$ として，$\alpha = \overline{\alpha}$ のとき，$\cancel{a} + bi = \cancel{a} - bi$ より

$2bi = 0$ ここで，$2i \neq 0$ より，$b = 0$ となって，$\alpha = a$（実数）となる。

以上より，$\alpha = \overline{\alpha}$ は，α が実数であるための必要十分条件なんだね。

（ⅱ）・$\alpha = bi$（純虚数，$b \neq 0$）であるならば，$\alpha = 0 + bi$ と表せるので，
この共役複素数 $\overline{\alpha}$ は，$\overline{\alpha} = 0 - bi = -bi$ となる。

よって，$\alpha + \overline{\alpha} = bi - bi = 0$ となるんだね。

・逆に，複素数 $\alpha = a + bi$ が，$\alpha + \overline{\alpha} = 0$ をみたすならば，

$\underset{\overbrace{\alpha}}{a + bi} + \underset{\overbrace{\overline{\alpha}}}{a - bi} = 2a = 0$，すなわち $a = 0$ となるので，$\alpha = bi$ となる。

ただし，$b = 0$ のとき，$\alpha = 0$（実数）も，$\alpha + \overline{\alpha} = 0$ をみたすので，
$b \neq 0$，すなわち $\alpha \neq 0$ のとき α は，$\alpha = bi$（純虚数，$b \neq 0$）になる
んだね。

以上より，$\alpha + \overline{\alpha} = 0$ かつ $\alpha \neq 0$ が，α が純虚数であるための必要十
分条件になるんだね。納得いった？

以上，α の（ⅰ）実数条件（$\alpha = \overline{\alpha}$），および（ⅱ）純虚数条件（$\alpha + \overline{\alpha} = 0$
かつ $\alpha \neq 0$）も，これでよく理解できただろう？

では次，絶対値の積と商の公式も紹介しておこう。

117

絶対値の積・商の公式

$$(1)\ |\alpha\beta| = |\alpha||\beta| \qquad (2)\ \left|\frac{\alpha}{\beta}\right| = \frac{|\alpha|}{|\beta|} \quad (\beta \neq 0)$$

> 一般に，
> $|\alpha + \beta| \neq |\alpha| + |\beta|$
> $|\alpha - \beta| \neq |\alpha| - |\beta|$ だ。
> これは，要注意だよ！

それじゃ，次の練習問題で，これらの公式が成り立つことを確認してみよう。

練習問題 24　　絶対値の積・商の公式　　CHECK 1　　CHECK 2　　CHECK 3

$\alpha = 1 + 3i$，$\beta = 2 + i$ のとき，次の公式が成り立つことを確認せよ。

$$(1)\ |\alpha\beta| = |\alpha||\beta| \qquad\qquad (2)\ \left|\frac{\alpha}{\beta}\right| = \frac{|\alpha|}{|\beta|}$$

(1) では，まず $\alpha\beta$ を，また (2) では，まず $\frac{\alpha}{\beta}$ を計算するといいよ。

---

(1)
$$\cdot\ \alpha\beta = (1+3i)(2+i) = 2 + i + 6i + 3\underset{(-1)}{(i^2)} = -1 + 7i \ \text{より，}$$

$$|\alpha\beta| = |-1+7i| = \sqrt{(-1)^2 + 7^2} = \sqrt{1+49} = \sqrt{\underset{(5^2 \times 2)}{50}} = 5\sqrt{2}$$

$$\cdot\ |\alpha| = |1+3i| = \sqrt{1^2 + 3^2} = \sqrt{10}, \quad |\beta| = |2 + 1 \cdot i| = \sqrt{2^2 + 1^2} = \sqrt{5} \ \text{より，}$$

$$|\alpha| \cdot |\beta| = \underset{(\sqrt{2}\,\cdot\,\sqrt{5})}{\sqrt{10}} \cdot \sqrt{5} = 5\sqrt{2}$$

よって，$|\alpha\beta| = |\alpha| \cdot |\beta|$ が成り立つことが確認できた。

(2)
$$\cdot\ \frac{\alpha}{\beta} = \frac{1+3i}{2+i} = \frac{(1+3i)(2-i)}{(2+i)(2-i)} = \frac{5+5i}{5} = 1 + i \ \text{より，}$$

> この計算は
> **P116** で既に
> やっている。

$$\left|\frac{\alpha}{\beta}\right| = |1 + 1 \cdot i| = \sqrt{1^2 + 1^2} = \sqrt{2}$$

$$\cdot\ \frac{|\alpha|}{|\beta|} = \frac{\sqrt{10}}{\sqrt{5}} = \sqrt{2}$$

> 上で計算したように
> $|\alpha| = \sqrt{10}$，$|\beta| = \sqrt{5}$ だからね。

よって，$\left|\dfrac{\alpha}{\beta}\right| = \dfrac{|\alpha|}{|\beta|}$ が成り立つことも確認できたんだね。

● 複素数の実数倍は，ベクトルとソックリ！？

0 でない複素数 $\alpha = a + bi$ に，実数 k をかけた $k\alpha$ がどのような点になるのか，$k = -1$, $\dfrac{1}{2}$, **1**, **2** の **4** つの場合について，図 **6** に示しておいた。

図6　複素数の実数倍

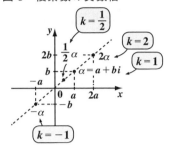

複素数 $\alpha = a + bi$ と $\overrightarrow{\mathrm{OA}} = (a, b)$ とは同じ構造をしているので，$k\overrightarrow{\mathrm{OA}}$ の $k = -1$, $\dfrac{1}{2}$, **1**, **2** の場合 (下図) とまったく同様であることが分かるはずだ。

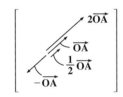

では次，複素数平面上の異なる **3** 点 **0**, α, β が同一直線上にあるための条件が，実数 k を用いて次のように表せるのも大丈夫だね。

$\beta = k\alpha$ ……① 　(k：実数, $\alpha \neq 0$, $\beta \neq 0$)

これは，α, β の表す点を $\mathrm{A}(\alpha)$, $\mathrm{B}(\beta)$ とおくと，**O**, **A**, **B** が同一直線上にあるための条件が，

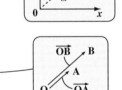

$\overrightarrow{\mathrm{OB}} = k\overrightarrow{\mathrm{OA}}$ ……①′ と，同様だからだ。

> ①′より，$\overrightarrow{\mathrm{OA}} /\!/ \overrightarrow{\mathrm{OB}}$ (平行)，かつ点 **O** を共有するので，**3** 点 **O**, **A**, **B** は同一直線上に存在する。

(ex) $\alpha = 2 - \sqrt{2}\,i$, $\beta = x + 2i$ (x：実数) について，**0**, α, β が同一直線上にあるとき，x の値を求めてみよう。

このとき，$\beta = k\alpha$ (k：実数) より，

$\underset{\beta}{\underline{x + 2i}} = k\underset{\alpha}{(\overbrace{2 - \sqrt{2}\,i})} = 2k - \sqrt{2}\,ki$

> $\alpha = a + bi$, $\beta = c + di$ が $\alpha = \beta$ のとき，
> $a + bi = c + di$ より，
> $a = c$ かつ $b = d$ となる。
> これを，**複素数の相等**というんだったね。

$\therefore \underline{x = 2k}$ …⑦, かつ $\underline{2 = -\sqrt{2}\,k}$ …⑦

⑦より，$k = -\sqrt{2}$　よって⑦より，$x = 2 \cdot (-\sqrt{2}) = -2\sqrt{2}$

119

● 複素数の和と差も，ベクトルとソックリ！？

では次に，**2**つの複素数の和と差についても解説しよう。

(Ⅰ) 2つの複素数の和

　　　2つの複素数 $\alpha = a + bi$ と $\beta = c + di$ の和を γ とおくと，$\gamma = \alpha + \beta$ だね。すると，図**7**に示すように，線分**0**α と **0**β を**2**辺にもつ平行四辺形の対角線の頂点の位置に γ はくるんだよ。

これは，α, β, γ を点**A**，**B**，**C** とおくと，$\overrightarrow{\mathbf{OC}} = \overrightarrow{\mathbf{OA}} + \overrightarrow{\mathbf{OB}}$ と同じなんだね。このベクトルの和の図も，図**7**の下に示しておいた。

図7　複素数の和

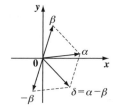

(Ⅱ) 2つの複素数の差

　　　また，**2**つの複素数 α と β の差を δ とおくと，$\delta = \alpha - \beta = \alpha + (-\beta)$ となる。よって，図**8**に示すように，線分**0**α と線分**0**$(-\beta)$ を**2**辺にもつ平行四辺形の頂点の位置に点 δ はくるんだね。

これも，点 δ を点**D**とおいて，ベクトルで表すと，

$\overrightarrow{\mathbf{OD}} = \overrightarrow{\mathbf{OA}} - \overrightarrow{\mathbf{OB}}$ となる。このベクトルの差の図も，図**8**の下に示しておいた。

図8　複素数の差

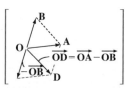

以上 **(Ⅰ)**，**(Ⅱ)** より，複素数の和・差は，図形的には，ベクトルの和・差とまったく同様であることが分かったと思う。

　であるならば，**2**点**A**，**B**の間の距離は，ベクトルでは，

$|\overrightarrow{\mathbf{BA}}| = |\overrightarrow{\mathbf{OA}} - \overrightarrow{\mathbf{OB}}|$ ◀─ これは，まわり道の原理 $\overrightarrow{\mathbf{BA}} = \overrightarrow{\mathbf{OA}} - \overrightarrow{\mathbf{OB}}$ を使った。

と表されるから，複素数平面上の**2**点 α，β の間の距離も $|\alpha - \beta|$ で求められるんじゃないかって!? いい勘してるね。その通りです。ここで，$\alpha = a + bi$，$\beta = c + di$ を使って，具体的に求めてみよう。

$\underset{\sim}{\alpha} - \underset{\approx}{\beta} = (a+bi) - (c+di) = \underbrace{(a-c)}_{実部} + \underbrace{(b-d)i}_{虚部}$ より，

この絶対値 $|\alpha - \beta|$，すなわち 2 点 α，β 間の距離は，次のようになる。

■ 2 点 α，β 間の距離

点 $\alpha = a + bi$ と $\beta = c + di$ との間の距離は，次式で求められる。

$|\alpha - \beta| = \sqrt{(a-c)^2 + (b-d)^2}$ となる。

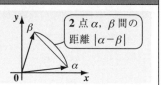

2 点 α，β 間の距離 $|\alpha - \beta|$

これも，$\overrightarrow{OA} = (a,\ b)$，$\overrightarrow{OB} = (c,\ d)$ とおくと，2 点 A，B 間の距離は，

$|\overrightarrow{BA}| = \underbrace{|\overrightarrow{OA} - \overrightarrow{OB}|}_{(a,\ b)-(c,\ d)=(a-c,\ b-d)} = \sqrt{(a-c)^2 + (b-d)^2}$ となるので，ベクトルとまった

く同様であることが分かると思う。

■ 練習問題 25　複素数の和・差と絶対値　CHECK1　CHECK2　CHECK3

$\alpha = 3 + 2i$，$\beta = 2 - i$ について，

(1) $\alpha + \beta$ と $|\alpha + \beta|$ を求めよ。　　(2) $\alpha - \beta$ と $|\alpha - \beta|$ を求めよ。

(2) の $|\alpha - \beta|$ が，2 点 α，β 間の距離になるんだね。公式通りに求めよう。

(1) $\underset{\sim}{\alpha} + \underset{\approx}{\beta} = 3 + 2i + 2 - i = 5 + 1 \cdot i$

よって，$|\alpha + \beta| = \sqrt{5^2 + 1^2} = \sqrt{25 + 1} = \sqrt{26}$ ← $\alpha = a + bi$ のとき，$|\alpha| = \sqrt{a^2 + b^2}$ だからね。

(2) $\underset{\sim}{\alpha} - \underset{\approx}{\beta} = 3 + 2i - (2 - i) = 1 + 3i$

よって，$|\alpha - \beta| = \sqrt{1^2 + 3^2} = \sqrt{1 + 9} = \sqrt{10}$ ← これが，α，β 間の距離

　以上で，今日の講義は終了です。これで，複素数平面についての基本の解説がすべて終わったんだね。内容が盛り沢山だったけれど，平面ベクトルとの共通点が多かったので，理解はしやすかったと思う。よ～く，復習して，次回の講義に臨んでくれ。

　それじゃ，みんな元気でね。次回，また会おう。さようなら…。

おはよう！みんな，元気そうだね。サァ，複素数平面も **2** 回目の講義に入ろう。前回は複素数の実数倍や，**2** つの複素数の和・差を中心に解説し，これらが平面ベクトルと同様であることも示したね。でも，今日のテーマである **2** つの複素数同士の積や商になると，今度は回転などが絡んできて，前回とはまったく異なる，複素数独特の性質が現われるんだね。

ン？面白そうだけれど，難しそうだって？大丈夫！今回もまた，分かりやすく解説するからね。ここでは，まず，複素数の"**極形式**"について解説し，これを基に **2** つの複素数の積や商の図形的な意味について教えよう。また，極形式の応用として，"**ド・モアブルの定理**"や複素数の"**n 乗根**"の求め方まで解説するつもりだ。みんな，頑張ろうな！

● 複素数を極形式で表そう！

図 **1**(ⅰ) に示すように，複素数 $z = a + bi$ (a，b：実数) を複素数平面上に表して，**0**，z 間の距離，すなわち絶対値 $|z|$ を r (> **0**) とおくことにする。また，線分 **0**z と x 軸 (実軸) の正の向きとのなす角を**偏角**といい，これを θ とおくことにしよう。

図 **1**　複素数の極形式

(ⅰ)

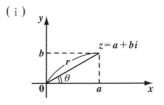

(ⅱ)

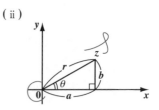

すると，図 **1**(ⅱ) に示すように，三角関数の定義より，

$\dfrac{a}{r} = \cos\theta$，$\dfrac{b}{r} = \sin\theta$ となるのはいいね。

これから，$a = r\cos\theta$，$b = r\sin\theta$ となるんだね。これを

$z=a+bi$ に代入すると，

$z=\underline{r\cos\theta}+\underline{r\sin\theta\cdot i}$ となるので，r をくくり出して，

$z=r(\cos\theta+i\sin\theta)$ …① と変形でき，これを複素数 z の**極形式**という。以上をまとめておこう。

複素数 z の極形式

一般に，複素数 $z=a+bi$ は，次の極形式で表すことができる。

$z=r(\cos\theta+i\sin\theta)$ ……① （r：絶対値，θ：偏角）

$z=a+bi$ のとき，z の絶対値 r は，$r=|z|=\sqrt{a^2+b^2}$ で計算できる。よって，$z=a+bi$ の右辺から，ムリやりこの $\sqrt{a^2+b^2}$ をくくり出すと，

$z=\underset{\boxed{r\text{ のこと}}}{\sqrt{a^2+b^2}}\left(\underset{\boxed{\cos\theta}}{\frac{a}{\sqrt{a^2+b^2}}}+\underset{\boxed{\sin\theta\text{ と表せる！}}}{\frac{b}{\sqrt{a^2+b^2}}}\cdot i\right)$

ここで，$\dfrac{a}{\sqrt{a^2+b^2}}=\cos\theta$，$\dfrac{b}{\sqrt{a^2+b^2}}=\sin\theta$ と表せるので，z は極形式

$z=r(\cos\theta+i\sin\theta)$ ……① で表せるんだね。

ここで，偏角 θ は $\underline{arg\,z}$ とも表される。この偏角 θ について，

これは，"アーギュメント z"，または "z の偏角" と読む。

(i) $0\leqq\theta<2\pi$ の範囲の指定があれば，一意に決まるけれど，

　　　　$\boxed{360°\text{のこと}}$　　　　$\boxed{\text{"1 通りに" という意味}}$

(ii) 範囲の指定がなければ，偏角の 1 つを θ_0 とおくと，θ は一般角として，$\theta=\theta_0+2n\pi$（n：整数）と表される。

では，次の練習問題で，実際に極形式を作ってみよう。

練習問題 26　　極形式　　CHECK *1*　　CHECK*2*　　CHECK*3*

次の複素数を極形式で表せ。ただし，偏角 θ は，$0\leqq\theta<2\pi$ とする。

(1) $1+i$　　　　(2) $1+\sqrt{3}\,i$　　　　(3) $\sqrt{3}-i$

$z=a+bi=\underset{\boxed{r}}{\sqrt{a^2+b^2}}\left(\underset{\boxed{\cos\theta}}{\frac{a}{\sqrt{a^2+b^2}}}+\underset{\boxed{\sin\theta}}{\frac{b}{\sqrt{a^2+b^2}}}i\right)=r(\cos\theta+i\sin\theta)$ の変形だね。

(1) $\underset{a}{\underline{1}} + \underset{b}{\underline{1}} \cdot i = \underline{\sqrt{2}}\left(\underset{\cos\frac{\pi}{4}}{\underline{\frac{1}{\sqrt{2}}}} + \underset{\sin\frac{\pi}{4}}{\underline{\frac{1}{\sqrt{2}}}}i\right)$

$r = \sqrt{a^2 + b^2} = \sqrt{1^2 + 1^2}$
をムリやりくくり出す

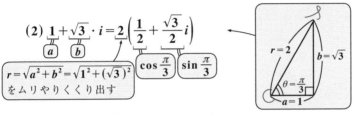

$= \sqrt{2}\left(\cos\frac{\pi}{4} + i\sin\frac{\pi}{4}\right)$ となって，極形式になった！

(2) $\underset{a}{\underline{1}} + \underset{b}{\underline{\sqrt{3}}} \cdot i = \underline{2}\left(\underset{\cos\frac{\pi}{3}}{\underline{\frac{1}{2}}} + \underset{\sin\frac{\pi}{3}}{\underline{\frac{\sqrt{3}}{2}}}i\right)$

$r = \sqrt{a^2 + b^2} = \sqrt{1^2 + (\sqrt{3})^2}$
をムリやりくくり出す

$= 2\left(\cos\frac{\pi}{3} + i\sin\frac{\pi}{3}\right)$ となって，変形終了！

(3) は間違いやすいので，まず誤った解答例を示そう。

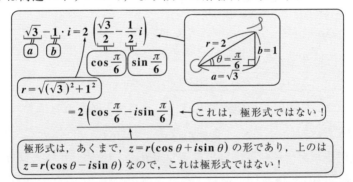

$\underset{a}{\underline{\sqrt{3}}} - \underset{b}{\underline{1}} \cdot i = 2\left(\underset{\cos\frac{\pi}{6}}{\underline{\frac{\sqrt{3}}{2}}} - \underset{\sin\frac{\pi}{6}}{\underline{\frac{1}{2}}}i\right)$

$r = \sqrt{(\sqrt{3})^2 + 1^2}$

$= 2\left(\cos\frac{\pi}{6} - i\sin\frac{\pi}{6}\right)$ ← これは，極形式ではない！

極形式は，あくまで，$z = r(\cos\theta + i\sin\theta)$ の形であり，上のは
$z = r(\cos\theta - i\sin\theta)$ なので，これは極形式ではない！

では，これから正解を示そう。

$\underset{a}{\underline{\sqrt{3}}} + \underset{b}{\underline{(-1)}} \cdot i = \underline{2}\left(\underset{\cos\frac{11}{6}\pi}{\underline{\frac{\sqrt{3}}{2}}} + \underset{\sin\frac{11}{6}\pi}{\underline{\frac{-1}{2}}} \cdot i\right)$

$r = \sqrt{(\sqrt{3})^2 + (-1)^2}$ を
ムリやりくくり出す

$= 2\left(\cos\frac{11}{6}\pi + i\sin\frac{11}{6}\pi\right)$ となって，これが極形式だ！

124

ここで,もし偏角 θ に $0 \leqq \theta < 2\pi$ の条件がなければ,θ は一般角で表される。だから,例えば (1) の極形式は, $\sqrt{2}\left\{\cos\left(\dfrac{\pi}{4}+2n\pi\right)+i\sin\left(\dfrac{\pi}{4}+2n\pi\right)\right\}$ (n：整数) となるんだね。

大丈夫？

> n 回回転しても，同じ $\dfrac{\pi}{4}$ の位置にくるからね。

● 複素数のかけ算では，偏角はたし算になる！

2 つの複素数 z_1，z_2 が，それぞれ次のような極形式：

$z_1 = r_1(\cos\theta_1 + i\sin\theta_1)$ ……①,　$z_2 = r_2(\cos\theta_2 + i\sin\theta_2)$ ……②

　$(r_1 = |z_1|,\ \theta_1 = arg\,z_1)$　　　　　　$(r_2 = |z_2|,\ \theta_2 = arg\,z_2)$

で表されるとき，z_1 と z_2 の積 $z_1 \cdot z_2$ と商 $\dfrac{z_1}{z_2}$ の極形式は，次のようになるんだね。

---

z_1 と z_2 の積と商の極形式

(1) $z_1 \times z_2 = r_1 r_2 \{\cos(\theta_1 + \theta_2) + i\sin(\theta_1 + \theta_2)\}$ ……($*1$)

(2) $\dfrac{z_1}{z_2} = \dfrac{r_1}{r_2}\{\cos(\theta_1 - \theta_2) + i\sin(\theta_1 - \theta_2)\}$　………($*2$)

---

(1)($*1$) が成り立つことを証明しよう。

$z_1 \times z_2 = r_1(\cos\theta_1 + i\sin\theta_1) \cdot r_2(\cos\theta_2 + i\sin\theta_2)$

$= r_1 \cdot r_2 (\cos\theta_1 + i\sin\theta_1) \cdot (\cos\theta_2 + i\sin\theta_2)$

$= r_1 r_2(\cos\theta_1\cos\theta_2 + i\cos\theta_1\sin\theta_2 + i\sin\theta_1\cos\theta_2 + \underset{(-1)}{i^2}\sin\theta_1\sin\theta_2)$

$= r_1 r_2\{\underbrace{\cos\theta_1\cos\theta_2 - \sin\theta_1\sin\theta_2}_{\cos(\theta_1+\theta_2)} + i\underbrace{(\sin\theta_1\cos\theta_2 + \cos\theta_1\sin\theta_2)}_{\sin(\theta_1+\theta_2)}\}$

> 三角関数の加法定理
> $\begin{cases}\cos(\theta_1 + \theta_2) = \cos\theta_1\cos\theta_2 - \sin\theta_1\sin\theta_2 \\ \sin(\theta_1 + \theta_2) = \sin\theta_1\cos\theta_2 + \cos\theta_1\sin\theta_2\end{cases}$

$= r_1 r_2\{\cos(\theta_1 + \theta_2) + i\sin(\theta_1 + \theta_2)\}$ ……($*1$)　が成り立つ。

> 絶対値はかけ算

> 偏角はたし算

125

このように，z_1 と z_2 の積 $z_1 \cdot z_2$ の絶対値は同じく $r_1 r_2$ と，積 (かけ算) の形になるんだけれど，偏角は $\theta_1 + \theta_2$ と和 (たし算) の形になることに注意しよう。

(2) では，(∗ 2) も成り立つことを証明してみよう。

$$\frac{z_1}{z_2} = \frac{r_1(\cos\theta_1 + i\sin\theta_1)}{r_2(\cos\theta_2 + i\sin\theta_2)}$$

分子・分母に
$(\cos\theta_2 - i\sin\theta_2)$
をかけた。

$$= \frac{r_1}{r_2} \cdot \frac{(\cos\theta_1 + i\sin\theta_1)(\cos\theta_2 - i\sin\theta_2)}{(\cos\theta_2 + i\sin\theta_2)(\cos\theta_2 - i\sin\theta_2)}$$

$$\cos^2\theta_2 - \boxed{i^2}\sin^2\theta_2 = \cos^2\theta_2 + \sin^2\theta_2 = 1$$
$$\boxed{(-1)}$$

分母は
1 になる！

$$= \frac{r_1}{r_2} \cdot (\cos\theta_1 + i\sin\theta_1)(\cos\theta_2 - i\sin\theta_2)$$

$$\boxed{(-1)}$$

$$= \frac{r_1}{r_2} \cdot (\cos\theta_1\cos\theta_2 - i\cos\theta_1\sin\theta_2 + i\sin\theta_1\cos\theta_2 - \boxed{i^2}\sin\theta_1\sin\theta_2)$$

$$= \frac{r_1}{r_2} \cdot \{\cos\theta_1\cos\theta_2 + \sin\theta_1\sin\theta_2 + i(\sin\theta_1\cos\theta_2 - \cos\theta_1\sin\theta_2)\}$$

$$\boxed{\cos(\theta_1 - \theta_2)} \qquad \boxed{\sin(\theta_1 - \theta_2)}$$

三角関数の加法定理
$$\begin{cases} \cos(\theta_1 - \theta_2) = \cos\theta_1\cos\theta_2 + \sin\theta_1\sin\theta_2 \\ \sin(\theta_1 - \theta_2) = \sin\theta_1\cos\theta_2 - \cos\theta_1\sin\theta_2 \end{cases}$$

$$= \frac{r_1}{r_2}\{\cos(\theta_1 - \theta_2) + i\sin(\theta_1 - \theta_2)\} \quad \cdots\cdots (∗2)$$

絶対値は割り算

偏角は引き算

このように，z_1 を z_2 で割った商の絶対値は同じく $\dfrac{r_1}{r_2}$ と商 (割り算) の形になるけれど，偏角は $\theta_1 - \theta_2$ と差 (引き算) の形になっていることに要注意だね。

(∗ 2) の特殊な場合として，$z_1 = 1$ (実数) のとき，この極形式は

$z_1 = \underset{(r_1)}{\underline{1}} \cdot (\cos \underset{(\theta_1)}{\underline{0}} + i \sin \underset{(\theta_1)}{\underline{0}})$ となるので，$r_1 = 1$，$\theta_1 = 0$ を $(*2)$ に代入すると，

> $z_1 = 1 + 0 \cdot i = \underset{(r_1=1)}{\underline{\sqrt{1^2+0^2}}}(\underset{(\cos 0)}{\underline{1}} + \underset{(\sin 0)}{\underline{0 \cdot i}})$ となるからね。もちろん，これを一般角で
> 表現して，$z_1 = 1 \cdot (\cos 2n\pi + i \sin 2n\pi)$ $(n：整数)$ としてもいいよ。

$\dfrac{1}{z_2} = \dfrac{\overset{r_1}{\textcircled{1}}}{r_2}\{\cos(\overset{\theta_1}{\textcircled{0}} - \theta_2) + i\sin(\overset{\theta_1}{\textcircled{0}} - \theta_2)\}$

$\therefore \dfrac{1}{z_2} = \dfrac{1}{r_2}\{\cos(-\theta_2) + i\sin(-\theta_2)\}$ ……$(*2)'$　となる。これも，公式

　$(ただし，z_2 = r_2(\cos\theta_2 + i\sin\theta_2))$

として，頭に入れておこう。

　それでは，次の練習問題を解いてみよう。

練習問題 27	複素数の積と商	CHECK 1	CHECK 2	CHECK 3

2 つの複素数 $z_1 = 2(\cos 75° + i\sin 75°)$，$z_2 = \dfrac{1}{2}(\cos 15° + i\sin 15°)$ について，$(\text{i})\ z_1 \cdot z_2$ と $(\text{ii})\ \dfrac{z_1}{z_2}$ を求めよ。

角度の単位はラジアンでなくて，"度"でも同じだね。積と商の公式を使おう！

$z_1 = 2(\cos 75° + i\sin 75°)$，$z_2 = \dfrac{1}{2}(\cos 15° + i\sin 15°)$ より，

$(\text{i})\ z_1 \cdot z_2 = 2 \cdot (\cos 75° + i\sin 75°) \cdot \dfrac{1}{2}(\cos 15° + i\sin 15°)$

$\qquad = 2 \times \dfrac{1}{2}\{\cos(75° + 15°) + i\sin(75° + 15°)\}$

（絶対値は積）（偏角は和）

$\qquad = \underset{\textcircled{0}}{\underline{\cos 90°}} + \underset{\textcircled{1}}{\underline{i\sin 90°}} = 0 + 1 \cdot i = i$　となる。

(ⅱ) $\dfrac{z_1}{z_2} = \dfrac{\dfrac{2}{\dfrac{1}{\boxed{2}}}}$ $\cdot \{\cos(\underline{75^\circ - 15^\circ}) + i\sin(\underline{75^\circ - 15^\circ})\}$

偏角は差

絶対値は商

$$= 4 \times (\cos 60^\circ + i\sin 60^\circ) = 4 \times \left(\dfrac{1}{2} + \dfrac{\sqrt{3}}{2} \cdot i\right)$$

$$= 2 + 2\sqrt{3}\,i \quad \text{となって，答えだ。}$$

これで，複素数同士の積や商の計算のやり方も分かっただろう？

では次，この複素数の積の図形的な意味について解説しよう。

● 複素数の積の図形的な意味は，これだ！

複素数 $z = r_0(\cos\theta_0 + i\sin\theta_0)$ に，もう 1 つ別の複素数 $r(\cos\theta + i\sin\theta)$ をかけた複素数を w とおこう。つまり，

$w = r(\cos\theta + i\sin\theta) \cdot z$ ……① ということだね。

このとき，点 z と点 w の図形的な関係は，次のようになるんだよ。

原点のまわりの回転と拡大（縮小）

$$w = r(\cos\theta + i\sin\theta) \cdot z \iff$$

点 w は，点 z を原点 0 のまわりに θ だけ回転して，r 倍に拡大（または縮小）したものである。

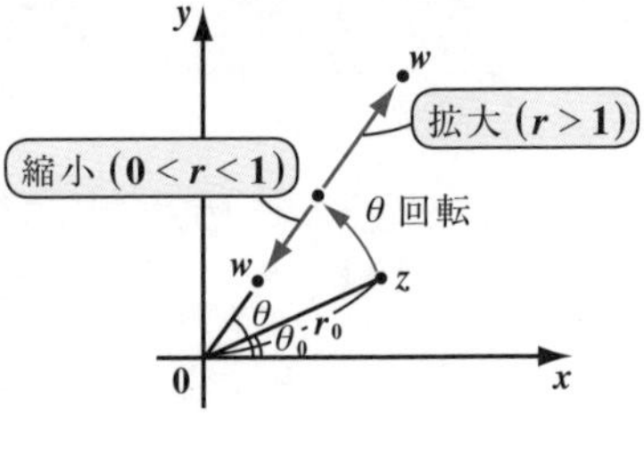

$z = r_0(\cos\theta_0 + i\sin\theta_0)$ に $r(\cos\theta + i\sin\theta)$ をかけたものが w だから，

$$w = r(\cos\theta + i\sin\theta)$$
$$\times r_0(\cos\theta_0 + i\sin\theta_0)$$
$$= r \cdot r_0 \{\cos(\underline{\theta + \theta_0}) + i\sin(\underline{\theta + \theta_0})\}$$

w の絶対値 w の偏角

図2 複素数の積の図形的意味

これから，w の偏角は $\theta + \theta_0$ より，点 z をまず原点のまわりに θ だけ回転するんだね。次に，w の絶対値は $r \times r_0$ なので，回転した後，r_0 を r 倍に

拡大 (または縮小) することになるんだね。当然

$\begin{cases} (\text{ i }) \ r>1 \ \text{ならば, 拡大し,} \\ (\text{ ii }) \ r=1 \ \text{ならば, そのままで,} \\ (\text{iii}) \ 0<r<1 \ \text{ならば, 縮小することになるんだね。} \end{cases}$

この点 z を θ だけ回転して, r 倍に拡大 (または縮小) したものが点 w に
なる様子を図 2 に示しておいたので, イメージを頭に焼きつけるといいね。
ここで, $w=r(\cos\theta+i\sin\theta)\cdot z$ ……①の特殊な場合も解説しておこう。

・$\theta=0$ のとき, $\cos 0=1$, $\sin 0=0$ より, ①は,

$w=\underset{\text{正の実数}}{\underline{r}}\cdot z$ となるので, 3 点 0, z, w は

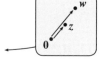

　右図のように同一直線上に存在する。

・$\theta=\pi$ のとき, $\cos\pi=-1$, $\sin\pi=0$ より, ①は,

$w=\underset{\text{負の実数}}{\underline{-r}}\cdot z$ となるので, 3 点 0, z, w は

　右図のように同一直線上に存在する。

・$\theta=\dfrac{\pi}{2}$ のとき, $\cos\dfrac{\pi}{2}=0$, $\sin\dfrac{\pi}{2}=1$ より, ①は,

$w=\underset{\text{純虚数}}{\underline{ri}}\cdot z$ となるので, 点 w は点 z を

原点 0 のまわりに $\dfrac{\pi}{2}(=90°)$ だけ回

転して, r 倍に拡大 (または縮小) し

たものになる。

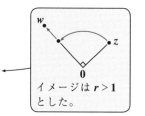

イメージは $r>1$
とした。

　では, 練習問題を 1 題解いておこう。

練習問題 28　複素数の積による点の移動　CHECK 1　CHECK 2　CHECK 3

点 $z=1-\sqrt{3}\,i$ を, 原点のまわりに $\dfrac{\pi}{3}$ だけ回転して, 2 倍に拡大したも
のを点 w とする。点 w を求めよ。

題意より, $w=2\left(\cos\dfrac{\pi}{3}+i\sin\dfrac{\pi}{3}\right)z$ を計算すればいいんだね。

$z = 1 - \sqrt{3}\,i$ に，$r(\cos\theta + i\sin\theta) = 2\left(\underbrace{\cos\dfrac{\pi}{3}}_{\boxed{\frac{1}{2}}} + i\underbrace{\sin\dfrac{\pi}{3}}_{\boxed{\frac{\sqrt{3}}{2}}}\right)$ をかけたものが，点 w になるんだね。

$$\therefore\ w = \underbrace{2}_{\boxed{r}}\left(\underbrace{\frac{1}{2}}_{\boxed{\cos\frac{\pi}{3}}} + \underbrace{\frac{\sqrt{3}}{2}i}_{\boxed{\sin\frac{\pi}{3}}}\right)\underbrace{(1-\sqrt{3}\,i)}_{\boxed{z}}$$

$$= (1 + \sqrt{3}\,i)(1 - \sqrt{3}\,i)$$

$$= 1^2 - (\sqrt{3})^2 \cdot \underbrace{i^2}_{\boxed{(-1)}} = 1 + 3 = 4$$

となって，答えだ。この z から w への移動の様子を上図に示す。

● ド・モアブルの定理もマスターしよう！

複素数同士のかけ算では，偏角はたし算 (和) になるので，$(\cos\theta + i\sin\theta)^2$ は，

$$(\cos\theta + i\sin\theta)^2 = (\cos\theta + i\sin\theta)\cdot(\cos\theta + i\sin\theta)$$

$$= \cos\underbrace{(\theta+\theta)}_{\text{偏角は和になる}} + i\sin\underbrace{(\theta+\theta)}$$

$$= \cos 2\theta + i\sin 2\theta \quad \cdots\cdots \text{①} \quad \text{となる。}$$

同様に，$(\cos\theta + i\sin\theta)^3$ は，

$$(\cos\theta + i\sin\theta)^3 = \underbrace{(\cos\theta + i\sin\theta)^2}_{(\cos 2\theta + i\sin 2\theta)(\text{①より})}\cdot(\cos\theta + i\sin\theta)$$

$$= (\cos 2\theta + i\sin 2\theta)\cdot(\cos\theta + i\sin\theta)$$

$$= \cos\underbrace{(2\theta+\theta)}_{\text{偏角は和になる}} + i\sin\underbrace{(2\theta+\theta)}$$

$$= \cos 3\theta + i\sin 3\theta$$

同様に考えると，$(\cos\theta + i\sin\theta)^4 = \cos 4\theta + i\sin 4\theta$

$$(\cos\theta + i\sin\theta)^5 = \cos 5\theta + i\sin 5\theta$$

--- となるので，

一般に，自然数 $n = 1$，2，3，$\cdots$に対して，公式

$(\cos \theta + i\sin \theta)^n = \cos n\theta + i\sin n\theta$ ……(* 1)　　$(n = 1, \ 2, \ 3, \ \cdots)$

が成り立つ。

これは，$n = 0$ のとき，$(\cos \theta + i\sin \theta)^0 = \underbrace{\cos (0 \cdot \theta)}_{\boxed{\cos 0 = 1}} + \underbrace{i\sin (0 \cdot \theta)}_{\boxed{\sin 0 = 0}} = 1$ とな

って成り立つし，また，$n = -1, \ -2, \ -3, \cdots$ の負の整数のときも成り立つ。

これは，n が負の整数のとき $n = \underbrace{-m}_{\boxed{\oplus \text{の整数}}}$ とおくと，

$(\cos \theta + i\sin \theta)^n = (\cos \theta + i\sin \theta)^{-m} = \dfrac{1}{\underbrace{(\cos \theta + i\sin \theta)^m}_{\cos m\theta + i\sin m\theta}}$

$\qquad = \dfrac{1}{\cos m\theta + i\sin m\theta}$

$\qquad = \cos \underbrace{(-m\theta)}_{\boxed{n}} + i\sin \underbrace{(-m\theta)}_{\boxed{n}}$

> $z = r(\cos \theta + i\sin \theta)$ のとき，
> $\dfrac{1}{z} = \dfrac{1}{r}\{\cos (-\theta) + i\sin (-\theta)\}$
> (P127) となるからね。

$\qquad = \cos n\theta + i\sin n\theta$ となって，やっぱり (* 1) は成り立つ。

以上より，次の**ド・モアブルの定理**が成り立つんだね。

ド・モアブルの定理

$(\cos \theta + i\sin \theta)^n = \cos n\theta + i\sin n\theta$ …(* 1)　　$(\underline{n：\text{整数}})$

> n は 0 でも負の整数でもいい

(ex) **(1)** $\left(\cos \dfrac{\pi}{10} + i\sin \dfrac{\pi}{10}\right)^{20} = \cos \left(20 \cdot \dfrac{\pi}{10}\right) + i\sin \left(20 \cdot \dfrac{\pi}{10}\right)$

$\qquad \underbrace{}_{\boxed{18° \text{のこと}}} \qquad\qquad = \underbrace{\cos 2\pi}_{\boxed{1}} + \underbrace{i\sin 2\pi}_{\boxed{0}} = 1$

(2) $\left(\cos \dfrac{\pi}{12} + i\sin \dfrac{\pi}{12}\right)^{-6} = \cos \left(-6 \cdot \dfrac{\pi}{12}\right) + i\sin \left(-6 \cdot \dfrac{\pi}{12}\right)$

$\qquad \underbrace{}_{\boxed{15° \text{のこと}}}$

$\qquad\qquad\qquad = \underbrace{\cos \left(-\dfrac{\pi}{2}\right)}_{\boxed{\cos \frac{\pi}{2} = 0}} + \underbrace{i\sin \left(-\dfrac{\pi}{2}\right)}_{\boxed{-\sin \frac{\pi}{2} = -1}} = -i$

どう？ド・モアブルの定理の使い方にも，少しは慣れた？

複素数 $z = 1 - i$ について、z^{10} を求めよ。

まず、z を極形式にすれば、ド・モアブルの定理が使えるようになるんだね。

z を極形式で表すと、

$$z = \underset{a}{\underline{1}} + \underset{b}{\underline{(-1)}} \cdot i = \underset{\sqrt{a^2+b^2}}{\underline{\sqrt{2}}} \left(\underset{\cos\left(-\frac{\pi}{4}\right)}{\underline{\frac{1}{\sqrt{2}}}} + \underset{\sin\left(-\frac{\pi}{4}\right)}{\underline{\frac{-1}{\sqrt{2}}}} i \right)$$

$$= \sqrt{2} \left\{ \cos\left(-\frac{\pi}{4}\right) + i\sin\left(-\frac{\pi}{4}\right) \right\} \quad \text{となる。}$$

よって、z^{10} を求めると、

$$z^{10} = \left[\sqrt{2} \left\{ \cos\left(-\frac{\pi}{4}\right) + i\sin\left(-\frac{\pi}{4}\right) \right\} \right]^{10}$$

$$= \underbrace{(\sqrt{2})^{10}}_{\left(2^{\frac{1}{2}}\right)^{10} = 2^5 = 32} \cdot \underbrace{\left\{ \cos\left(-\frac{\pi}{4}\right) + i\sin\left(-\frac{\pi}{4}\right) \right\}^{10}}_{\cos\left\{10 \times \left(-\frac{\pi}{4}\right)\right\} + i\sin\left\{10 \times \left(-\frac{\pi}{4}\right)\right\}}$$

$2^5 = 32$, $2^{10} = 1024$
は覚えておこう！

ド・モアブルの定理

$$= 32 \cdot \left\{ \underbrace{\cos\left(-\frac{5}{2}\pi\right)}_{\cos\left(-\frac{\pi}{2}\right) = \cos\frac{\pi}{2} = 0} + i\underbrace{\sin\left(-\frac{5}{2}\pi\right)}_{\sin\left(-\frac{\pi}{2}\right) = -\sin\frac{\pi}{2} = -1} \right\}$$

偏角に 2π をたして
も変化しない！

$$= 32 \times (0 - i) = -32i \quad \text{となって、答えだ！大丈夫だった？}$$

● 1 の n 乗根を求めよう！

複素数の n 次方程式：$z^n = ($ 複素数 $)$ …① $(n = 2, 3, 4, \cdots)$ を解く問

たとえば、1, $2i$, $1+\sqrt{3}\,i$, $\cdots$, などなど

題を、複素数の n 乗根の問題という。この最も単純な例は、

①の右辺 $=1$ のとき、すなわち $z^n = 1$ …①′ $(n = 2, 3, 4, \cdots)$ なんだね。

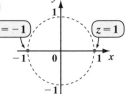

さらに，$n=2$ のとき，①´は $z^2=1$ …② となって，見慣れた z の 2 次方程式になるんだね。これを解くと， 1 の 2 乗根という

$$z^2-1=0 \ , \ (z+1)(z-1)=0 \quad \therefore z=\pm1$$

となる。では，①´で $n=3$，4 のとき，z はどうなるのか？次の練習問題を解いてみよう。

練習問題 30	1 の 3 乗根	CHECK *1*	CHECK *2*	CHECK *3*

z の 3 次方程式：$z^3=1$ …⑦ をみたす z (1 の 3 乗根) を求めよ。

> $z=r(\cos\theta+i\sin\theta)$，$1=1\cdot(\cos 2n\pi+i\sin 2n\pi)$ とおいて，r と θ を求めればいい。これで，1 の 3 乗根の解の求め方のコツをつかもう！

$z^3=1$ …⑦ をみたす複素数 z を求めてみよう。

この未知数 z を，$z=r(\cos\theta+i\sin\theta)$ …① と極形式で表し，r と θ の値を求めればいいんだね。また，⑦ の右辺も，$1+0\cdot i$ と考えて，絶対値
$\sqrt{1^2+0^2}=1$ をくくり出すと，右辺 $=1\cdot(1+0\,i)=1\cdot(\cos 0+i\sin 0)$ より，

$\cos 0$ $\sin 0$ $2n\pi$ $2n\pi$

一般角表示

右辺 $=1=1\cdot(\cos 2n\pi+i\sin 2n\pi)$ …⑦ (*$n=0$，1，2*)

①，⑦ を⑦ に代入すると，

> z の 3 次方程式なので，n はこの 3 つだけでいい。理由は後で話そう！

$$\{r(\cos\theta+i\sin\theta)\}^3=1\cdot(\cos 2n\pi+i\sin 2n\pi)$$

$$r^3\cdot(\cos\theta+i\sin\theta)^3=r^3\cdot(\cos 3\theta+i\sin 3\theta)$$

ド・モアブルの定理より

$$r^3\cdot(\cos 3\theta+i\sin 3\theta)=1\cdot(\cos 2n\pi+i\sin 2n\pi)$$

両辺の絶対値と偏角を比較して，

$$r^3=1 \ \text{…}⊕ \qquad 3\theta=2n\pi \ \text{…}⑦ \quad (n=0，1，2)$$

r は正の実数より，⊕ をみたす r は，$r=1$ のみだね。$\therefore r=1$

次に，$n=0$，1，2 より，⑦ は，

$$3\theta=0，2\pi，4\pi \quad \therefore \theta=0，\frac{2}{3}\pi，\frac{4}{3}\pi \text{となる。}$$

$120°$ $240°$のこと

以上より，$z=r(\cos\theta+i\sin\theta)$ は，$r=1$，$\theta=0$，$\dfrac{2}{3}\pi$，$\dfrac{4}{3}\pi$ より，

・$z_1 = 1\cdot(\underset{\boxed{1}}{\cos 0}+\underset{\boxed{0}}{i\sin 0}) = 1\cdot 1 = 1$

・$z_2 = 1\cdot\left(\underset{\boxed{-\frac{1}{2}}}{\cos\dfrac{2}{3}\pi}+\underset{\boxed{\frac{\sqrt{3}}{2}}}{i\sin\dfrac{2}{3}\pi}\right) = -\dfrac{1}{2}+\dfrac{\sqrt{3}}{2}i$

・$z_3 = 1\cdot\left(\underset{\boxed{-\frac{1}{2}}}{\cos\dfrac{4}{3}\pi}+\underset{\boxed{-\frac{\sqrt{3}}{2}}}{i\sin\dfrac{4}{3}\pi}\right) = -\dfrac{1}{2}-\dfrac{\sqrt{3}}{2}i$

$z_2 = -\dfrac{1}{2}+\dfrac{\sqrt{3}}{2}i$

$z_1 = 1$

$z_3 = -\dfrac{1}{2}-\dfrac{\sqrt{3}}{2}i$

の 3 つの解をもつ。これを 1 の 3 乗根といい，複素数平面上では，原点を中心とする単位円周上に等間隔に並ぶ 3 点になるんだね。

では次，1 の 4 乗根も，次の練習問題で求めてみよう。

練習問題 31	1 の 4 乗根	CHECK 1	CHECK 2	CHECK 3

z の 4 次方程式：$z^4=1$ $\cdots$① をみたす z（1 の 4 乗根）を求めよ。

これも，$z=r(\cos\theta+i\sin\theta)$，$1=1\cdot(\cos 2n\pi+i\sin 2n\pi)$ $(n=0$, 1, 2, $3)$ とおいて，解けばいいんだね。頑張ろう！

$z^4=1$ $\cdots$① をみたす複素数 z を

$z=r(\cos\theta+i\sin\theta)$ $\cdots$② とおき，また，①の右辺の 1 を，

$1=1\cdot(\cos 2n\pi+i\sin 2n\pi)$ $\cdots$③ $(n=0$, 1, 2, $3)$ とおく。

z の $\overset{\bullet}{4}$ 次方程式なので，n はこの $\overset{\bullet}{4}$ つだけでいい。

②，③を①に代入して，まとめると，

$$\{r(\cos\theta+i\sin\theta)\}^4 = 1\cdot(\cos 2n\pi+i\sin 2n\pi)$$

$$\boxed{r^4\cdot(\cos\theta+i\sin\theta)^4 = r^4\cdot(\cos 4\theta+i\sin 4\theta)} \longleftarrow \boxed{\text{ド・モアブルの定理}}$$

$$r^4\cdot(\cos 4\theta+i\sin 4\theta) = 1\cdot(\cos 2n\pi+i\sin 2n\pi)$$

両辺の絶対値と偏角を比較して，

$$r^4 = 1 \quad \cdots\text{④} \qquad 4\theta = 2n\pi \quad \cdots\text{⑤} \quad (n=0,\ 1,\ 2,\ 3)$$

r は正の実数より，④をみたす r は，$r=1$ のみだ。$\therefore r=1$

次に，$n=0,\ 1,\ 2,\ 3$ より，⑤は，

$$4\theta = 0,\ 2\pi,\ 4\pi,\ 6\pi \quad \therefore \theta = 0,\ \frac{\pi}{2},\ \pi,\ \frac{3}{2}\pi \text{ となる。}$$

$n=4,\ 5,\ 6,\ 7,\ \cdots$のとき，⑤より，$\theta = 2\pi,\ \frac{5}{2}\pi,\ 3\pi,\ \frac{7}{2}\pi,\ \cdots$となって，

（0）（$\frac{\pi}{2}$）（π）（$\frac{3}{2}\pi$ と同じ）

実質的に同じ偏角が繰り返し現れるだけなので，これらは不要だね。

以上より，$z=r(\cos\theta+i\sin\theta)$ は，$r=1$，$\theta=0,\ \frac{\pi}{2},\ \pi,\ \frac{3}{2}\pi$ だから，

・$z_1 = 1\cdot(\cos 0+i\sin 0) = 1$
　　　　　　（1）　　（0）

・$z_2 = 1\cdot\left(\cos\frac{\pi}{2}+i\sin\frac{\pi}{2}\right) = i$
　　　　　　（0）　　　（1）

・$z_3 = 1\cdot(\cos\pi+i\sin\pi) = -1$
　　　　　　（−1）　　（0）

・$z_4 = 1\cdot\left(\cos\frac{3}{2}\pi+i\sin\frac{3}{2}\pi\right) = -i$
　　　　　　（0）　　　　（−1）

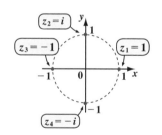

の **4** つの解をもつ。これを **1** の **4 乗根**といい，複素数平面上では，原点を中心とする単位円周上に等間隔に並ぶ **4** 点になるんだね。

　以上で，今日の講義も終了です。今日の講義も盛り沢山だったから，次回まで，ヨ～ク復習しておこう。じゃ，みんな元気でな！バイバイ…。

おはよう！みんな，元気？ 今日で，複素数平面の講義も最終回になる。最後を飾るテーマは "**複素数と平面図形**" だ。複素数の和・差，それに絶対値などは，"**平面ベクトル**" とまったく同様だったね。これから，複素数平面でも，"**平面ベクトル**" や "**図形と方程式**" で学んだ "**内分点・外分点の公式**" や "**円の方程式**" などが，同様に導けるんだね。複素数と図形との関係がさらに明確になるので，興味が深まると思うよ。

● 内分点・外分点の公式は，複素数でも表せる！

図1に示すように，2つの複素数 $\alpha = x_1 + iy_1$，$\beta = x_2 + iy_2$ を端点にもつ線分 $\alpha\beta$ を $m : n$ に内分する点 (複素数) を z とおこう。

すると，z の実部を x とおくと，実軸上の点 x は，2点 x_1，x_2 を端点にもつ

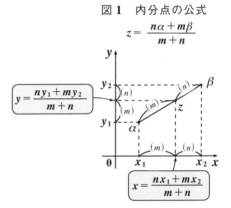

図1 内分点の公式
$$z = \frac{n\alpha + m\beta}{m + n}$$

$$y = \frac{ny_1 + my_2}{m + n}$$

$$x = \frac{nx_1 + mx_2}{m + n}$$

線分を $m : n$ に内分するので，内分点の公式より，

$$x = \frac{nx_1 + mx_2}{m + n} \quad \cdots\cdots ①$$

となるのは，大丈夫だね。

$(x - x_1) : (x_2 - x) = m : n$ より，

$n(x - x_1) = m(x_2 - x)$

$nx - nx_1 = mx_2 - mx$

$(m + n)x = nx_1 + mx_2$

$\therefore x = \dfrac{nx_1 + mx_2}{m + n}$

同様に，z の虚部を y とおくと，y も内分点の公式より，

$$y = \frac{ny_1 + my_2}{m + n} \quad \cdots\cdots ② \quad となるんだね。$$

以上①，②を，$z = x + iy$ に代入すると，

$$z = \frac{nx_1 + mx_2}{m+n} + i \cdot \frac{ny_1 + my_2}{m+n} = \frac{nx_1 + mx_2 + i(ny_1 + my_2)}{m+n}$$

$$= \frac{nx_1 + iny_1 + mx_2 + imy_2}{m+n} = \frac{n\overbrace{(x_1 + iy_1)}^{\alpha} + m\overbrace{(x_2 + iy_2)}^{\beta}}{m+n}$$

$\therefore z = \dfrac{n\alpha + m\beta}{m+n}$ ……($*1$)　と，シンプルな公式で表せるんだね。

以上を，もう 1 度まとめてみよう。

内分点の公式

複素数平面上の 2 点 $\alpha = x_1 + iy_1$ と $\beta = x_2 + iy_2$ を両端にもつ線分を $m:n$ に内分する点を z とおくと，z は次式で表される。

$$z = \frac{n\alpha + m\beta}{m+n} \quad ……(*1)$$

これは，線分 **AB** を $m:n$ に内分する点 **P** について，平面ベクトルの

公式：$\overrightarrow{OP} = \dfrac{n\overrightarrow{OA} + m\overrightarrow{OB}}{m+n}$ と，まっ

たく同じ形の公式であることが分かる

と思う。

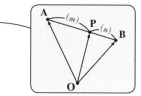

また，点 z が線分 $\alpha\beta$ の中点のとき，$m=1$，$n=1$ を ($*1$) に代入

して，　$z = \dfrac{\alpha + \beta}{2}$ ……($*1$)′ となることも大丈夫だね。

さらに，内分点の公式の発展形として，点 z が線分 $\alpha\beta$ を $m:n$

に内分するという代わりに，$t:1-t$

の比に内分すると考えると，

$z = (1-t)\alpha + t\beta$ ……($*1$)″

と表すこともできる。

これは，$\overrightarrow{OP} = (1-t)\overrightarrow{OA} + t\overrightarrow{OB}$ と同様だ

さらに，3 つの異なる点 α，β，γ からなる $\triangle\alpha\beta\gamma$ の重心を g と

おいて，これを求めよう。ここで，線分 $\beta\gamma$ の中点を $\delta\left(=\dfrac{\beta+\gamma}{2}\right)$ とおくと，g は，中線 $\alpha\delta$ を $2:1$ に内分する点なので

$$g=\frac{1\cdot\alpha+2\delta}{2+1}\quad\cdots\cdots③$$

③に $\delta=\dfrac{\beta+\gamma}{2}$ を代入すると，

$$g=\frac{\alpha+2\cdot\dfrac{\beta+\gamma}{2}}{3}\quad\text{より，}\quad g=\frac{\alpha+\beta+\gamma}{3}\quad\cdots\cdots(*2)\text{ も導かれる。}$$

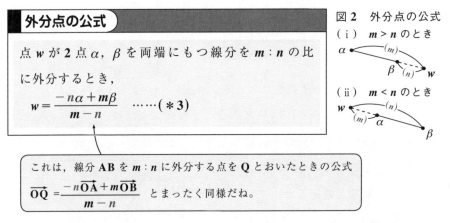

> $\triangle \mathbf{ABC}$ の重心 $\mathbf{G}$ の位置ベクトルの公式：$\overrightarrow{\mathbf{OG}}=\dfrac{\overrightarrow{\mathbf{OA}}+\overrightarrow{\mathbf{OB}}+\overrightarrow{\mathbf{OC}}}{3}$ とまったく同様だね。

では次，線分 $\alpha\beta$ を $m:n$ に外分する点を w とおいたときの外分点の公式も下に示そう。

外分点の公式

点 w が 2 点 α，β を両端にもつ線分を $m:n$ の比に外分するとき，

$$w=\frac{-n\alpha+m\beta}{m-n}\quad\cdots\cdots(*3)$$

図2　外分点の公式
（ⅰ）　$m>n$ のとき

（ⅱ）　$m<n$ のとき

> これは，線分 $\mathbf{AB}$ を $m:n$ に外分する点を $\mathbf{Q}$ とおいたときの公式 $\overrightarrow{\mathbf{OQ}}=\dfrac{-n\overrightarrow{\mathbf{OA}}+m\overrightarrow{\mathbf{OB}}}{m-n}$ とまったく同様だね。

このように，内分点・外分点の公式について，複素数と平面ベクトルでまったく同様の公式が成り立つので，違和感なく覚えられると思う。でも，ベクトルのようにわざわざ成分表示にしなくてもいい分，複素数の公式の方が使い勝手はいいと思うよ。

それでは，練習問題で実際にこれらの公式を使ってみよう。

練習問題 32	内分点・外分点の公式	CHECK 1	CHECK 2	CHECK 3

$\alpha = 2 - 3i$，$\beta = -1 + i$，$\gamma = 2 - i$ とする。

(1) 線分 $\alpha\beta$ を $1 : 2$ に内分する点 z を求めよ。

(2) 線 $\beta\gamma$ を $3 : 1$ に外分する点 w を求めよ。

(3) $\triangle\alpha\beta\gamma$ の重心 g を求めよ。

内分点，外分点，三角形の重心の公式通りに計算すればいいんだね。

(1) $\alpha = 2 - 3i$ と $\beta = -1 + i$ を両端点にもつ線分 $\alpha\beta$ を $1 : 2$ に内分する点を z とおくと，公式より

$$z = \frac{2 \cdot \alpha + 1 \cdot \beta}{1 + 2} = \frac{2(2 - 3i) + (-1 + i)}{3}$$

$$= \frac{4 - 6i - 1 + i}{3} = \frac{3 - 5i}{3} = 1 - \frac{5}{3}i$$

公式：
$$z = \frac{n\alpha + m\beta}{m + n}$$

(2) $\beta = -1 + i$，$\gamma = 2 - i$ を両端点にもつ線分 $\beta\gamma$ を $3 : 1$ に外分する点を w とおくと，公式より

$$w = \frac{-1 \cdot \beta + 3 \cdot \gamma}{3 - 1} = \frac{-(-1 + i) + 3(2 - i)}{2}$$

$$= \frac{1 - i + 6 - 3i}{2} = \frac{7 - 4i}{2} = \frac{7}{2} - 2i$$

公式：
$$w = \frac{-n\beta + m\gamma}{m - n}$$

(3) $\alpha = 2 - 3i$，$\beta = -1 + i$，$\gamma = 2 - i$ を3頂点にもつ $\triangle\alpha\beta\gamma$ の重心を g とおくと，公式より

$$g = \frac{\alpha + \beta + \gamma}{3} = \frac{2 - 3i + (-1 + i) + 2 - i}{3}$$

$$= \frac{3 - 3i}{3} = 1 - i \quad となって，答えだ！$$

これで，内分点，外分点や三角形の重心の公式の使い方もマスターできただろう？ ン？思ったより簡単だったって!? いいね！その調子だ!!

● 垂直二等分線とアポロニウスの円も押さえよう！

2点 α と z の間の距離が $|z-\alpha|$ で，また，2点 β と z の間の距離が $|z-\beta|$ で表されるのは大丈夫だね。これは，2点 A，P の間の距離をベクトルで $|\overrightarrow{OP}-\overrightarrow{OA}|$ と表すのとまったく同様だからね。**(P120 参照)**

ここで，α と β を定点，z を動点，そして k を正の定数とするとき，

$$|z-\alpha|=k|z-\beta| \quad \cdots\cdots①$$

をみたす動点 z の軌跡を求めさせる問題が試験では頻出なんだね。この①は，(ⅰ) $k=1$ の場合と，(ⅱ) $k \neq 1$ の場合に分類される。1つずつ解説していこう。

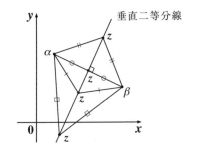

図3　$k=1$ のとき，垂直二等分線

(ⅰ) $k=1$ のとき，①は，

$$|z-\alpha|=|z-\beta|$$

となり，これは，$\underset{\sim\sim\sim\sim\sim\sim\sim\sim\sim\sim}{\alpha\text{ と }z\text{ との}}$ $\underset{\sim\sim\sim\sim\sim\sim\sim\sim\sim\sim}{\text{間の距離と，}\beta\text{ と }z\text{ との}}$ $\underline{\text{距離が等しい}}$ ということだから，図3に示すように，

動点 z は，線分 $\alpha\beta$ の垂直二等分線を描くことになるんだね。

(ⅱ) $k \neq 1$ のとき，①は，

$$|z-\alpha| : |z-\beta|=k:1 \quad (k \neq 1) \quad \text{となり，動点 } z \text{ が，2点 } \alpha \text{ と } \beta$$

> この内項の積 $k|z-\beta|$ と外項の積 $|z-\alpha|$ を等しいとおいたものが，①式だからね。

からの距離の比を $k:1$ に取りながら動くと，動点 z は，ある円を描くことになる。これを "**アポロニウスの円**" というんだね。

では，次の練習問題を解いてみよう。

練習問題 33	アポロニウスの円	CHECK 1	CHECK2	CHECK3

$\alpha=1$，$\beta=i$ のとき，次の式をみたす z の軌跡を求めよ。

(1) $|z-\alpha| : |z-\beta|=1:1$　　　　(2) $|z-\alpha| : |z-\beta|=\sqrt{2}:1$

動点 z の軌跡は，(1) では，線分 $\alpha\beta$ の垂直二等分線に，また，(2) ではアポロニウスの円になるはずだ。頑張って求めてごらん。

(1) $|z-1| : |z-i| = 1 : 1$ より，内項の積＝外項の積の形にする。

$|z-1| = |z-i|$ ……㋐ ← これは，①の $k=1$ のパターンだね。

ここで，$z = x+iy$ とおくと，㋐は

$|x+iy-1| = |x+iy-i|$ より，$|(x-1)+iy| = |x+i(y-1)|$

よって，$\sqrt{(x-1)^2+y^2} = \sqrt{x^2+(y-1)^2}$ ← $|a+bi|=\sqrt{a^2+b^2}$ だからね。

両辺を 2 乗して，まとめると，

$(x-1)^2+y^2 = x^2+(y-1)^2$

$x^2-2x+1+y^2 = x^2+y^2-2y+1$

$-2x = -2y$

∴ $y=x$ となるんだね。

これは，右図のように，線分 $\alpha\beta$ の垂直二等分線になっているね。

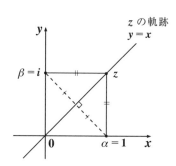

(2) $|z-1| : |z-i| = \sqrt{2} : 1$ より，内項の積＝外項の積の形にすると，

$|z-1| = \sqrt{2}\,|z-i|$ ……① ← これは，①の $k \neq 1$ のパターンだね。

ここで，$z = x+iy$ を①に代入して，変形すると，

$|(x-1)+iy| = \sqrt{2} \cdot |x+i(y-1)|$

$\sqrt{(x-1)^2+y^2} = \sqrt{2} \cdot \sqrt{x^2+(y-1)^2}$ この両辺を 2 乗してまとめると，

$(x-1)^2+y^2 = 2\{x^2+(y-1)^2\}$

$x^2-2x+1+y^2 = 2x^2+2(y^2-2y+1)$

$x^2-2x+1+y^2 = 2x^2+2y^2-4y+2$

$x^2+2x+y^2-4y = -1$

$(x^2+2x+1)+(y^2-4y+4) = -1+1+4$ ← これで，左辺を $(x+1)^2+(y-2)^2$ の形に持ち込む。

2 で割って 2 乗　　2 で割って 2 乗

141

$\therefore (x+1)^2+(y-2)^2=4$ となって，

z の軌跡は，中心 $C(-1, 2)$，

これは，中心 $C(-1+2i)$ と表してもいい。

半径 $r=2$ の円となることが

分かったんだね。

つまり，$|z-1|=\sqrt{2}\,|z-i|$ ……① を

みたす z は，右図のようなアポロニ

ウスの円を描くことが導けたんだね。納得いった？

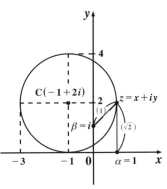

円の方程式：$(x-a)^2+(y-b)^2=r^2$（中心 $C(a, b)$，半径 r の円）

● 円の方程式もマスターしよう！

では次，一般的な円の方程式についても解説しておこう。

図 4 に示すように，動点 z が定点 α との間の距離を一定の値 r に保って描く軌跡が，中心 α，半径 $r(>0)$ の円になる。よって，複素数平面における円の方程式は，次のようになるんだね。

図 4　円の方程式

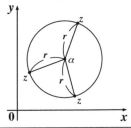

円の方程式

$|z-\alpha|=r$ ……(*4)

（中心 α，半径 r の円）

これも，動点 P が中心 A，半径 r の円を描くベクトル方程式：

$|\overrightarrow{OP}-\overrightarrow{OA}|=r$ とソックリだね。

($ex1$) 中心 $C(2, -1)$，半径 $r=\sqrt{5}$ の円の複素数平面での方程式は，

（$2-i$ のこと）

$|z-(2-i)|=\sqrt{5}$　　$\therefore |z-2+i|=\sqrt{5}$　となるんだね。

($ex2$) 円の方程式：$(x+1)^2+(y-3)^2=9$ を，複素数平面での円の方程式に書き換えると，

中心が $C(-1, 3)$ より中心 $-1+3i$，また半径 $r=3$ より，

$|z-(-1+3i)|=3$　　$\therefore |z+1-3i|=3$　となる。大丈夫？

142

ここで，円の方程式：$|z-\alpha|=r$　……$(*4)$ を変形してみよう。

まず，$(*4)$ の両辺を 2 乗する。

$$\underline{|z-\alpha|^2}=r^2$$

$\boxed{(z-\alpha)\overline{(z-\alpha)}}$ ◀── 公式：$|\beta|^2=\beta\cdot\overline{\beta}$ を使った。

$$(z-\alpha)(\overline{z-\alpha})=r^2$$

$\boxed{\overline{z}-\overline{\alpha}}$ ◀── 公式：$\overline{\alpha-\beta}=\overline{\alpha}-\overline{\beta}$ を使った。

$$(z-\alpha)(\overline{z}-\overline{\alpha})=r^2$$

$$z\cdot\overline{z}-\overline{\alpha}\cdot z-\alpha\cdot\overline{z}+\underline{\alpha\cdot\overline{\alpha}}=r^2$$

$\boxed{|\alpha|^2}$

$$z\overline{z}-\overline{\alpha}z-\alpha\overline{z}+\underline{|\alpha|^2-r^2}=0$$

これは実数より，k(実数)とおける。

ここで，$|\alpha|^2-r^2=k$(実数)とおくと，$(*4)$ の円の方程式は，

$z\overline{z}-\overline{\alpha}z-\alpha\overline{z}+k=0$　……$(*4)'$ の形でも表せるんだね。

以上を，まとめてみよう。

円の方程式

中心 α，半径 r の円の方程式：$|z-\alpha|=r$　……$(*4)$ は，
次式のように表すこともできる。

$z\overline{z}-\overline{\alpha}z-\alpha\overline{z}+k=0$　……$(*4)'$

そして，$(*4)'$ の形の式が与えられたら，上に示した式の変形を逆にたどって，$|z-\alpha|=r$　……$(*4)$ の円の方程式に持ち込めばいいんだね。

ン？これについても練習してみたいって!?　そうだね，実際に問題を解いてみることで，本当にマスターできるわけだからね。次の練習問題で，この式変形のパターンもしっかりマスターしよう。

(1) 複素数平面上で，$z\bar{z} - (1-i)z - (1+i)\bar{z} = 0$ ……① をみたす複素数 z が描く図形を調べよ。

(2) 複素数平面上で，$z\bar{z} + iz - i\bar{z} - 3 = 0$ ……② をみたす複素数 z が描く図形を調べよ。

---

(1), **(2)** 共に $z\bar{z} - \bar{\alpha}z - \alpha\bar{z} + k = 0$ の形をしているので，$|z-\alpha| = r$ の円の方程式に持ち込めるはずだ。頑張ろう！

(1) $z\bar{z} - \underbrace{(1-i)}_{\bar{\alpha}}z - \underbrace{(1+i)}_{\alpha}\bar{z} = 0$ ……① について，

　　$1+i = \alpha$ とおくと，$1-i = \bar{\alpha}$ となる。これらを①に代入して，

　　$z\bar{z} - \bar{\alpha}z - \alpha\bar{z} = 0$　　この両辺に，$\alpha\bar{\alpha}$ を加えて変形すると，

　　$\underbrace{z\bar{z} - \bar{\alpha}z}_{z(\bar{z}-\bar{\alpha})} \underbrace{- \alpha\bar{z} + \alpha\bar{\alpha}}_{-\alpha(\bar{z}-\bar{\alpha})} = \underbrace{\alpha\bar{\alpha}}_{|\alpha|^2}$　　$z(\bar{z}-\bar{\alpha}) - \alpha(\bar{z}-\bar{\alpha}) = |\alpha|^2$

　　$(z-\alpha)(\bar{z}-\bar{\alpha}) = |\alpha|^2$　　$(z-\alpha)\overline{(z-\alpha)} = |\alpha|^2$

　　$|z-\underbrace{\alpha}_{(1+i)}|^2 = \underbrace{|\alpha|^2}_{|1+i|^2 = 1^2+1^2 = 2}$　　$\boxed{\alpha = a+bi \text{ のとき } |\alpha| = \sqrt{a^2+b^2} \text{ より} \\ |\alpha|^2 = a^2+b^2 \text{ だね。}}$

　　$|z-(1+i)|^2 = 2$ より，円の方程式 $|z-(1+i)| = \sqrt{2}$ が導ける。

　　よって，点 z は，中心 $C(1+i)$，半径 $r = \sqrt{2}$ の円を描く。

(2) $z\bar{z} - \underbrace{(-i)}_{\bar{\alpha}}z - \underbrace{i}_{\alpha}\bar{z} - 3 = 0$ ……② について，　$\boxed{\alpha = 0+1\cdot i \text{ のとき，} \bar{\alpha} = 0-1\cdot i = -i \text{ だからね。}}$

　　$i = \alpha$ とおくと，$-i = \bar{\alpha}$ となる。これらを②に代入して，

　　$z\bar{z} - \bar{\alpha}z - \alpha\bar{z} = 3$　　両辺に，$\alpha\bar{\alpha}$ を加えて変形すると，

　　$z\bar{z} - \bar{\alpha}z - \alpha\bar{z} + \underbrace{\alpha\bar{\alpha}}_{} = 3 + \underbrace{\alpha\bar{\alpha}}_{}$　$\boxed{i(-i) = -i^2 = -(-1) = 1}$

　　$\underbrace{z(\bar{z}-\bar{\alpha}) - \alpha(\bar{z}-\bar{\alpha}) = (z-\alpha)(\bar{z}-\bar{\alpha}) = (z-\alpha)\overline{(z-\alpha)} = |z-\alpha|^2}$

　　$|z-\underbrace{\alpha}_{i}|^2 = 4$ より，円の方程式：$|z-i| = 2$ が導ける。

　　よって，点 z は，中心 $C(i)$，半径 $r = 2$ の円を描く。大丈夫だった？

● 回転と拡大 (縮小) の応用にもチャレンジしよう！

P128 で解説した，原点 **0** のまわりの回転と拡大 (または縮小) の問題を，ここでもう **1** 度示そう。

$$w = r(\cos\theta + i\sin\theta) \cdot z \quad \cdots\cdots① \ (z \neq 0) \quad \text{ここで，} z \neq 0 \text{より，}$$

①の両辺を z で割ると，

$$\frac{w}{z} = r(\cos\theta + i\sin\theta) \quad \cdots\cdots(*) \quad \text{となる。}$$

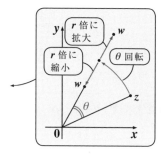

この $(*)$ から，ボク達は，「点 w は，点 z を原点 **0** のまわりに θ だけ回転して，r 倍に拡大 (または縮小) したもの」であることを読み取ればいいんだね。

ここでは，この回転と拡大 (または縮小) の公式をより一般化した，

$$\frac{w - \alpha}{z - \alpha} = r(\cos\theta + i\sin\theta) \quad \cdots\cdots(**) \quad \text{について，解説しよう。}$$

この $(**)$ は，$(*)$ より少し複雑になって，複素数 α が新たに加わっているのが分かるね。そして，この $(**)$ から，今度は「点 w は，点 z を点 α のまわりに θ だけ回転して，r 倍に拡大 (または縮小) したもの」であると読み取ってくれればいいんだよ。

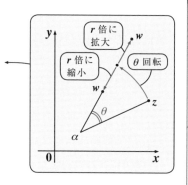

そして，$(**)$ において，$\alpha = 0$(原点) の特殊な場合が $(*)$ であったんだ，と思ってくれたらいいんだよ。

さらに，これからは，点 z を点 α のまわりに (i) 回転して，(ii) 拡大 (または縮小) する，**2** つの変換操作が行われて，点 w に移動するので，これを点 α のまわりの回転と拡大 (または縮小) の "**合成変換**" と呼ぶことにしよう。

ン？ でも何故，$(**)$ でこのような合成変換になるのか？ さっぱり分からんって !? 当然の疑問だ！これから解説しよう。

この回転と拡大 (縮小) の合成変換を公式として下に示しておくね。
そして，この公式の図形的な意味を順を追って解説していこう。

回転と拡大 (縮小) の合成変換

$$\frac{w-\alpha}{z-\alpha} = r(\cos\theta + i\sin\theta) \quad \cdots\cdots(**)$$

このとき，点 w は，点 z を点 α のまわりに θ だけ回転して，r 倍に拡大 (または縮小) した点である。

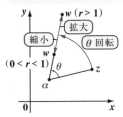

図 5　回転と拡大 (縮小)

$$\frac{w-\alpha}{z-\alpha} = r(\cos\theta + i\sin\theta)$$

(i) まず，$u = \underline{z-\alpha}$ ……① とおくと，図 6 のように，点 u は点 z を $-\alpha$ だけ平行移動した位置にくるね。

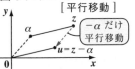

図 6 (i) $u = z - \alpha$
[平行移動]

(ii) 次に，$v = \underline{r(\cos\theta + i\sin\theta)u}$ ……② とおくと，図 7 のように，点 v は点 u を原点のまわりに θ だけ回転して，r 倍に拡大 (または縮小) した位置にくるんだね。これも，大丈夫だね。

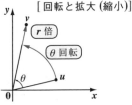

図 7 (ii) $v = r(\cos\theta + i\sin\theta)u$
[回転と拡大 (縮小)]

(iii) さらに，$w = \underline{v} + \alpha$ ……③ とおくと，図 8 のように，点 w は点 v を α だけ平行移動した位置にくるのがわかるだろう。

以上，①を②に代入して，

$$v = r(\cos\theta + i\sin\theta)\underline{(z-\alpha)} \quad \cdots\cdots④$$

さらに，④を③に代入すると，

$$w = \underline{r(\cos\theta + i\sin\theta)(z-\alpha)} + \alpha$$

これを変形すると，

$$w - \alpha = r(\cos\theta + i\sin\theta)(z-\alpha)$$

この両辺を $z - \alpha$ ($\neq 0$) で割って，

$$\frac{w-\alpha}{z-\alpha} = r(\cos\theta + i\sin\theta) \quad \cdots\cdots(**)$$ が導ける

んだね。そして，以上の図形的な動きをまとめる

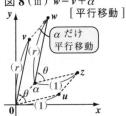

図 8 (iii) $w = v + \alpha$
[平行移動]

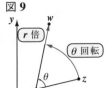

図 9

と，図 **9** のようになる。つまり，点 **w** が，点 **z** を点 **α** のまわりに **θ** だけ回転して，**r** 倍に拡大 (または縮小) したものであることが分かるんだね。

では，この (∗∗) の特別な場合についても解説しておこう。

(ⅰ) $\theta = \pm\dfrac{\pi}{2}$ ($= \pm 90°$) のとき，(∗∗) は，

$$\frac{w-\alpha}{z-\alpha} = r\left\{\underbrace{\cos\left(\pm\frac{\pi}{2}\right)}_{0} + i\underbrace{\sin\left(\pm\frac{\pi}{2}\right)}_{\pm 1}\right\} = \underbrace{\pm ri = ki}_{\text{これを実数 } k \text{ とおこう。}} \text{ となる。}$$

よって，$\dfrac{w-\alpha}{z-\alpha} = ki$ (純虚数)

のとき，右図のように，

$\alpha z \perp \alpha w$ (垂直) になる

これは，$\angle z\alpha w = \dfrac{\pi}{2}$ と同じこと

んだね。納得いった？

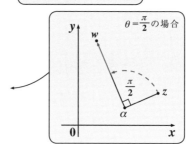

$\theta = \dfrac{\pi}{2}$ の場合

(ⅱ) $\theta = 0$，または π のとき，

$\sin 0 = \sin\pi = 0$，$\cos 0 = 1$，$\cos\pi = -1$ より，(∗∗) は，

$$\frac{w-\alpha}{z-\alpha} = r\{\underbrace{\cos\theta}_{\pm 1} + i\underbrace{\sin\theta}_{0}\} = \underbrace{\pm r = k}_{\text{これを実数 } k \text{ とおこう。}} \text{ となる。}$$

(0 または π) (0 または π)

よって，$\dfrac{w-\alpha}{z-\alpha} = k$ (実数)

のとき，右図のように，3 点

α，**z**，**w** は同一直線上に存在

するんだね。これも，大丈夫

だった？

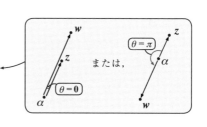

または，$\theta = \pi$ ・ $\theta = 0$

これで，回転と拡大 (または縮小) の合成変換の考え方もよく理解できただろう？これは，試験では頻出テーマの **1** つなので，この後，練習問題を解いて，この使い方もマスターしておこう。

147

複素数平面上に異なる **3** 点 α，z，w があり，

$\dfrac{w-\alpha}{z-\alpha}=1+\sqrt{3}\,i$ ……① をみたす。このとき，$\triangle\alpha zw$ はどのような三

角形であるか，調べよ。また，$|z-\alpha|=1$ のとき，この三角形の面積 S を

求めよ。

①の右辺を極形式に変形すれば，回転と拡大の合成変換になるんだね。

①の右辺を極形式に変形すると，

$$1+\sqrt{3}\,i=\underset{\sqrt{1^2+(\sqrt{3})^2}}{2}\cdot\left(\underset{\cos\frac{\pi}{3}}{\frac{1}{2}}+\underset{\sin\frac{\pi}{3}}{\frac{\sqrt{3}}{2}}i\right)=2\left(\cos\frac{\pi}{3}+i\sin\frac{\pi}{3}\right)$$

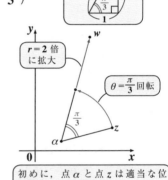

となる。よって，①は，

$\dfrac{w-\alpha}{z-\alpha}=2\left(\cos\dfrac{\pi}{3}+i\sin\dfrac{\pi}{3}\right)$ ……①´

となるので，①´から，右図に示す

ように，点 w は，点 z を点 α のまわ

りに $\theta=\dfrac{\pi}{3}$ だけ回転して，$r=2$ 倍に

拡大した位置にくる。

初めに，点 α と点 z は適当な位置にとればいいよ。

これから，右図に示すように，

$\triangle\alpha zw$ は，$\angle z\alpha w=\dfrac{\pi}{3}\ (=60°)$，

$\angle\alpha zw=\dfrac{\pi}{2}\ (=90°)$ の直角三角

形になる。よって，$\underset{\text{辺 }\alpha z\text{ の長さが }1}{|z-\alpha|=1}$ の

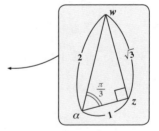

とき，$|w-z|=\sqrt{3}$ となるので，$\triangle\alpha zw$ の面積 S は，

$S=\dfrac{1}{2}\cdot1\cdot\sqrt{3}=\dfrac{\sqrt{3}}{2}$ である。

どう？ スッキリ解けて，面白かっただろう？

148

練習問題 36　回転と拡大の合成変換 (II)　CHECK 1　CHECK 2　CHECK 3

複素数平面上に異なる 3 点 α, z, w があり,

$\dfrac{w-\alpha}{z-\alpha}=1+i$ ……② をみたす。このとき, $\triangle \alpha zw$ はどのような三角

形であるか, 調べよ。また, $|z-\alpha|=1$ のとき, この三角形の面積 S を求

めよ。

これも, ②の右辺を極形式に変形すれば, 話が見えてくるはずだ。頑張ろう!

②の右辺 $=1+i=\underbrace{\sqrt{2}}_{\sqrt{1^2+1^2}}\cdot\Big(\underbrace{\dfrac{1}{\sqrt{2}}}_{\cos\frac{\pi}{4}}+\underbrace{\dfrac{1}{\sqrt{2}}}_{\sin\frac{\pi}{4}}i\Big)=\sqrt{2}\Big(\cos\dfrac{\pi}{4}+i\sin\dfrac{\pi}{4}\Big)$

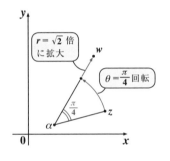

よって, ②は,

$\dfrac{w-\alpha}{z-\alpha}=\sqrt{2}\Big(\cos\dfrac{\pi}{4}+i\sin\dfrac{\pi}{4}\Big)$ ……②´

となるので, ②´から, 右図に示す

ように, 点 w は, 点 z を点 α のまわ

りに $\dfrac{\pi}{4}$ だけ回転して, $r=\sqrt{2}$ 倍に拡

大した位置にあることが分かる。

これから, 右図に示すように,

$\triangle \alpha zw$ は, $\angle \alpha zw=\dfrac{\pi}{2}\,(=90°)$

の直角二等辺三角形である。よって,

$|z-\alpha|=1$ のとき, $|w-z|=1$

となるので, この三角形の面積 S は,

$S=\dfrac{1}{2}\cdot1\cdot1=\dfrac{1}{2}$ となるんだね。

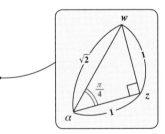

　以上で, 複素数平面の講義はすべて終了です。みんな, 理解できた?

良かった! じゃあ, 次回の講義まで, みんな元気でな! さようなら…。

1. 絶対値

$\alpha = a + bi$ のとき，$|\alpha| = \sqrt{a^2 + b^2}$ ←　これは，原点 0 と点 α との間の距離を表す。

2. 共役複素数と絶対値の公式

(1) $\overline{\alpha \pm \beta} = \overline{\alpha} \pm \overline{\beta}$ 　(2) $\overline{\alpha \times \beta} = \overline{\alpha} \times \overline{\beta}$ 　(3) $\overline{\left(\dfrac{\alpha}{\beta}\right)} = \dfrac{\overline{\alpha}}{\overline{\beta}}$

(4) $|\alpha| = |\overline{\alpha}| = |-\alpha| = |-\overline{\alpha}|$ 　　(5) $|\alpha|^2 = \alpha \overline{\alpha}$

3. 実数条件と純虚数条件

（ⅰ）α が実数 $\iff \alpha = \overline{\alpha}$ 　（ⅱ）α が純虚数 $\iff \alpha + \overline{\alpha} = 0 \ (\alpha \neq 0)$

4. 2点間の距離

$\alpha = a + bi,\ \beta = c + di$ のとき，2点 α, β 間の距離は，

$|\alpha - \beta| = \sqrt{(a - c)^2 + (b - d)^2}$

5. 複素数の積と商

$z_1 = r_1(\cos\theta_1 + i\sin\theta_1),\ z_2 = r_2(\cos\theta_2 + i\sin\theta_2)$ のとき，

(1) $z_1 \times z_2 = r_1 r_2 \{\cos(\theta_1 + \theta_2) + i\sin(\theta_1 + \theta_2)\}$

(2) $\dfrac{z_1}{z_2} = \dfrac{r_1}{r_2}\{\cos(\theta_1 - \theta_2) + i\sin(\theta_1 - \theta_2)\}$

6. 絶対値の積と商

(1) $|\alpha\beta| = |\alpha||\beta|$ 　　　　　　(2) $\left|\dfrac{\alpha}{\beta}\right| = \dfrac{|\alpha|}{|\beta|}$

7. ド・モアブルの定理

$(\cos\theta + i\sin\theta)^n = \cos n\theta + i\sin n\theta$ 　（n：整数）

8. 内分点，外分点，三角形の重心の公式，および円の方程式は，平面ベクトルと同様である。

9. 垂直二等分線とアポロニウスの円

$|z - \alpha| = k|z - \beta|$ 　をみたす動点 z の軌跡は，

（ⅰ）$k = 1$ のとき，線分 $\alpha\beta$ の垂直二等分線。

（ⅱ）$k \neq 1$ のとき，アポロニウスの円。

10. 回転と拡大（縮小）の合成変換

$\dfrac{w - \alpha}{z - \alpha} = r(\cos\theta + i\sin\theta)$ 　$(z \neq \alpha)$

$\iff$ 点 w は，点 z を点 α のまわりに θ だけ回転し，さらに r 倍に拡大（または縮小）した点である。

第 4 章
CHAPTER

 **4** 式と曲線

― テーマ ―

▶ 放物線，だ円，双曲線の基本

▶ 2 次曲線の応用

▶ 媒介変数表示された曲線

▶ 極座標と極方程式

やっぱりこれっ！
このマーク！

11th day　放物線，だ円，双曲線の基本

おはよう！　みんな今日も元気そうで何よりだね。サァ，今日から新たなテーマ "**式と曲線**" の講義に入ろう。この式と曲線では，2次曲線と呼ばれる "**放物線**" や "**楕円**" や "**双曲線**" について解説し，さらに "**媒介変数表示**" された曲線や "**極座標と極方程式**" についても教えるつもりだ。

エッ，難しそうで引きそうって！？大丈夫！　これまで同様に，初めから分かりやすく教えるからね。では，今回は放物線と楕円と双曲線について，その基本を教えよう。みんな準備はいい？

● 放物線は，準線と焦点で定義できる！

まず "**放物線**" について解説しよう。エッ，放物線だったら，既に数学 I でも習った $y=ax^2$ のことだろうって？　うん。でも，この "**式と曲線**" で学習する放物線は，"**準線**" や "**焦点**" を使って定義されるものだから，式の表現の仕方も少し異なるからよく注意してこれからの解説を聞いてくれ。

放物線は，「ある直線とある定点からの距離が等しい点の軌跡」として定義することができるんだ。そして，この直線のことを "**準線**"，定点のことを "**焦点**" という。

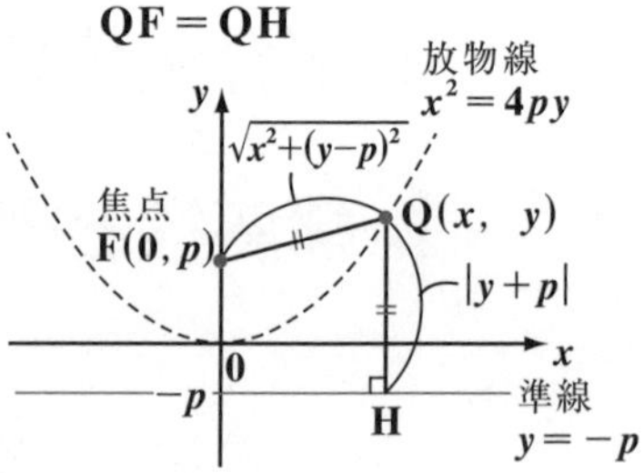

もっと具体的に話そう。図1に示すように，y 軸上に焦点 $F(0, p)$ をとり，また x 軸に平行な直線として準線 $y=-p$ をとることにしよう。

ここで，動点 $Q(x, y)$ をとり，点 Q から準線に下ろした垂線の足を H とおく。

図1　放物線の定義 (I)

$$QF = QH$$

このとき動点 Q が，焦点 F からの距離 QF と，準線 $y=-p$ からの距離 QH が等しくなるように動くものとすると，

$\underset{\sim}{QF} = \underset{=}{QH}$ ……①　となり，これをみたす動点 $Q(x, y)$ の軌跡が放物線になるんだよ。それでは，①から x と y の関係式を導いてみよう。

・$Q(x, y)$，$F(0, p)$ より，2点 Q，F 間の距離 QF は，

$$QF = \sqrt{(x-0)^2+(y-p)^2} = \underset{\sim}{\sqrt{x^2+(y-p)^2}} \quad \text{……②} \quad となり，$$

152

・$Q(x, y)$ から $y = -p$ に下ろした垂線の長さは,

$$QH = |y - (-p)| = \underline{|y + p|} \quad \cdots\cdots ③ \quad \text{となる。}$$

> $p < 0$ のとき, 図**1**の図は上下逆転して, $y + p < 0$ となる。
> だから, 絶対値をつけておく必要があるんだね。

②, ③を①に代入して,

$$\underline{\sqrt{x^2 + (y - p)^2}} = \underline{|y + p|} \quad \cdots\cdots①$$

> $|\alpha|^2 = (\pm\alpha)^2 = \alpha^2$
> となる！

この両辺を **2** 乗して,

$$x^2 + \underline{(y - p)^2} = \underline{(y + p)^2}$$
$$\underbrace{y^2 - 2py + p^2} \quad \underbrace{y^2 + 2py + p^2}$$

$$x^2 + y^2 - 2py + p^2 = y^2 + 2py + p^2, \quad x^2 - 2py = 2py$$

よって, 放物線の式 $x^2 = 4py \quad (p \neq 0)$ が導けるんだね。

エッ, なんで $y = \dfrac{1}{4p}x^2$ と, $y = ax^2$ の形にしないのかって？ この場合,
$x^2 = 4py$ の式から, 逆に, この放物線の焦点 F が $F(0, p)$, 準線が $y = -p$
となると判断するので, $x^2 = 4py$ の形のまま, 放物線の公式とするんだ。

同様に, 図**2**に示すように, 焦点を
$F(p, 0)$, 準線を $x = -p$ とおく。そして,
焦点 F と準線 $x = -p$ からの距離が等し
くなるように, 動点 $Q(x, y)$ が動くとき,
Q は放物線を描き, その方程式は,

$$y^2 = 4px \quad (p \neq 0) \text{ となるんだよ。}$$

> $QF = QH$ より, $\sqrt{(x - p)^2 + y^2} = |x + p|$
> $(x - p)^2 + y^2 = (x + p)^2 \cdots$ から導ける！

図**2** 放物線の定義(Ⅱ)

$$QF = QH$$

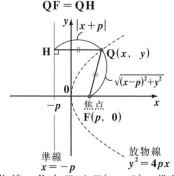

そして, $y^2 = 4px$ の式から, 逆にこの放物線の焦点 F は $F(p, 0)$, 準線
は $x = -p$ になると見抜けるようになるといいんだね。

以上のように "**式と曲線**" における放物線は, (Ⅰ) たての放物線と,
(Ⅱ) 横の放物線の **2** 種類が存在するんだね。これらの公式を次にまとめ
て示すから, シッカリ頭に入れておこう。

153

放物線の公式

(I) $x^2 = 4py$ $(p \neq 0)$ ← たての放物線

・頂点：原点 $(0, 0)$ ・対称軸：$x = 0$

・焦点 $F(0, p)$ ・準線 $y = -p$

・曲線上の点を Q とおくと $QF = QH$

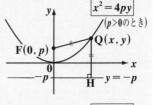

(II) $y^2 = 4px$ $(p \neq 0)$ ← 横の放物線

・頂点：原点 $(0, 0)$ ・対称軸：$y = 0$

・焦点 $F(p, 0)$ ・準線 $x = -p$

・曲線上の点を Q とおくと $QF = QH$

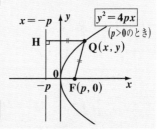

それでは，次の練習問題で，実際に放物線のグラフを描いてみよう。

練習問題 37	放物線のグラフ	CHECK *1*	CHECK*2*	CHECK*3*

次の方程式で表される放物線の焦点の座標と準線の方程式を求め，グラフを描け。

(1) $x^2 = 8y$ (2) $(y-1)^2 = 4x$

(1)は，$x^2 = 4 \cdot p \cdot y$ の形だから，焦点$(0, p)$，準線$y = -p$のたての放物線だね。(2)は，横の放物線$y^2 = 4x$ をy軸方向に 1 だけ平行移動したものだ。

(1) $x^2 = 4 \cdot 2 \cdot y$ ……⑦ より，
（$\underset{p}{\underline{}}$）

これは焦点 $F(0, 2)$，準線 $y = -2$ で，

原点が頂点となるたての放物線だね。

ここで，$y = 2$ のとき⑦より，

$x^2 = 4 \cdot 2 \cdot 2 = 16$ ∴ $x = \pm\sqrt{16} = \pm 4$

よって，⑦は **2 点 $(4, 2)$，$(-4, 2)$ を通る**，右のような放物線となる。

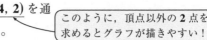

このように，頂点以外の **2 点** を求めるとグラフが描きやすい！

(2) $y^2 = 4 \cdot 1 \cdot x$ $\underset{\substack{\text{平行移動} \\ \cdot y \to y-1}}{\xrightarrow{(0, 1)\text{だけ}}}$ $(y-1)^2 = 4 \cdot 1 \cdot x$ となるので，

154

まず，$y^2 = 4 \cdot 1 \cdot x$ ……㋑ の焦点と準線そしてグラフを求め，それを

（p）

$(0，1)$ だけ平行移動すればいいんだね。

㋑は焦点 $F'(1，0)$，準線 $x = -1$ で，

原点が頂点となる横の放物線だね。

ここで，$x = 1$ のとき㋑より，

$y^2 = 4 \cdot 1 \cdot 1 = 4$　　∴ $y = \pm\sqrt{4} = \pm 2$

よって，㋑は 2 点 $(1，2)$，$(1，-2)$ を

通る，右のような放物線となる。

よって，これを $(0，1)$ だけ平行移動し

たものが，$(y-1)^2 = 4 \cdot 1 \cdot x$ のグラフ

であり，この焦点は $F(1，1)$，準線は

<u>$x = -1$</u> となる。

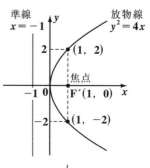

放物線
$y^2 = 4x$

準線
$x = -1$

焦点
$F'(1，0)$

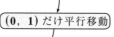

$(0，1)$ だけ平行移動

> 準線 $x = -1$ を y 軸方向に 1 だけずらしても，
> 同じ準線 $x = -1$ だね。

以上より，$(y-1)^2 = 4x$ のグラフを右

に示す。これで，放物線のグラフの描

き方にも慣れたと思う。

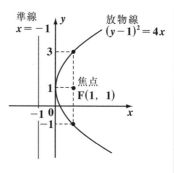

準線
$x = -1$

放物線
$(y-1)^2 = 4x$

焦点
$F(1，1)$

では，ここで，放物線の一般的な平行移動についても，下にまとめておこう。

（Ⅰ）$\underline{x^2 = 4py}$　$(p \neq 0)$　$\xrightarrow[\text{平行移動}]{(x_1，y_1) \text{だけ}}$　$(x-x_1)^2 = 4p(y-y_1)$

たての放物線

$\begin{cases} \cdot\ x \to x - x_1 \\ \cdot\ y \to y - y_1 \end{cases}$

（Ⅱ）$\underline{y^2 = 4px}$　$(p \neq 0)$　$\xrightarrow[\text{平行移動}]{(x_1，y_1) \text{だけ}}$　$(y-y_1)^2 = 4p(x-x_1)$

横の放物線

$\begin{cases} \cdot\ x \to x - x_1 \\ \cdot\ y \to y - y_1 \end{cases}$

これで，放物線も x 軸方向，y 軸方向いずれにも自由に平行移動できるんだね。
大丈夫？

● だ円は，糸と2本の虫ピンで描ける！？

では次，楕円の解説に入ろう。だ円と言われたら，何か気付く人はい

> 本書では，これから "だ円" と表記する。

る？…。そうだね，地球や火星などの惑星が，太陽のまわりを回る軌道が，だ円の例と言えるんだね。これは，ニュートンによって，万有引力の法則から導かれたんだけれど，この際にニュートンは "微分・積分" という最

> これについては，「初めから始める数学 III・C Part 2」で詳しく解説するね。

も重要な数学手法まで作り出したわけだから，これは，近代の自然科学の金字塔とも言える快挙だったんだね。

では，ニュートンの話はこれ位にして，これから，だ円の基本について詳しく解説していこう。

今日，**4cm** の糸と2本の虫ピンをもってくるように言ってたけど，忘れた人はいないね。よかった！　それじゃ，図3（ⅰ）に示すように，この **4cm** の糸の2つの端点の間隔が **2 cm** になるように取って，それぞれ2本の虫ピンでとめてくれ。

図3　だ円の描き方

（ⅰ）

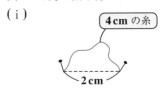

（ⅱ）

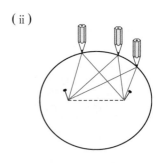

エッ，糸がだぶついてるって？　それでいいんだよ。そして，図3（ⅱ）に示すように鉛筆を使って糸がたるまないようにして曲線を描くことができるだろう？　大丈夫？　そう，この曲線こそこれから勉強する "**だ円**" の1例だったんだよ。もっと正確に言うなら，虫ピンで押さえた2点を "**焦点**" とするだ円と言えるんだけどね。これについては，これから数学的にもっとキチンと解説していくけれど，このように，だ円の描き方を知っておくと，だ円についても少しは親しみがもてるようになったと思う。

156

● だ円の方程式を求めてみよう！

だ円とは，「**2**つの異なる定点(焦点)からの距離の和が一定である点の軌跡」と定義できるんだよ。言葉が少し難しいかも知れないけれど，さっきの例で説明しようか。

2つの異なる定点(焦点)というのが，**2**つの虫ピンでとめた糸の**2**つの端点のことなんだね。そして，**4cm**の糸がピンと張った状態で鉛筆の先を動かして，曲線(だ円)を描いていったので，だ円周上の点はいずれも，**2**つの糸の端点からの距離の和が**4cm**と一定になっていることが分かるだろう。これがだ円を描く定義になってたんだね。

それじゃ，これから，このだ円を数学的にもっとキチンと方程式で表すことにチャレンジしてみようか？　まず，図**4**に示すように xy 座標平面を用意し，この x 軸上に**2**つの焦点をそれぞれ $F_1(1, \ 0)$, $F_2(-1, \ 0)$ となるようにとる。これは，**2**つの虫ピンが**2cm**の間隔だったことを表しているんだね。

図4 だ円の方程式

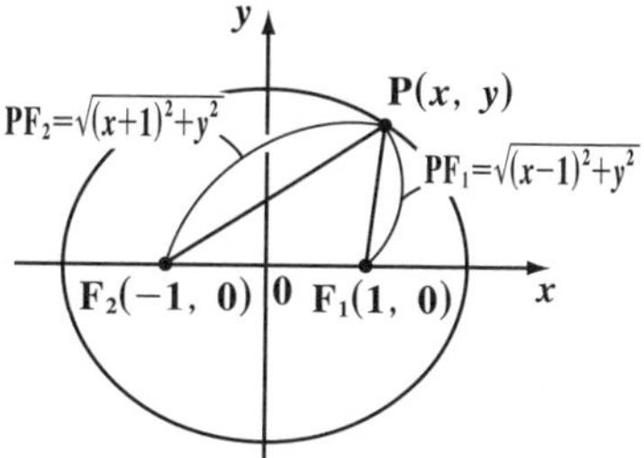

$PF_2 = \sqrt{(x+1)^2 + y^2}$

$P(x, y)$

$PF_1 = \sqrt{(x-1)^2 + y^2}$

$F_2(-1, \ 0) \quad 0 \quad F_1(1, \ 0)$

そして，だ円周上の点を $P(x, \ y)$ とおくと，だ円の定義から，

$PF_1 + PF_2 = 4$ ……① となるのも大丈夫だね。これは，糸の長さが**4cm**の一定の長さだったことに対応している。

ここで，**2**点間の距離の公式はみんな覚えてるか？…，そう，たとえば $A(x_1, \ y_1)$, $B(x_2, \ y_2)$ の**2**点間の距離は $AB = \sqrt{(x_1 - x_2)^2 + (y_1 - y_2)^2}$ で求まるんだった。だから，

(i) $P(x, \ y)$, $F_1(1, \ 0)$ より，**2**点 P, F_1 間の距離 PF_1 は，

$$PF_1 = \sqrt{(x-1)^2 + (y-0)^2} = \sqrt{(x-1)^2 + y^2} \quad ……②$$ となり，

(ii) $P(x, \ y)$, $F_2(-1, \ 0)$ より，**2**点 P, F_2 間の距離 PF_2 は，

$$PF_2 = \sqrt{\{x-(-1)\}^2 + (y-0)^2} = \sqrt{(x+1)^2 + y^2} \quad ……③$$ となる。

よって，②，③を，$PF_1 + PF_2 = 4$ ……① に代入すると，

$$\sqrt{(x-1)^2 + y^2} + \sqrt{(x+1)^2 + y^2} = 4 \quad ……④$$ となる。

このように，①式で定義されている動点 $\mathbf{P}(x, y)$ の軌跡は，④の x と y の関係式で表され，これがだ円を表す式の原形なんだ。でも，これじゃまだ長ったらしいので，これを変形して，スッキリまとめて，"**だ円の方程式**" を導いてみようと思う。

　$\sqrt{}$ の式は，**2** 乗すればスッキリできるんだけれど，④の左辺は **2** つの $\sqrt{}$ の式の和になっているので，**1** つの $\sqrt{}$ の式を④の右辺に移項して，**2** 乗することにしよう。④を変形して，

$$\sqrt{(x-1)^2+y^2} = 4 - \sqrt{(x+1)^2+y^2}$$

この両辺を **2** 乗して，

$$(x-1)^2+y^2 = \left\{4-\sqrt{(x+1)^2+y^2}\right\}^2$$

公式：
$(a-b)^2 = a^2 - 2ab + b^2$
を使った！

$$\underbrace{(x-1)^2}_{x^2-2x+1}+y^2 = 16 - 8\sqrt{(x+1)^2+y^2} + \underbrace{(x+1)^2}_{x^2+2x+1}+y^2$$

$$-2x = 16 - 8\sqrt{(x+1)^2+y^2} + 2x$$

やった！ $\sqrt{}$ の式が **1** つになった！後は，これを左辺に移項し，他はすべて右辺に移項して，まとめよう！

$$8\sqrt{(x+1)^2+y^2} = 16 + 4x$$

この両辺を **4** で割って，

$$2\sqrt{(x+1)^2+y^2} = 4 + x$$

この両辺を **2** 乗して，

$$4\{\underbrace{(x+1)^2}_{x^2+2x+1}+y^2\} = \underbrace{(4+x)^2}_{16+8x+x^2}$$

$$4(x^2+2x+1+y^2) = 16 + 8x + x^2$$

$$4x^2 + 4 + 4y^2 = 16 + x^2$$

$$(4-1)x^2 + 4y^2 = 16 - 4$$

$$3x^2 + 4y^2 = 12$$

よって，この両辺を **12** で割ると，

$$\frac{3x^2}{12} + \frac{4y^2}{12} = 1$$

$\therefore \dfrac{x^2}{4}+\dfrac{y^2}{3}=1$ ……⑤　となって，スッキリとしただ円の方程式が求ま

るんだね。

フ〜，疲れたって？　そうだね。結構大変な変形だったからね。でも，これで虫ピンと糸と鉛筆で描いただ円を，方程式の形でキッチリ表すことができたんだよ。そして⑤の式から，より正確にだ円を xy 平面上に描くことができるんだ。つまり，

（ⅰ）$y=0$ のとき，⑤は，

$\dfrac{x^2}{4}+\dfrac{\cancel{0}^2}{3}=1 \qquad x^2=4$

$x=\pm\sqrt{4}=\pm 2$ となる。よって，この

だ円は 2 点 $(2, 0)$ と $(-2, 0)$ を通る。

（ⅱ）$x=0$ のとき，⑤は，

$\dfrac{\cancel{0}^2}{4}+\dfrac{y^2}{3}=1 \qquad y^2=3$

$y=\pm\sqrt{3}$ となる。よって，このだ円は

2 点 $(0, \sqrt{3})$ と $(0, -\sqrt{3})$ を通ることが分かる。

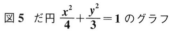

図5　だ円 $\dfrac{x^2}{4}+\dfrac{y^2}{3}=1$ のグラフ

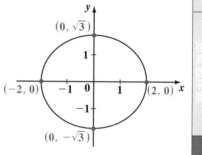

以上（ⅰ），（ⅱ）より，図 5 に示すように，xy 平面上に 4 点 $(2, 0)$，$(-2, 0)$，$(0, \sqrt{3})$，$(0, -\sqrt{3})$ を取って，これを滑らかな曲線で結べば，より正確なだ円を描けるんだね。このように，だ円は，x 軸に関して上下対称であり，また y 軸に関しても左右対称な滑らかな閉じた曲線なんだね。これで，横長だ円の例についての基本も分かったと思う。ン？横長だ円があるってことは，たて長だ円もあるのかって！？なかなかいい勘してるね。実はだ円の方程式は 1 種類なんだけれど，だ円には，横長だ円と，たて長だ円の 2 種類があることも，これから解説しよう。

● だ円には2種類がある！

一般に，原点 0 を中心とするだ円の方程式は $\dfrac{x^2}{a^2}+\dfrac{y^2}{b^2}=1$ $(a>0,\ b>0)$ で表されるんだよ。

これはさっきの計算と同様に $y=0$ のときの x 座標，$x=0$ のときの y 座標をそれぞれ求めることにより，4 点 $(a,\ 0)$，$(-a,\ 0)$，$(0,\ b)$，$(0,\ -b)$ を通るだ円を表しているんだね。これから，

(ⅰ) $a>b>0$ のとき，図 6 (ⅰ) に示すように "横長だ円" になり，また，

(ⅱ) $b>a>0$ のときは，図 6 (ⅱ) に示すように "たて長だ円" になる。

このように，だ円には横長とたて長の 2 通りのだ円があることを覚えておこう。

図 6　2 種類のだ円
(ⅰ) 横長だ円 $(a>b>0)$

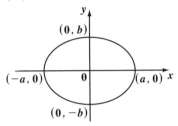

(ⅱ) たて長だ円 $(b>a>0)$

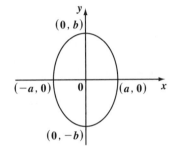

それでは，実際に次の練習問題で方程式を基に，だ円を描いてみよう。

練習問題 38	だ円のグラフ	CHECK 1	CHECK 2	CHECK 3

次の方程式で表されるだ円を xy 平面上に描け。

(1) $\dfrac{x^2}{9}+\dfrac{y^2}{4}=1$　　　　　　(2) $2x^2+y^2=4$

$y=0$ のときの x 座標，$x=0$ のときの y 座標を求めて，だ円が通る 4 点を押さえてそれを滑らかな曲線で結べばいいんだね。(1) は横長だ円，(2) はたて長だ円を表すことが分かると思う。

(1) $\dfrac{x^2}{9} + \dfrac{y^2}{4} = 1$ ……⑦ について，

> $\dfrac{x^2}{3^2} + \dfrac{y^2}{2^2} = 1$ より，$a=3$，$b=2$ で，$a>b$ だから，これは横長だ円だね。

・$y=0$ のとき⑦は，$\dfrac{x^2}{9}=1$，$x^2=9$

$\qquad \therefore x = \pm\sqrt{9} = \pm 3$

・$x=0$ のとき⑦は，$\dfrac{y^2}{4}=1$，$y^2=4$

$\qquad \therefore y = \pm\sqrt{4} = \pm 2$

以上より，⑦のだ円は 4 点 $(3,\ 0)$，

$(-3,\ 0)$，$(0,\ 2)$，$(0,\ -2)$ を通る，

右図のようなだ円である。

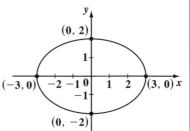

(2) $\dfrac{2x^2}{4} + \dfrac{y^2}{4} = 1$，$\dfrac{x^2}{2} + \dfrac{y^2}{4} = 1$ ……④ について，

> 与式の両辺を4で割った！

> $\dfrac{x^2}{(\sqrt{2})^2} + \dfrac{y^2}{2^2} = 1$ より，$a=\sqrt{2}$，$b=2$。$b>a$ だから，これはたて長だ円！

・$y=0$ のとき，$\dfrac{x^2}{2}=1$ $\qquad x^2=2$

$\qquad \therefore x = \pm\sqrt{2}$

・$x=0$ のとき，$\dfrac{y^2}{4}=1$ $\qquad y^2=4$

$\qquad \therefore y = \pm\sqrt{4} = \pm 2$

以上より，④のだ円は 4 点 $(\sqrt{2},\ 0)$，

$(-\sqrt{2},\ 0)$，$(0,\ 2)$，$(0,\ -2)$ を通る，

右図のようなだ円である。

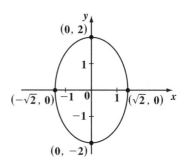

● だ円の公式を覚えよう！

それでは，**2**種類のだ円の公式について，その焦点の公式も含めて，下にまとめて示しておこう。

だ円の公式

だ円：$\dfrac{x^2}{a^2}+\dfrac{y^2}{b^2}=1$ $(a>0,\ b>0)$

（Ⅰ）$a>b$ のとき，横長だ円

- 中心：原点 $\mathrm{O}(0,\ 0)$
- 長軸の長さ $2a$，短軸の長さ $2b$
- 焦点 $\mathrm{F_1}(c,\ 0)$，$\mathrm{F_2}(-c,\ 0)$
  （ただし，$c=\sqrt{a^2-b^2}$）
- 曲線上の点を P とおくと，$\mathrm{PF_1+PF_2}=2a$ となる。

（Ⅱ）$b>a$ のとき，たて長だ円

- 中心：原点 $\mathrm{O}(0,\ 0)$
- 長軸の長さ $2b$，短軸の長さ $2a$
- 焦点 $\mathrm{F_1}(0,\ c)$，$\mathrm{F_2}(0,\ -c)$
  （ただし，$c=\sqrt{b^2-a^2}$）
- 曲線上の点を P とおくと，$\mathrm{PF_1+PF_2}=2b$ となる。

これから，練習問題 **38** の **2** つのだ円の焦点 $\mathrm{F_1}$，$\mathrm{F_2}$ の座標も，上の公式から導くことができる。

まず，**(1)** の横長だ円 $\dfrac{x^2}{\underset{(a^2)}{3^2}}+\dfrac{y^2}{\underset{(b^2)}{2^2}}=1$ の場合，$\underset{a>b}{a^2=3^2,\ b^2=2^2}$ より

公式 $c=\sqrt{a^2-b^2}$ を使うと，$c=\sqrt{3^2-2^2}=\sqrt{5}$ となるね。よって，このだ円の焦点 $\mathrm{F_1}$，$\mathrm{F_2}$ は共に x 軸上の点で，その座標は $\mathrm{F_1}(\underset{c}{\sqrt{5}},0),\mathrm{F_2}(\underset{-c}{-\sqrt{5}},0)$ となる。

(2) のたて長だ円 $\dfrac{x^2}{(\sqrt{2})^2}+\dfrac{y^2}{2^2}=1$ の場合は，$\underline{a^2=(\sqrt{2})^2,\ b^2=2^2}$ となる。よっ

$\boxed{b>a}$

て，公式 $c=\sqrt{b^2-a^2}$ を使って，$c=\sqrt{2^2-(\sqrt{2})^2}=\sqrt{4-2}=\sqrt{2}$ となるので，

このだ円の焦点 F_1, F_2 は共に y 軸上の点で $F_1(0,\ \sqrt{2})$, $F_2(0,\ -\sqrt{2})$ となる

んだね。

　エッ，何で焦点の座標に関係する c の値が，$\underline{c=\sqrt{a^2-b^2}}$ や $\underline{c=\sqrt{b^2-a^2}}$

$\boxed{横長だ円の場合}$　$\boxed{たて長だ円の場合}$

などで表されるのかが分からないって？　当然の疑問だ！　今回は，

(Ⅰ) $a>b$ の横長だ円の場合について，これからその理由を示しておこう。

　図7に示すように，2つの焦点 F_1, F_2

を $F_1(c,\ 0)$, $F_2(-c,\ 0)$ とおく。また，だ

円周上の点を $P(x,\ y)$ とおく。また，だ

円の定義から，

図7　だ円の方程式

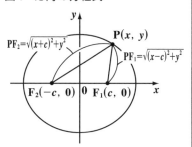

$$PF_1+PF_2=2a\ \cdots\cdots①\quad とおく。$$

$\boxed{一定の値}\ \longleftarrow\ \boxed{だ円の定義}$

2点間の距離の公式から，

・$PF_1=\sqrt{(x-c)^2+y^2}\ \cdots\cdots②$

・$PF_2=\sqrt{\{x-(-c)\}^2+y^2}=\sqrt{(x+c)^2+y^2}\ \cdots\cdots③\quad となる。$

②，③を①に代入して，

$$\sqrt{(x-c)^2+y^2}+\sqrt{(x+c)^2+y^2}=2a\ \cdots\cdots④$$

今回は一般論だから，a や c などの文字が入って難しそうに見えるけれど，

この④式の変形の仕方については，既にはじめに練習しているんだね。こ

れを変形すれば，だ円の公式 $\dfrac{x^2}{a^2}+\dfrac{y^2}{b^2}=1$ が導けるはずだ。頑張ろう！

④より，

$\boxed{この\ b\ は，a\ と\ c\ で表せるはず！}$

$$\sqrt{(x-c)^2+y^2}=2a-\sqrt{(x+c)^2+y^2}\longleftarrow\boxed{\begin{array}{l}2つの\ \sqrt{\ }\ の式があるので，1つを右辺に\\移項した。後は，この両辺の\ 2\ 乗だね。\end{array}}$$

163

$\sqrt{(x-c)^2+y^2}=2a-\sqrt{(x+c)^2+y^2}$ の両辺を 2 乗して，

$(x-c)^2+y^2=\left\{2a-\sqrt{(x+c)^2+y^2}\right\}^2$

$\boxed{(\alpha-\beta)^2=\alpha^2-2\alpha\beta+\beta^2}$

$\underbrace{(x-c)^2}+y^2=4a^2-4a\cdot\sqrt{(x+c)^2+y^2}+\underbrace{(x+c)^2+y^2}$

$\boxed{x^2-2cx+\cancel{c^2}}$　　　　　　$\boxed{x^2+2cx+\cancel{c^2}}$

$-2cx=4a^2-4a\sqrt{(x+c)^2+y^2}+2cx$

$4a\sqrt{(x+c)^2+y^2}=4a^2+4cx$　　　両辺を 4 で割って，

$a\sqrt{(x+c)^2+y^2}=a^2+cx$　　　この両辺を 2 乗して，

$a^2\underbrace{\{(x+c)^2+y^2\}}=(a^2+cx)^2$

　　$\boxed{x^2+2cx+c^2}$

$a^2(x^2+2cx+c^2+y^2)=a^4+2ca^2x+c^2x^2$

$a^2x^2+a^2c^2+a^2y^2=a^4+c^2x^2$

$(a^2-c^2)x^2+a^2y^2=a^4-a^2c^2$

$(a^2-c^2)x^2+a^2y^2=a^2(a^2-c^2)$

ここで，$a>c>0$ より，$a^2>0$ かつ $a^2-c^2>0$

よって，この両辺を $a^2(a^2-c^2)$ (>0) で割ると，

$\dfrac{(a^2-c^2)x^2}{a^2(a^2-c^2)}+\dfrac{a^2y^2}{a^2(a^2-c^2)}=1$

$\therefore \dfrac{x^2}{a^2}+\dfrac{y^2}{\boxed{a^2-c^2}}=1$　　となって，だ円の方程式が出てきた！

　　　　　　$\boxed{b^2}$

ここで，$a^2-c^2=b^2$ のことだから，$c^2=\underline{a^2-b^2}$

　　　　　　　　　　　$\boxed{\oplus\ (\because a>b)}$

ここで，$c>0$ より，この両辺の正の平方根をとって，$\boxed{c=\sqrt{a^2-b^2}}$
が導けるんだね。

　フ～，疲れたって？　そうだね。かなり大変な計算だったからね。たて
長だ円のときの c の公式 $c=\sqrt{b^2-a^2}$ も同様に導けるので，やる気のある
人はトライしてくれ。

では，だ円の平行移動についても，解説しておこう。

だ円 $\dfrac{x^2}{a^2}+\dfrac{y^2}{b^2}=1$ …① を x 軸方向に x_1，y 軸方向に y_1 だけ平行移動させたかったら，①の x の代わりに $x-x_1$ を，また y の代わりに $y-y_1$ を代入すればいい。つまり，次の模式図のようになるんだね。

$$\dfrac{x^2}{a^2}+\dfrac{y^2}{b^2}=1 \quad \xrightarrow[\substack{\cdot\ x\ \to\ x-x_1 \\ \cdot\ y\ \to\ y-y_1}]{\substack{(x_1,\ y_1)\ \text{だけ} \\ \text{平行移動}}} \quad \dfrac{(x-x_1)^2}{a^2}+\dfrac{(y-y_1)^2}{b^2}=1$$

では，例題で練習しておこう。

(ex1) $\dfrac{x^2}{9}+\dfrac{y^2}{4}=1$ …⑦ を $(-1,\ 2)$ だけ平行移動させたものを求めよう。

これは，⑦の x の代わりに $x-(-1)=x+1$ を，また y の代わりに $y-2$ を代入すればいいので，

$\dfrac{(x+1)^2}{9}+\dfrac{(y-2)^2}{4}=1$ となるんだね。大丈夫？

(ex2) 今度は，$4x^2+3y^2-16x+18y+31=0$ ……⑦ が，どのような図形であるか，調べてみよう。

⑦を変形すると

$(4x^2-16x)+(3y^2+18y)=-31$

$4(x^2-4x+\underline{4})+3(y^2+6y+\underline{9})=-31\underline{+16+27}$

> 左辺にこれをたした分
> 右辺にもたす！

（2で割って2乗）（2で割って2乗）

$4\underline{(x-2)^2}+3\underline{(y+3)^2}=12$ この両辺を12で割って，

（平方完成）（平方完成）

$\dfrac{(x-2)^2}{3}+\dfrac{(y+3)^2}{4}=1$ となる。

これは，たて長のだ円 $\dfrac{x^2}{3}+\dfrac{y^2}{4}=1$ を $(2,\ -3)$ だけ平行移動したものであることが分かったんだね。納得いった？

● 双曲線もマスターしよう！

それでは次，"双曲線"について解説しよう。双曲線では，文字通り左右または上下に双子のように対称な曲線が現れるんだよ。

（I）まず，y 軸に関して左右対称な双曲線の方程式は，

$$\frac{x^2}{a^2} - \frac{y^2}{b^2} = 1 \quad (a > 0, \ b > 0)$$ で与

えられる。このグラフを描くコツを言っておこう。

図 8 (ⅰ) に示すように，4 点 $(a, \ 0)$，$(-a, 0)$，$(0, b)$，$(0, -b)$ を通る長方形を点線で作り，その 2 本の対角線 $y = \frac{b}{a}x$ と $y = -\frac{b}{a}x$ を引く。

次に，図 8 (ⅱ) に示すように，点 $(a, \ 0)$ を通り x が大きくなると，2 つの直線 $y = \frac{b}{a}x$ と $y = -\frac{b}{a}x$ に近づくように上下対称に曲線を描く。そしてさらに左右対称に点 $(-a, \ 0)$ を通る同様の曲線を描けば，終了だ。

この $y = \frac{b}{a}x$ や $y = -\frac{b}{a}x$ のように，曲線が限りなく近づいていく直線のことを，"漸近線"と呼ぶことも覚えておこう。

図 8 左右対称の双曲線
（ⅰ）4 点を通る長方形を点線で作り，その対角線を引く。

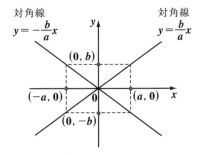

（ⅱ）点 $(a, 0)$ と点 $(-a, 0)$ を通る左右対称な曲線を描く。

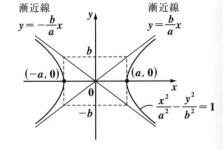

　そして，この左右対称な双曲線にも，2 つの**焦点 $F_1(c, \ 0)$ と $F_2(-c, \ 0)$** が存在し，この c の値は公式 $c = \sqrt{a^2 + b^2}$ で計算することができるんだ。

実は，双曲線 $\dfrac{x^2}{a^2} - \dfrac{y^2}{b^2} = 1$ は，図9に示

すように，2つの焦点 $F_1(c, 0)$ と $F_2(-c, 0)$

からの距離の差が一定の値 $2a$ となるよう

な動点 $P(x, y)$ の軌跡として，導かれるん

だよ。つまり， $\boxed{|PF_1 - PF_2| = 2a}$　が，こ

の双曲線の定義式だったんだ。

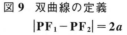

図9　双曲線の定義
$$|PF_1 - PF_2| = 2a$$

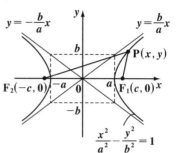

この定義式から， $PF_1 - PF_2 = \pm 2a$,

$\underbrace{PF_1}_{\sqrt{(x-c)^2+y^2}} = \underbrace{PF_2}_{\sqrt{(x+c)^2+y^2}} \pm 2a$　として，両辺を2乗して…と変形していけばいいんだね。

だ円のところで同様の計算をやったのでここでは略すけれど，その結果，

$$\dfrac{x^2}{a^2} - \dfrac{y^2}{\underbrace{c^2 - a^2}_{b^2 \text{のこと}}} = 1$$　が導けるんだ。

$\longrightarrow$ $\boxed{\text{これから，} c^2 - a^2 = b^2, \ c^2 = a^2 + b^2, \ c = \sqrt{a^2 + b^2} \text{となる。}}$

（Ⅱ）次，x 軸に関して上下対称な双曲線の方程式は，

$$\dfrac{x^2}{a^2} - \dfrac{y^2}{b^2} = -1 \quad (a > 0, \ b > 0)$$

上下対称な双曲線は
ここが -1 になる！

で与えられる。

このグラフの描き方は，4点 $(a, 0)$,

$(-a, 0)$, $(0, b)$, $(0, -b)$ を通る長方

形の対角線（漸近線）$y = \dfrac{b}{a} x$ と

$y = -\dfrac{b}{a} x$ を引くところまでは，左右の

双曲線と同じだ。

図10　上下対称な双曲線

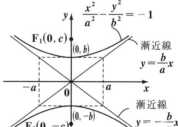

その後は，図 **10** に示すように，点 $(0,\ b)$ を通り，**2** 本の漸近線に近づく曲線を描き，これと x 軸に関して対称な，点 $(0,\ -b)$ を頂点とする曲線を描けば完成だ。

そして，この焦点も **2** つ存在し，いずれも y 軸上の点で，$F_1(0,\ c)$，$F_2(0,\ -c)$ とおくと c は公式　$c=\sqrt{a^2+b^2}$　で求めることができる。

それでは，以上のことを公式として下にまとめて示そう。

■ 双曲線の公式

（Ⅰ）左右対称な双曲線

$$\dfrac{x^2}{a^2}-\dfrac{y^2}{b^2}=1\quad(a>0,\ b>0)$$

・中心：原点 $O(0,\ 0)$

・頂点 $(a,\ 0)$，$(-a,\ 0)$

・焦点 $F_1(c,\ 0)$，$F_2(-c,\ 0)$

$\quad(c=\sqrt{a^2+b^2}\,)$

・漸近線：$y=\pm\dfrac{b}{a}x$

・曲線上の点を P とおくと，$|PF_1-PF_2|=2a$

（Ⅱ）上下対称な双曲線

$$\dfrac{x^2}{a^2}-\dfrac{y^2}{b^2}=-1\quad(a>0,\ b>0)$$

・中心：原点 $O(0,\ 0)$

・頂点 $(0,\ b)$，$(0,\ -b)$

・焦点 $F_1(0,\ c)$，$F_2(0,\ -c)$

$\quad(c=\sqrt{a^2+b^2}\,)$

・漸近線：$y=\pm\dfrac{b}{a}x$

・曲線上の点を P とおくと，$|PF_1-PF_2|=2b$

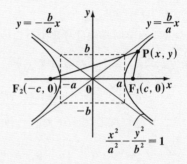

それでは，次の練習問題で，双曲線のグラフを描いてみよう。

練習問題 39 双曲線のグラフ CHECK *1* CHECK *2* CHECK *3*

次の方程式で表される双曲線の焦点の座標を求め，グラフを描け。

(1) $3x^2 - y^2 = 3$　　　　(2) $\dfrac{(x-1)^2}{4} - \dfrac{y^2}{5} = -1$

---

(1)は $\dfrac{x^2}{1^2} - \dfrac{y^2}{(\sqrt{3})^2} = 1$ と変形すれば，左右の双曲線であることが分かるね。(2)

は，右辺が -1 だから上下の双曲線であることが分かるけれど，これは，双

曲線 $\dfrac{x^2}{2^2} - \dfrac{y^2}{(\sqrt{5})^2} = -1$ を x 軸方向に 1 だけ平行移動したものであることに

も気を付けよう。

(1) $3x^2 - y^2 = 3$ の両辺を 3 で割って，

$$x^2 - \frac{y^2}{3} = 1 \text{ より，} \underbrace{\frac{x^2}{\underbrace{1^2}_{a^2}}}_{} - \underbrace{\frac{y^2}{\underbrace{(\sqrt{3})^2}_{b^2}}}_{} = 1$$

> 右辺が 1 より，これは
> 左右対称の双曲線だ。

これは，原点 0 を中心とする，左右

対称の双曲線だね。よって，$(\pm 1, 0)$

と $(0, \pm\sqrt{3})$ を通る長方形の対角線

$y = \sqrt{3}\,x$ と $y = -\sqrt{3}\,x$ を漸近線にも

ち，$(1, 0)$ と $(-1, 0)$ を頂点にもつ，

右図のような曲線が求める双曲線のグ

ラフになるんだ。

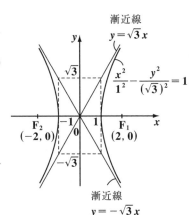

また，公式：$c = \sqrt{a^2 + b^2}$ より，

$$c = \sqrt{1^2 + (\sqrt{3})^2} = \sqrt{4} = 2$$

よって，この双曲線の 2 つの焦点 F_1，F_2 の座標は，

$F_1(2, 0)$，$F_2(-2, 0)$ となる。大丈夫だった？

(2) $\dfrac{x^2}{4}-\dfrac{y^2}{5}=-1$ $\xrightarrow[\substack{\text{平行移動}\\ \cdot\, x \to x-1}]{(1,0)\,だけ}$ $\dfrac{(x-1)^2}{4}-\dfrac{y^2}{5}=-1$ となるので,

> 右辺が-1より, これは
> 上下対称の双曲線だ!

まず $\dfrac{x^2}{4}-\dfrac{y^2}{5}=-1$, すなわち $\dfrac{x^2}{\boxed{2^2}}-\dfrac{y^2}{\boxed{(\sqrt{5})^2}}=-1$ のグラフと焦点の座

$\boxed{a^2}$ $\boxed{b^2}$

標を求めて, それを $(1,0)$ だけ平行移動すればいいんだね。

$\dfrac{x^2}{2^2}-\dfrac{y^2}{(\sqrt{5})^2}=-1$ のグラフは, 原点 0
を中心とする上下対称の双曲線となる。
よってまず, $(\pm 2,\,0)$, $(0,\,\pm\sqrt{5})$ を通
る長方形の対角線 $y=\pm\dfrac{\sqrt{5}}{2}x$ を引き,
これを漸近線とし, $(0,\,\sqrt{5})$ と $(0,\,-\sqrt{5})$
を頂点にもつ右のようなグラフを描け
ば, それがこの双曲線のグラフになる。
また, 公式 $c=\sqrt{a^2+b^2}$ より,
$c=\sqrt{2^2+(\sqrt{5})^2}=\sqrt{9}=3$
よって, この双曲線の 2 つの焦点 $F_1{}'$,
$F_2{}'$ の座標は $F_1{}'(0,\,3)$, $F_2{}'(0,\,-3)$ と
なる。よって, これを $(1,\,0)$ だけ平行
移動したものが, $\dfrac{(x-1)^2}{4}-\dfrac{y^2}{5}=-1$
のグラフであり, この焦点の座標は
$F_1(1,\,3)$, $F_2(1,\,-3)$ となる。以上を右
のグラフに示す。

これで, 双曲線の描き方にも慣れただろう。

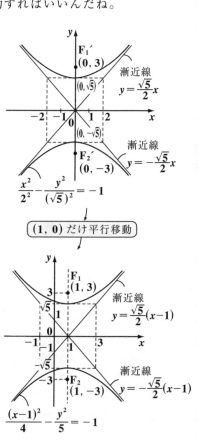

ここで，双曲線 $\dfrac{x^2}{a^2} - \dfrac{y^2}{b^2} = \pm 1$ …① の一般的な平行移動についても，ま

これが 1 のときは左右の双曲線で，−1 のときは上下の双曲線だね

とめて示しておこう。①を x 軸方向に x_1，y 軸方向に y_1 だけ平行移動させ

たかったら，①の x の代わりに $x - x_1$ を，また y の代わりに $y - y_1$ を代入

すれば，いいだけなんだね。模式図として，下に示しておくね。

$$\dfrac{x^2}{a^2} - \dfrac{y^2}{b^2} = \pm 1 \quad \xrightarrow[\text{平行移動}]{(x_1,\, y_1)\,\text{だけ}} \quad \dfrac{(x - x_1)^2}{a^2} - \dfrac{(y - y_1)^2}{b^2} = \pm 1$$

$$\begin{cases} \cdot\ x \to x - x_1 \\ \cdot\ y \to y - y_1 \end{cases}$$

これで，双曲線も上下・左右に自由に移動できる。

$(ex3)$ $3x^2 - 2y^2 + 6x + 8y - 11 = 0$ ……⑰　が，どのような図形であるか，

　　調べてみよう。

　　　⑰を変形すると

左辺にこれをたした（引いた）分
右辺にもこれをたす（引く）。

$$(3x^2 + 6x) - (2y^2 - 8y) = 11$$

$$3(x^2 + 2x + 1) - 2(y^2 - 4y + 4) = 11 + 3 - 8$$

2 で割って 2 乗　2 で割って 2 乗

$$3(x + 1)^2 - 2(y - 2)^2 = 6 \qquad \text{この両辺を 6 で割って，}$$

平方完成　平方完成

$\dfrac{(x + 1)^2}{2} - \dfrac{(y - 2)^2}{3} = 1$ となる。

これは，左右の双曲線 $\dfrac{x^2}{2} - \dfrac{y^2}{3} = 1$

を $(-1,\ 2)$ だけ平行移動したも

のであることが分かったんだね。

右に，そのグラフを示しておこう。

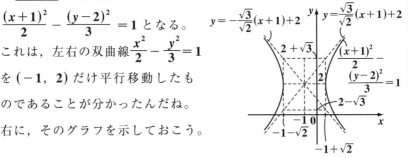

以上で，今日の講義は終了です。では，次回まで，放物線，だ円，双曲線の

基本をシッカリ復習しておこう。じゃあ，みんな元気でな。バイバイ…。

みんな，おはよう！ 今日はいい天気で，気持ちがいいねぇ！ それでは，"**式と曲線**"の**2**回目の講義に入ろう。前回，放物線，だ円，双曲線の基本について学習したけれど，これらの曲線をまとめて"**2次曲線**"ということも覚えておこう。今回は，だ円を中心に，この**2**次曲線の応用について詳しく教えようと思う。

エッ，応用になると，難しいんじゃないかって!?　大丈夫だよ！ 今回も初めから分かりやすく教えるからね。気を楽に，この**2**次曲線もさらに深めていってくれたらいいんだよ。

では，まず，単位円とだ円の関係から解説を始めよう！

●　単位円からだ円に変換してみよう！

図**1**に示すように，原点を中心とする半径**1**の円を単位円といい，この方程式は当然

$$x^2 + y^2 = 1 \quad \cdots\cdots ①$$

となるんだね。

ここで，この単位円が描かれているxy座標平面が，ゴムのように伸縮自在な素材で

図**1**　単位円とだ円の関係（I）

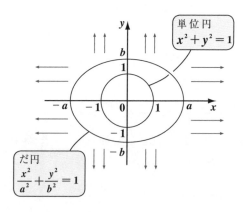

単位円
$x^2 + y^2 = 1$

だ円
$$\dfrac{x^2}{a^2} + \dfrac{y^2}{b^2} = 1$$

できているとすると，①の単位円をx軸方向にa倍だけビヨーンと，また，y軸方向にb倍だけビヨーンと<u>拡大</u>（または，<u>縮小</u>）したものが，だ円

<u>$a > 1$, $b > 1$ のとき</u>　　　<u>$0 < a < 1$, $0 < b < 1$ のとき</u>

$$\dfrac{x^2}{a^2} + \dfrac{y^2}{b^2} = 1 \quad \cdots\cdots ② \quad (a > 0, \ b > 0) \quad になるんだね。$$

ン？　なんか信じられんって!?　いいよ，数学的にキチンと確認しておこう。

まず，単位円周上の点 P を $P(s, t)$ と

おこう。すると，これは，①をみたす

ので，x に s，y に t を代入して成り

立つ。よって，

図 2　単位円とだ円の関係 (Ⅱ)

$s^2 + t^2 = 1$ ……①′　となるね。

ここで，図 2 に示すように，この点

$P(s, t)$ を x 軸方向に a 倍したものを

新たに x，また y 軸方向に b 倍した

ものを新たに y とおこう。すると，

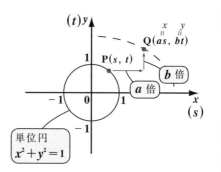

$$\begin{cases} x = as \\ y = bt \end{cases} \cdots\cdots ③ \quad \text{となる。}$$

この x と y の関係式を求めれば，それがだ円②の方程式となることを示せばいいんだ！

③より，$\begin{cases} s = \dfrac{x}{a} \\ t = \dfrac{y}{b} \end{cases}$　……③′　となるので，③′を①′に代入すると，

$\left(\dfrac{x}{a}\right)^2 + \left(\dfrac{y}{b}\right)^2 = 1$　となって，ナルホド，だ円の方程式

$\dfrac{x^2}{a^2} + \dfrac{y^2}{b^2} = 1$ ……②　が導けるんだね。つまり，単位円を x 軸方向に

a 倍，y 軸方向に b 倍だけ拡大 (または，縮小) したものがだ円になるこ

とが，これで示せたんだね。大丈夫だった？

　これはまた，"**曲線の媒介変数表示**" のところ (**P190**) でも解説するので，

よく頭に入れておいてくれ。

●　半径 a の円とだ円の関係も押さえておこう！

　では次，原点 0 を中心とする半径 a の円：$x^2 + y^2 = a^2$ …… ㋐　$(a > 0)$

とだ円：$\dfrac{x^2}{a^2} + \dfrac{y^2}{b^2} = 1$ …… ㋑ $(a > 0,\ b > 0)$　との関係も解説しておこう。

結論を先に言えば，㋐の円を，y 軸方向に $\dfrac{b}{a}$ 倍だけ縮小 (または，拡大)

173

したものが，④のだ円になる。

図 3 に示すように，

$$x^2 + y^2 = a^2 \cdots\cdots ⑦$$ の円周

上の点を $\mathrm{P}(s, t)$ とおくと，

⑦ の x, y にそれぞれ s, t

を代入して成り立つので，

$$s^2 + t^2 = a^2 \cdots\cdots ⑦´$$

となるね。

図 3 半径 a の円とだ円

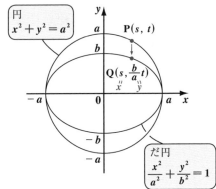

円
$x^2 + y^2 = a^2$

だ円
$\dfrac{x^2}{a^2} + \dfrac{y^2}{b^2} = 1$

次に，この点 P を y 軸方向にのみ $\dfrac{b}{a}$ 倍だけ縮小（または，拡大）した

$$0 < \frac{b}{a} < 1 \text{ のとき}$$ $$1 < \frac{b}{a} \text{ のとき}$$

点を $\mathrm{Q}(x, y)$ とおくと，

$$\begin{cases} x = s \\ y = \dfrac{b}{a}\, t \end{cases} \cdots\cdots ⑨ \quad となる。$$

このxとyの関係式を求めて，それが，だ円 $\dfrac{x^2}{a^2} + \dfrac{y^2}{b^2} = 1 \cdots\cdots ④$ となることを示せばいい！

⑨ より，$\begin{cases} s = x \\ t = \dfrac{a}{b}\, y \end{cases} \cdots\cdots ⑨´$ となるので，⑨´ を ⑦´ に代入すると，

$$x^2 + \left(\frac{a}{b}\, y\right)^2 = a^2 \qquad x^2 + \frac{a^2 y^2}{b^2} = a^2 \qquad 両辺を a^2 で割って，$$

だ円の方程式 $\dfrac{x^2}{a^2} + \dfrac{y^2}{b^2} = 1 \cdots\cdots ④$ が導かれるんだね。大丈夫？

では，練習問題を 1 題やっておこう。

練習問題 40	円とだ円の関係	CHECK 1	CHECK 2	CHECK 3

円：$x^2 + y^2 = 25$ を，y 軸方向に $\dfrac{3}{5}$ 倍に縮小して得られる曲線の方程式を求めよ。

まず，円周上の点 P を $\mathrm{P}(s, t)$ とおくことから，始めればいいんだね。

まず, 円 : $x^2+y^2=25$ ……① 上の点 P を $P(s, t)$ とおくと, s, t は $s^2+t^2=25$ ……①´ をみたす。

次に, 点 $P(s, t)$ を, y 軸方向に $\dfrac{3}{5}$ 倍だけ縮小した点を $Q(x, y)$ とおくと,

$$\begin{cases} x=s \\ y=\dfrac{3}{5}t \end{cases} \quad\text{……②} \quad \text{よって,} \quad \begin{cases} s=x \\ t=\dfrac{5}{3}y \end{cases} \quad\text{……②´} \quad \text{となる。}$$

②´ を①´ に代入して, 点 Q の描く図形を求めると,

$$x^2+\left(\frac{5}{3}y\right)^2=25 \qquad x^2+\frac{25y^2}{9}=25 \qquad \text{両辺を 25 で割って,}$$

だ円の式 : $\dfrac{x^2}{25}+\dfrac{y^2}{9}=1$ が導かれる。

これが, 求める曲線 (だ円) の方程式なんだね。納得いった？

● 2次曲線の軌跡にもチャレンジしよう！

ある条件をみたしながら動く動点 $P(x, y)$ の軌跡が, だ円や双曲線などの 2 次曲線となる典型的な問題にもチャレンジしてみよう。これについては, 練習問題で実際に解いてみることが一番良いと思う。

練習問題 41	軌跡とだ円(Ⅰ)	CHECK 1	CHECK 2	CHECK 3

長さ 4 の線分 AB の端点 A は x 軸上を, また端点 B は y 軸上を動くものとする。このとき, 線分 AB を 1 : 3 に内分する点 P の軌跡を求めよ。

題意より, $A(s, 0)$, $B(0, t)$, $\sqrt{s^2+t^2}=4$ とおくと, 話が見えてくるはずだ。

点 A は x 軸上の点, 点 B は y 軸上の点より, $A(s, 0)$, $B(0, t)$ とおける。また, 線分 AB の長さが 4 より

$$AB=\sqrt{s^2+t^2}=4$$

$$\therefore s^2+t^2=16 \text{……①} \quad \text{となる。}$$

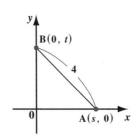

ここで，線分 AB を 1：3 に内分
する点を P(x, y) とおくと，内分
点の公式より

$$\begin{cases} x = \dfrac{3 \cdot s + 1 \cdot 0}{1+3} \\ y = \dfrac{3 \cdot 0 + 1 \cdot t}{1+3} \end{cases}$$

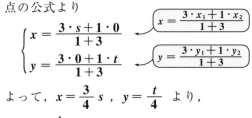
$x = \dfrac{3 \cdot x_1 + 1 \cdot x_2}{1+3}$

$y = \dfrac{3 \cdot y_1 + 1 \cdot y_2}{1+3}$

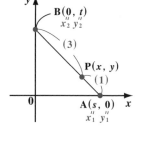

よって，$x = \dfrac{3}{4}s$，$y = \dfrac{t}{4}$ より，

$$\begin{cases} s = \dfrac{4}{3}x \quad \cdots\cdots② \quad となる。 \\ t = 4y \end{cases}$$

よって，②を $s^2 + t^2 = 16 \cdots\cdots①$ に代入すると

$$\left(\dfrac{4}{3}x\right)^2 + (4y)^2 = 16 \qquad \dfrac{16\,x^2}{9} + 16y^2 = 16$$

両辺を 16 で割ると，動点 P(x, y)
の軌跡が，だ円

$$\dfrac{x^2}{9} + y^2 = 1 \quad となることが分かる。$$

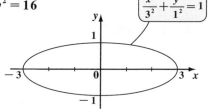

P の軌跡
$\dfrac{x^2}{3^2} + \dfrac{y^2}{1^2} = 1$

| **練習問題 42** | 軌跡とだ円 (Ⅱ) | CHECK *1* | CHECK *2* | CHECK *3* |

動点 P(x, y) は，P と直線 $x = -3$ との間の距離が，P と原点 O との
間の距離の常に **2** 倍となるように動くものとする。このとき，動点 P
の軌跡の方程式を求めよ。

条件より，図を描いて，$|x+3| = 2\sqrt{x^2 + y^2}$ となることを導けばいいよ。

・動点 P(x, y) と直線 $x = -3$ との間の距離は，P から直線 $x = -3$ に下
した垂線の足を H とおくと，次の図より，

$$\text{PH} = |x - (-3)| = |x + 3| \quad \cdots\cdots① \quad である。$$

x と -3 との大小関係が変化してもいいように，絶対値をつけた。

・動点 $P(x, y)$ と原点 $O(0, 0)$ との間の

距離は,

$$\underline{OP} = \sqrt{x^2 + y^2} \quad \cdots\cdots ② \quad \text{である。}$$

条件より, $PH : OP = 2 : 1$ より,

$$\underline{PH} = 2 \cdot \underline{OP} \quad \cdots\cdots ③$$

③に①と②を代入してまとめると,

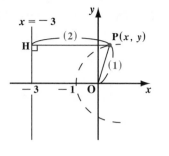

$$|x+3| = 2\sqrt{x^2 + y^2} \qquad \text{両辺を 2 乗して}$$

$$|x+3|^2 = 4(x^2 + y^2) \qquad x^2 + 6x + 9 = 4x^2 + 4y^2$$

$$\boxed{(x+3)^2 = x^2 + 6x + 9}$$

> 左辺に3をたした
> 分, 右辺にもたす

$$3x^2 - 6x + 4y^2 = 9 \qquad 3(x^2 - 2x + 1) + 4y^2 = 9 + 3$$

> 2 で割って2乗

$$3(x-1)^2 + 4y^2 = 12 \qquad \text{両辺を 12 で割って,}$$

求める動点 $P(x, y)$ の軌跡は,

だ円

$$\frac{(x-1)^2}{4} + \frac{y^2}{3} = 1 \quad \text{と}$$

> P の軌跡
> $$\frac{(x-1)^2}{4} + \frac{y^2}{3} = 1$$

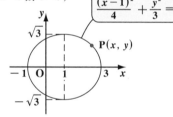

なるんだね。納得いった?

では次, 軌跡が双曲線となる問題も解いてみよう。

練習問題 43	軌跡と双曲線	CHECK *1*	CHECK *2*	CHECK *3*

動点 $P(x, y)$ は, P と原点 O との間の距離が, P と直線 $x = -3$ との

間の距離の常に 2 倍となるように動くものとする。このとき, 動点 P

の軌跡の方程式を求めよ。

練習問題 42 と条件が逆になっているので, $\sqrt{x^2 + y^2} = 2|x+3|$ が導かれる

はずだ。後は, これをまとめると, 双曲線の方程式が導けるはずだ。頑張って,

解いてみてごらん。

・動点 $P(x, y)$ と原点 $O(0, 0)$ との間の距離は,

$$\underline{\underline{OP}} = \underline{\underline{\sqrt{x^2 + y^2}}} \quad \cdots\cdots ① \quad \text{である。}$$

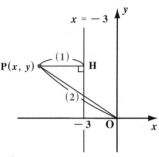

・動点 $P(x, y)$ と直線 $x = -3$ との間の距離は, P から直線 $x = -3$ に下した垂線の足を H とおくと,

$$\underline{\underline{PH}} = |-3 - x| = \underline{\underline{|x + 3|}} \quad \cdots\cdots ② \quad \text{である。}$$

$\boxed{-3 \text{ と } x \text{ との大小関係が変化してもいいように, 絶対値をつけた。}}$

条件より, $\overset{\frown}{OP} : \underset{\sim\sim}{PH} = 2 : 1$ より,

$$\underline{\underline{OP}} = 2 \cdot \underline{\underline{PH}} \quad \cdots\cdots ③$$

③に①と②を代入してまとめると,

$$\underline{\underline{\sqrt{x^2 + y^2}}} = 2|x + 3| \qquad \text{両辺を 2 乗して}$$

$$x^2 + y^2 = 4\underbrace{|x + 3|^2}$$

$$\boxed{(x + 3)^2 = x^2 + 6x + 9}$$

$$x^2 + y^2 = 4(x^2 + 6x + 9) \qquad x^2 + y^2 = 4x^2 + 24x + 36$$

$$3x^2 + 24x - y^2 = -36$$

$$3(x^2 + 8x + \underline{16}) - y^2 = -36 + \underline{\underline{48}}$$

$\boxed{2 \text{ で割って 2 乗}}$ $\qquad$ $\boxed{\text{左辺に 48 をたした分, 右辺にもたす}}$

$$3(x + 4)^2 - y^2 = 12$$

両辺を 12 で割って, 求める動点 $P(x, y)$ の軌跡は双曲線

$$\frac{(x + 4)^2}{4} - \frac{y^2}{12} = 1$$

となるんだね。右に, そのグラフも示しておこう。どう? 面白かった?

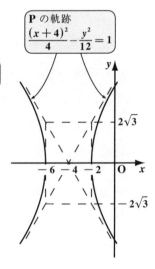

$\boxed{\begin{array}{c} P \text{ の軌跡} \\ \dfrac{(x + 4)^2}{4} - \dfrac{y^2}{12} = 1 \end{array}}$

● 2次曲線と直線との位置関係を調べよう！

では，最後に，2次曲線(放物線，だ円，双曲線)と直線との位置関係についても解説しよう。一般論でいうと，

$$
\begin{cases}
\underline{(\text{2次曲線の方程式})}\cdots\cdots① \quad と \\[4pt]
\boxed{たとえば，y^2=4px，\dfrac{x^2}{a^2}+\dfrac{y^2}{b^2}=1，\dfrac{x^2}{a^2}-\dfrac{y^2}{b^2}=\pm1 \text{ など。}} \\[4pt]
\text{直線：} y=mx+n\cdots\cdots② \quad との位置関係は，
\end{cases}
$$

①と②から y を消去して，x の2次方程式にもち込み，その判別式を D とおくと，次のようになるんだね。

$$
\begin{cases}
(\,\mathrm{i}\,)\ D>0 \text{ のとき，異なる2点で交わる。} \\[3pt]
(\,\mathrm{ii}\,)\ D=0 \text{ のとき，接する。} \\[3pt]
(\,\mathrm{iii}\,)\ D<0 \text{ のとき，共有点をもたない。}
\end{cases}
$$

> 問題によっては，①，②から x を消去して，y の2次方程式にもち込み，その判別式 D をとって，同様に調べてもいいよ。

ン？ 具体的に練習したいって？ いいよ，次の練習問題を解いてみよう。

| 練習問題 44 | だ円と直線 | CHECK 1 | CHECK 2 | CHECK 3 |

だ円：$\dfrac{x^2}{2}+\dfrac{y^2}{4}=1$ ……① と，直線 $y=x+k$ ……② との共有点の個数を，実数 k の値の範囲によって分類せよ。

①，②より y を消去して，x の2次方程式にもち込み，その判別式を D とおいて，$(\,\mathrm{i}\,)\,D>0$，$(\,\mathrm{ii}\,)\,D=0$，$(\,\mathrm{iii}\,)\,D<0$ の3つの場合に分類すればいいんだね。

①の両辺に 4 をかけて，$2x^2+y^2=4$ ……①′　この①′と

直線 $y=x+k$ ……② より y を消去すると，$2x^2+(x+k)^2=4$

$$2x^2+x^2+2kx+k^2=4$$

$$\underset{\boxed{a}}{3x^2}+\underset{\boxed{2b'}}{2kx}+\underset{\boxed{c}}{k^2-4}=0$$

> $ax^2+2b'x+c=0$ の判別式を D とおくと，$\dfrac{D}{4}=b'^2-ac$ だね。この $\dfrac{D}{4}$ の $\oplus$，⓪，$\ominus$ で分類してももちろん同じことだ。

この判別式を D とおくと，

$$\frac{D}{4}=k^2-3(k^2-4)=-2k^2+12 \quad となる。よって，$$

179

(ⅰ) $\dfrac{D}{4} = -2k^2 + 12 > 0$ ，すなわち $-2k^2 + 12 > 0$ のとき，

両辺を -2 で割って， $k^2 - 6 < 0$ より， $\left(k + \sqrt{6}\right)\left(k - \sqrt{6}\right) < 0$

両辺を $\ominus$ の数で割ると，不等号の向きが変わる。

$\therefore -\sqrt{6} < k < \sqrt{6}$ のとき，異なる 2 交点をもつ。

(ⅱ) $\dfrac{D}{4} = -2k^2 + 12 = 0$ ，すなわち $-2k^2 + 12 = 0$ のとき，

$k^2 = 6$ $\quad \therefore k = \pm\sqrt{6}$ のとき，1 点で接する。

(ⅲ) $\dfrac{D}{4} = -2k^2 + 12 < 0$ ，すなわち $-2k^2 + 12 < 0$ のとき，

$k^2 - 6 > 0$ $\quad \left(k + \sqrt{6}\right)\left(k - \sqrt{6}\right) > 0$

$\therefore k < -\sqrt{6}$ ，または $\sqrt{6} < k$ のとき，共有点をもたない。

以上より，

だ円： $\dfrac{x^2}{\left(\sqrt{2}\right)^2} + \dfrac{y^2}{2^2} = 1$ と

直線 $y = x + k$ との

共有点の個数は，

(ⅰ) $-\sqrt{6} < k < \sqrt{6}$ のとき

2 個

(ⅱ) $k = \pm\sqrt{6}$ のとき

1 個

(ⅲ) $k < -\sqrt{6}$ ，$\sqrt{6} < k$ のとき

0 個 である。

右にグラフを示しておいたので確認してくれ。

| 練習問題 45 | 放物線と直線 | CHECK 1 | CHECK 2 | CHECK 3 |

放物線： $y^2 = 4x$ ……① と，直線 $y = x + k$ ……② との共有点の個数を，実数 k の値の範囲によって分類せよ。

今回は，x を消去して，y の 2 次方程式にもち込む方が計算が楽だね。

$y^2 = 4x$ ……① と，$x = y - k$ ……②′ から x を消去して，

$$y^2 = 4(y - k) \qquad 1 \cdot y^2 - 4y + 4k = 0$$

このyの2次方程式の判別式を D とおくと，

$$\frac{D}{4} = (-2)^2 - 1 \cdot 4k = 4 - 4k = 4(1 - k) \quad \text{となる。よって，}$$

(ⅰ) $\dfrac{D}{4} = 4(1 - k) > 0$，すなわち $4(1 - k) > 0$ のとき，

$\quad 1 - k > 0 \qquad \therefore k < 1$ のとき，異なる2点で交わる。

(ⅱ) $\dfrac{D}{4} = 4(1 - k) = 0$，すなわち $4(1 - k) = 0$ のとき，

$\quad 1 - k = 0 \qquad \therefore k = 1$ のとき，1点で接する。

(ⅲ) $\dfrac{D}{4} = 4(1 - k) < 0$，すなわち $4(1 - k) < 0$ のとき，

$\quad 1 - k < 0 \qquad \therefore 1 < k$ のとき，共有点をもたない。

以上より，①の放物線と
②の直線との共有点の
個数は，

(ⅰ) $k < 1$ のとき，2 個
(ⅱ) $k = 1$ のとき，1 個
(ⅲ) $1 < k$ のとき，0 個
となるんだね。右の図も
参考にするといいよ。

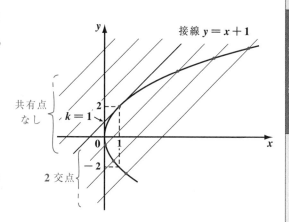

以上で，2次曲線の応用の講義もオシマイだ。今日も，内容が濃かった
から，何度でも納得がいくまで，復習してくれ。この反復練習こそが，本
物の実力を身に付けるコツなんだからね。

じゃ，次回まで，みんな元気でな。また，次回会おう！ さようなら。

13th day　媒介変数表示された曲線

　みんな，おはよう！　前回まで放物線，だ円，双曲線について様々な勉強をしたけどシッカリ復習はやってるね。習ったことを復習して基礎を固めることにより，次のステップに入っていけるんだからね。

　さて，今日の講義では"媒介変数 表示された曲線"について，解説しようと思う。エッ，言葉が難しそうで，引きそうって!?　大丈夫だよ。媒介変数とは，2つの変数 x と y の仲を取り持つ仲人さん (?) のような変数のことなんだ。また具体的に分かりやすく解説するから，必ず理解できるはずだよ。それに前回学習しただ円もまた登場することになるので，だ円の意味をより深く理解できるようにもなると思うよ。

　サァ，それじゃ，早速講義を始めよう！

● 媒介変数って，仲人さん！？

　2 次関数 $y = x^2 + x - 2$ や三角関数 $y = 2\sin x$ など $y = f(x)$ の形で表される関数のことを"陽関数"といい，だ円 $\dfrac{x^2}{4} + \dfrac{y^2}{5} = 1$ や双曲線 $\dfrac{x^2}{3} - \dfrac{y^2}{2} = -1$，それに $\underline{x^2 + xy + y^2 = 1}$ など，x と y が入り組んで，$y = f(x)$ の形では表せな

> これが高校レベルでどんな曲線になるかは分からなくてもいいよ。
> 本当は，原点のまわりに 45° 回転すれば，だ円であることがわかるんだけどね。

いものを"陰関数"というんだよ。このように，xy 平面上の曲線の多くは，陽関数や陰関数で表すことができるんだけれど，これ以外にも，"媒介変数"によって曲線を表すこともできる。この"媒介変数表示された曲線"について，これから詳しく解説していこう。

xy 座標平面上の曲線で,

$$\begin{cases} x = f(t) \\ y = g(t) \end{cases}$$ のように, x も y も共に t の関数として表される場合,

この t を "**媒介変数**" と呼び, この曲線のことを "**媒介変数表示された曲線**"

という。

　抽象的で分かりにくいって？　いいよ，具体例で話そう。

(ex) xy 平面上で，曲線が，

$$\begin{cases} x = 2t & \cdots\cdots ㋐ \\ y = -t^2 + 1 & \cdots\cdots ㋑ \end{cases}$$ で表されるとき，

x も y も t の関数となっているので，これは媒介変数 t で表された

曲線なんだね。

　エッ，この曲線を具体的にどう求めるのかって？　それは，t にあ

る値を代入すると，㋐，㋑より x と y の座標が決まるので，xy 平面

上にポツンと 1 つ点が与えられる。また，別の t の値を代入すると，

㋐，㋑より別の点がポツンと決まる。このようにして t の値を変化さ

せながら，xy 平面上にポツン，ポツンと点をとっていき，それらを

<u>滑らかな曲線で結べ</u>ば，㋐，㋑で与えられる曲線が描けるんだね。

（実際には，とがったりする場合もあるんだけどね。）

　たとえば，

(ⅰ) $t = -1$ のとき，㋐，㋑より　$x = 2 \cdot (-1) = -2$, $y = -(-1)^2 + 1 = 0$

　　∴この曲線は点 $(-2, 0)$ を通る。 ←（1つ目のポツン！）

(ⅱ) $t = 0$ のとき，㋐，㋑より　$x = 2 \cdot 0 = 0$, $y = -0^2 + 1 = 1$

　　∴この曲線は点 $(0, 1)$ を通る。　←（2つ目のポツン）

(ⅲ) $t = 1$ のとき，㋐，㋑より　$x = 2 \cdot 1 = 2$, $y = -1^2 + 1 = 0$

　　∴この曲線は点 $(2, 0)$ を通る。　←（3つ目のポツン）

(ⅳ) $t = 2$ のとき，㋐，㋑より　$x = 2 \cdot 2 = 4$, $y = -2^2 + 1 = -3$

　　∴この曲線は点 $(4, -3)$ を通る。←（4つ目のポツン）

183

以上（ i ）〜（ iv ）より，

$$\begin{cases} x = 2t & \cdots\cdots\text{⑦} \\ y = -t^2 + 1 & \cdots\cdots\text{⑦} \end{cases} \text{ で表される}$$

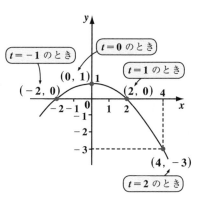

図1 媒介変数表示された曲線

曲線は，$(-2,\ 0)$, $(0,\ 1)$, $(2,\ 0)$, $(4,\ -3)$ を通るので，これらを滑らかな曲線で結んで，図1に示すような曲線になることが分かるんだね。納得いった？ ⑦，⑦により，x と y は変数 t を媒介して（仲立ちとして）結ばれているので，変数 t のことを媒介変数と呼ぶんだね。つまり，変数 t とは，x と y の仲をとりもつ仲人（なこうど）さんってわけなんだ。

エッ，x と y の関係式を直接求めた方が分かりやすいから媒介変数 t はじゃまじゃないのかって？ そうだね。だからできることならば「じゃま者は消せ！」ということで t を消去して直接 x と y

キャ！ マフィアだ!!

の関係式を求められる場合もある。

今回の例では，⑦より $t = \dfrac{x}{2}$ $\cdots\cdots$⑦′とできるので，これを⑦に代入すれば，

$$y = -\left(\frac{x}{2}\right)^2 + 1 \quad \therefore y = -\frac{1}{4}x^2 + 1 \quad \cdots\cdots\text{⑦} \quad \text{となって，} t \text{は消去され}$$

て，x と y の関係式がスグ求まる。⑦から，求める曲線の正体は点 $(0,\ 1)$ を頂点とする上に凸の放物線だったんだ。このことは，図1のグラフからも，よく分かるね。

でも，たとえば，$x = t^3 - 2\cos t$, $y = \sqrt{t} + t^2$ (t：媒介変数) などと与えられたなら，簡単に t は消去できないから，t の値を変化させながら，ポツン，ポツン …と xy 平面上に点を求めて，曲線を描いていくやり方は，原始的(?)かも知れないけど，有効な手法なんだよ。

184

ここで，媒介変数は何も t でなくてもかまわない。同じ $(ex1)$ の曲線を

$$\begin{cases} x = 2u \\ y = -u^2 + 1 \ (u：媒介変数) \ と表しても \end{cases}$$

$$\begin{cases} x = 2\theta \\ y = -\theta^2 + 1 \ (\theta：媒介変数) \ と表してもかまわないんだ。つまり，媒介 \end{cases}$$

変数に使う文字は，x，y 以外であれば t でも u でも θ でも，なんでもかまわないんだね。大丈夫？

● 円を媒介変数表示してみよう！

原点を中心とする半径 r の円の方程式は，みんな覚えてるね。…，そう，

$x^2 + y^2 = r^2$ $(r：半径)$ だね。
⌣（⊕の定数）

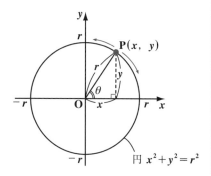

図2 円の媒介変数表示

この円を図2に示す。そしてこ
の円周上に動点 $\mathrm{P}(x, y)$ をとり，
動径 OP と x 軸の正の向きとの
⌣（回転して動く半径のこと）
なす角を θ とおくと，三角関数の
定義から，

$\dfrac{x}{r} = \cos\theta$，$\dfrac{y}{r} = \sin\theta$ となるので，

これから $x = r \cdot \cos\theta$，$y = r \cdot \sin\theta$ と表すことができる。
⌣（定数）⌣（変数）⌣（定数）⌣（変数）

ここで，半径 r は定数だけど，点 P は円周上をクルクル動く点なので，

θ は変数なんだね。そして，この変数 θ は x と y の仲をとりもつ変数だから …，そう，媒介変数になっているんだね。つまり，原点を中心とする

円を媒介変数表示すると，

$$\begin{cases} x = r\cos\theta \\ y = r\sin\theta \ (\theta：媒介変数) \ となるんだ。納得いった？ \end{cases}$$

円の媒介変数表示

円：$x^2+y^2=r^2$ $(r$：半径$)$ を媒介変数を使って表すと，

$$\begin{cases} x = r\cos\theta \\ y = r\sin\theta \quad (\theta：媒介変数，r：正の定数) となる。 \end{cases}$$

ここで，$x^2+y^2=r^2$ ……㋐，$x=r\cos\theta$ ……㋑，$y=r\sin\theta$ ……㋒ とおこう。そして，円を媒介変数表示した式㋑と㋒を，元の円の方程式㋐に代入してごらん。すると，

$$\underbrace{(r\cos\theta)^2}_{r^2\cos^2\theta}+\underbrace{(r\sin\theta)^2}_{r^2\sin^2\theta}=r^2 \qquad r^2\cos^2\theta+r^2\sin^2\theta=r^2$$

となるので，この両辺を $r^2(>0)$ で割ると，三角関数の基本公式

$\cos^2\theta+\sin^2\theta=1$ が導かれるのが分かるだろう。数学って本当によく出来てるんだね。

このカラクリが分かると，図3に示すようなもっと一般的な，中心が $A(a, b)$，半径 $r(>0)$ の円 $\underline{(x-a)^2+(y-b)^2=r^2}$ の媒介変数表示もできるようになるんだよ。

$$\boxed{x^2+y^2=r^2 \xrightarrow[\substack{平行移動 \\ \begin{cases} x \to x-a \\ y \to y-b \end{cases}}]{(a, b) だけ} (x-a)^2+(y-b)^2=r^2}$$

図3 円 $(x-a)^2+(y-b)^2=r^2$ の媒介変数表示

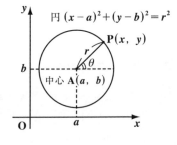

最終的に $\cos^2\theta+\sin^2\theta=1$ となるようにすればいいだけなんだ。だから，

$(x-a)^2+(y-b)^2=r^2$ について，平行移動項の a と b が，㊉，㊀で打ち消し

$\underbrace{(r\cos\theta+a)}\underbrace{(r\sin\theta+b)}$

合うようにして，媒介変数表示すればいい。よって，

円 $(\underline{x-a})^2+(\underline{y-b})^2=r^2$ ……㊀ の媒介変数表示は

$$\begin{cases} x = \underline{r\cos\theta + a} & ……㋒ \\ y = \underline{r\sin\theta + b} & ……㋕ \end{cases} \quad (\theta : 媒介変数, \ r : 正の定数) となる。$$

実際に㋒と㋕を㊀に代入すると，

$(r\cos\theta \cancel{+a} \cancel{-a})^2 + (\underline{r\sin\theta \cancel{+b} \cancel{-b}})^2 = r^2$

a 同士 b 同士が，⊕，⊖で打ち消し合って，ウマクいった！

$r^2\cos^2\theta + r^2\sin^2\theta = r^2$ 　　両辺を r^2 で割って，ナルホド，

$\cos^2\theta + \sin^2\theta = 1$ 　が導けて **OK** なんだね。納得いった？

　それでは，円の媒介変数表示を次の練習問題で練習してみよう。

練習問題 46 　　円の媒介変数表示 　　CHECK **1** 　CHECK **2** 　CHECK **3**

次の円の方程式を媒介変数 θ $(0 \leqq \theta < 2\pi)$ を使って表示せよ。

(1) $x^2 + y^2 = 5$ 　　　　　　(2) $(x-2)^2 + (y+1)^2 = 4$

---

(1) は原点を中心とする半径 $r = \sqrt{5}$ の円を媒介変数表示する。(2) は，
中心 $(2, -1)$，半径 $r = 2$ の円を媒介変数表示するんだね。公式 $\cos^2\theta + \sin^2\theta$ $= 1$ となるように，平行移動項をたすか，引くか考えるといいんだ。

(1) $x^2 + y^2 = 5$ は，原点を中心とする半径 $r = \sqrt{5}$ の円より，これを媒介変

数 θ を使って表示すると，

$$\begin{cases} x = \sqrt{5}\cos\theta \\ y = \sqrt{5}\sin\theta & (0 \leqq \theta < 2\pi) \end{cases} となる。$$

θ は **0°** から **360°** まで，1 周まわれば，円を完全に表せる。

（**0°**）（**360°** のこと）

(2) $(\underline{x-2})^2 + (\underline{y+1})^2 = 4$ は，中心 $(2, -1)$，半径 $r = 2$ の円より，これを

（$2\cos\theta + 2$）（$2\sin\theta - 1$）

媒介変数 θ を使って表示すると，

$$\begin{cases} x = 2\cos\theta + 2 \\ y = 2\sin\theta - 1 & (0 \leqq \theta < 2\pi) \end{cases} となる。$$

これを円の式に代入すると，
$(2\cos\theta \cancel{+2} \cancel{-2})^2 + (2\sin\theta \cancel{-1} \cancel{+1})^2 = 4$
$4\cos^2\theta + 4\sin^2\theta = 4$
$\cos^2\theta + \sin^2\theta = 1$ と，公式が導ける
から，**OK** だね！

これで，円の媒介変数表示の仕方にも慣れただろう？ エッ，慣れたけど，なんで円を媒介変数表示にする必要があるのかって？ もっともな疑問だね。それは，表現のヴァリエーションが増えることによって，解ける問題の幅がグッと広がるからなんだ。たとえば，次の練習問題は円を媒介変数で表すことによってアッサリ解けてしまうんだよ。

練習問題 47 　円の媒介変数表示の応用　CHECK *1*　CHECK *2*　CHECK *3*

$x^2 + y^2 = 1 \ (y \geqq 0)$ で表される半円周上の点 $P(x, y)$ に対して，xy の最大値と最小値を求めよ。

半径 1 の上半円 $x^2 + y^2 = 1 \ (y \geqq 0)$ を媒介変数表示すると $x = \cos\theta, \ y = \sin\theta$ となるので，$xy = \cos\theta \cdot \sin\theta$ と，三角関数の問題になるんだね。頑張れ！

$x^2 + y^2 = 1 \ (y \geqq 0)$ は，右図に示すように，原点 O を中心とする半径 $r = 1$ の上半円なので，これを媒介変数 θ を使って表すと，

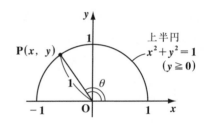

上半円
$x^2 + y^2 = 1$
$(y \geqq 0)$

$$\begin{cases} x = 1 \cdot \cos\theta = \underline{\cos\theta} \ \cdots\cdots ① \\ y = 1 \cdot \sin\theta = \underline{\sin\theta} \ \cdots\cdots ② \end{cases}$$

$$(0 \leqq \theta \leqq \pi) \ \longleftarrow \boxed{\text{上半円なので，} \theta \text{の範囲はこうなる！}}$$

ここで，$I = \underset{\sim}{x} \cdot \underset{\sim}{y} \cdots\cdots ③$ 　とおいて I の最大値と最小値を求める。

③に①，②を代入して，

$$I = \underline{\cos\theta \cdot \sin\theta} = \frac{1}{2}\sin 2\theta$$

$\longleftarrow \boxed{\begin{array}{l} \text{2 倍角の公式} \\ \sin 2\theta = 2\sin\theta\cos\theta \\ \text{を使った。} \end{array}}$

ここで，$\underline{0 \leqq \theta \leqq \pi}$ より，　　$\underline{0 \leqq 2\theta \leqq 2\pi}$ となる。よって，$\sin 2\theta$ は，

$\boxed{\text{各辺を 2 倍して}}$

(i) $2\theta = \dfrac{\pi}{2}$ のとき最大値 1 をとり，(ii) $2\theta = \dfrac{3}{2}\pi$ のときに最小値 -1 をとる。

$\boxed{90°}$ 　　　　　　　　　　　　　　　　　　　$\boxed{270°}$

以上より，I，すなわち xy は，

（ i ） $\theta = \dfrac{\pi}{4}$ のとき，最大値 $I = xy = \dfrac{1}{2} \cdot 1 = \dfrac{1}{2}$ をとり

（ ii ） $\theta = \dfrac{3}{4}\pi$ のとき，最小値 $I = xy = \dfrac{1}{2} \cdot (-1) = -\dfrac{1}{2}$ をとる。

　このように，（半）円を媒介変数表示することにより，簡単に問題が解ける場合もあるんだよ。

● **だ円も，媒介変数表示してみよう！**

　だ円 $\dfrac{x^2}{a^2} + \dfrac{y^2}{b^2} = 1$ ……⑦ $(a > 0,\ b > 0)$ も，媒介変数 θ を使って表すことができる。どう表すか分かる？ …，そうだね，円の媒介変数表示のときと同様に最終的に三角関数の基本公式 $\cos^2\theta + \sin^2\theta = 1$ に帰着するようにすればいいわけだからね。よって，だ円は，

$$\begin{cases} x = a\cos\theta & \cdots\cdots ④ \\ y = b\sin\theta & \cdots\cdots ⑦ \quad (\theta：媒介変数,\ a,\ b：正の定数) \end{cases}$$

と，媒介変数表示できるんだ。

実際に，④と⑦を⑦に代入すると，

$$\dfrac{(a\cos\theta)^2}{a^2} + \dfrac{(b\sin\theta)^2}{b^2} = 1, \qquad \dfrac{\cancel{a^2}\cos^2\theta}{\cancel{a^2}} + \dfrac{\cancel{b^2}\sin^2\theta}{\cancel{b^2}} = 1$$

$\cos^2\theta + \sin^2\theta = 1$ となって，ナルホドうまくいくからだ。

　これも，公式としてまとめておこう。

■ **だ円の媒介変数表示**

だ円 $\dfrac{x^2}{a^2} + \dfrac{y^2}{b^2} = 1$ $(a > 0,\ b > 0)$ を媒介変数 θ を使って表すと

$$\begin{cases} x = a\cos\theta \\ y = b\sin\theta \quad (\theta：媒介変数,\ a,\ b：正の定数) \end{cases}$$ となる。

だ円 $\dfrac{x^2}{a^2}+\dfrac{y^2}{b^2}=1$ の a と b が共に等しくて，$r\,(>0)$ であるとき，

$a=b=r$ となる。よって，このだ円の式は，

$\dfrac{x^2}{r^2}+\dfrac{y^2}{r^2}=1$ となるので，この両辺に r^2 をかけて，

$x^2+y^2=r^2$ と，円の方程式になるんだね。

また，だ円の媒介変数表示 $\begin{cases} x=a\cos\theta \\ y=b\sin\theta \end{cases}$ も，$a=b=r$ のときは，

$\begin{cases} x=r\cos\theta \\ y=r\sin\theta \end{cases}$ と，当然，円の媒介変数表示の形になるんだね。

このように，円とは，だ円の定数 a と b がたまたま等しくなる特殊な場合と考えることができるんだね。

　さらに，半径 1 の円とだ円との関係についても話しておこう。一般に，原点を中心とする，半径 $r=1$ の円を "単位円" というんだった。つまり，$x^2+y^2=1$ のことだね。半径 $r=1$ の円より，この単位円を媒介変数で表すと，当然，

$\begin{cases} x=\underline{\underline{1}}\cdot\cos\theta & \cdots\cdots㋓ \\ y=\underline{\underline{1}}\cdot\sin\theta & \cdots\cdots㋔ \end{cases}$　となる。

これに対して，だ円 $\dfrac{x^2}{a^2}+\dfrac{y^2}{b^2}=1$

を媒介変数表示したものは，

$\begin{cases} x=\underline{\underline{a}}\cos\theta & \cdots\cdots㋑ \\ y=\underline{\underline{b}}\sin\theta & \cdots\cdots㋒ \end{cases}$　だから，

図 4 に示すように，ちょうどゴムの上に描かれた単位円を，x 軸方向に $\underline{\underline{a}}$ 倍，y 軸方向に $\underline{\underline{b}}$ 倍，ビョ～ン

図 4 単位円とだ円

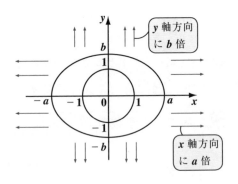

と<u>拡大</u>(または<u>縮小</u>)したものが，だ円 $\dfrac{x^2}{a^2}+\dfrac{y^2}{b^2}=1$ であることが分かる

$\boxed{a, b \text{ が } 1 \text{ より} \\ \text{大のとき}}$　$\boxed{a, b \text{ が } 1 \text{ より} \\ \text{小のとき}}$

だろう。このように，円とだ円とは切っても切れない関係があるんだ。

大丈夫？　それでは，次の練習問題で，実際にだ円を媒介変数表示で表し

てみよう。

| 練習問題 48 | だ円の媒介変数表示 | CHECK 1 | CHECK 2 | CHECK 3 |

次のだ円の方程式を媒介変数 θ $(0 \leqq \theta < 2\pi)$ を使って表示せよ。

(1) $\dfrac{x^2}{4}+\dfrac{y^2}{3}=1$ 　　　　 (2) $\dfrac{(x-1)^2}{9}+\dfrac{(y+2)^2}{4}=1$

だ円 $\dfrac{x^2}{a^2}+\dfrac{y^2}{b^2}=1$ の媒介変数表示は $x=a\cos\theta$, $y=b\sin\theta$ だから，(1)はこの公式通りだね。(2)は，平行移動項が入っているけれど，最終的には $\cos^2\theta+\sin^2\theta=1$ となるように考えていけばいいんだ。頑張ろう！

(1) だ円 $\dfrac{x^2}{2^2}+\dfrac{y^2}{(\sqrt{3})^2}=1$ を媒介変数 θ $(0 \leqq \theta < 2\pi)$ を使って表すと，

$$\begin{cases} x=2\cos\theta \\ y=\sqrt{3}\sin\theta \quad (0 \leqq \theta < 2\pi) \end{cases} \quad \text{となる。}$$

公式通りだから，簡単だったはずだ。

(2) $\dfrac{x^2}{3^2}+\dfrac{y^2}{2^2}=1 \xrightarrow[\text{平行移動}]{(1, -2) \text{ だけ}} \dfrac{(x-1)^2}{9}+\dfrac{(y+2)^2}{4}=1$ 　となるので，

$$\begin{cases} \cdot x \to x-1 \\ \cdot y \to y+2 \end{cases}$$

$\dfrac{(x-1)^2}{9}+\dfrac{(y+2)^2}{4}=1$ の媒介変数表示は，$x=3\cos\theta$ と $y=2\sin\theta$ に

それぞれ平行移動の項を付ければいいんだね。

ここで,

$$\frac{(\overbrace{(\boxed{x}-1)^2}^{\text{(3cos}\theta+1)}}{9}+\frac{\overbrace{(\boxed{y}+2)^2}^{\text{(2sin}\theta-2)}}{4}=1 \quad \text{について,}$$

$$\begin{cases} x=3\cos\theta+1 \\ y=2\sin\theta-2 \quad (0\leqq\theta<2\pi) \quad \text{とおけば,} \end{cases}$$

$$\frac{(3\cos\theta\not+1\not-1)^2}{9}+\frac{(2\sin\theta\not-2\not+2)^2}{4}=1$$

$$\frac{3^{\not2}\cdot\cos^2\theta}{\not9}+\frac{2^{\not2}\cdot\sin^2\theta}{\not4}=1$$

$\therefore \cos^2\theta+\sin^2\theta=1$ が導けるので,うまくいくことが分かるはずだ。

これから,だ円 $\dfrac{(x-1)^2}{9}+\dfrac{(y+2)^2}{4}=1$ を,媒介変数 θ $(0\leqq\theta<2\pi)$

を使って表すと,

$$\begin{cases} x=3\cos\theta+1 \\ y=2\sin\theta-2 \quad (0\leqq\theta<2\pi) \quad \text{となる。納得いった?} \end{cases}$$

● サイクロイド曲線もマスターしよう!

本格的な媒介変数表示された曲線の中でも最も有名なものの **1** つとして,"**サイクロイド曲線**"がある。これから解説しよう。エッ,言葉からして,難しそうだって!? 確かに,耳慣れない言葉だけれど,その曲線を描く原理は極めて単純で,円をゆっくりゴロゴロ回転する要領で描ける曲線なんだよ。

図 **5** に示すように,はじめは x 軸と原点で接する半径 a の円 C があるものとしよう。そして,この円上の点で,初めに原点と同じ位置にあるものを **P** とおくよ。

図 5 に示すように，この円
C をキュッとスリップさせ
ることなく，x 軸と接する
ようにゆっくりゴロゴロと
回転させたとき，初め原点
の位置にあった円周上の点
P が描くカマボコ型の曲線
がサイクロイド曲線なんだ
ね。図 5 は，円 C が 1 回転
して描くサイクロイド曲線
だけれど，これが，1 回転，
2 回転，3 回転，…すること
により，同形のカマボコ型
のサイクロイド曲線が次々
と描けることを，図 6 に示

図 5 サイクロイド曲線の概形

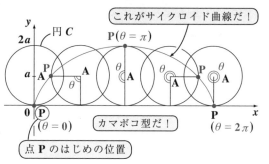

図 6 円が 1 回転以上まわるときの
サイクロイド曲線

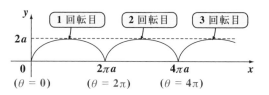

した。このように，具体的な曲線の概形が分かれば，サイクロイド曲線に
ついても，少しなじみがもてるようになったと思う。

　そして，このサイクロイド曲線は，円の回転角を θ とおくと，この θ を
媒介変数として，次のような方程式で表すことができるんだね。

■ サイクロイド曲線

サイクロイド曲線は，媒介変数 θ を用いて次のように表せる。

$$\begin{cases} x = a(\theta - \sin\theta) \\ y = a(1 - \cos\theta) \end{cases} \quad (\theta：媒介変数，a：正の定数)$$

（円の半径のこと）

　エッ，この方程式の意味が，サッパリ分からないって !? 当然だね。こ
れから詳しく解説しよう。そのための準備として，中心角 θ の扇形の円弧
の長さ l が重要なので，これをまず復習しておこう。

図7に示すように，半径 a の円周の長さは，$2\pi a$ となるのはいいね。このときの中心角は当然 2π（ラジアン）だ。これに対して，中心角 θ の円弧の長さを l とおくと，円周の長さ $2\pi a$ と円弧の長さ l はそれぞれの中心角に比例するので，

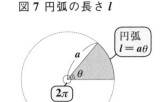

図7 円弧の長さ l

$2\pi a : l = 2\pi : \theta$　となる。よって，$2\pi \cdot l = 2\pi a \cdot \theta$

両辺を 2π で割ると，円弧の長さ $l = a\theta$ …（＊）の公式が導けるんだね。

では，サイクロイド曲線の方程式について解説しよう。

円 C が θ だけ回転したときの様子を図8に示すね。ここで重要なことは，円がキュッとスリップすることなくゆっくり回転していくので，θ だけ回転した後の円 C と x 軸との接点を Q とおくと，線分 OQ の長さと，円弧 $\overset{\frown}{PQ}$ の長さ $a\theta$ とが等しくなるんだね。 これは，円弧の公式通りだ！

よって，θ だけ回転した後の円 C の中心 A の座標は，$A(a\theta,\ a)$ となるんだね。

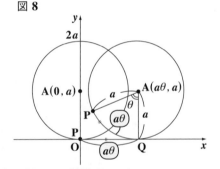

図8

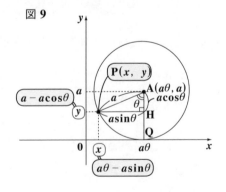

図9

図9に示すように，P から線分 AQ に下ろした垂線の足を H とおき，直角三角形 APH で考えると，

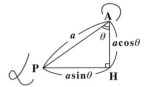

$$\frac{PH}{AP} = \frac{PH}{a} = \sin\theta \text{ より，} \quad PH = a\sin\theta$$

$$\frac{AH}{AP} = \frac{AH}{a} = \cos\theta \text{ より，} \quad AH = a\cos\theta$$

よって，動点 P の x 座標と y 座標は，

$$x = \underbrace{a\theta}_{} - a\sin\theta = a(\theta - \sin\theta)$$

中心 A の x 座標

$$y = \underbrace{a}_{} - a\cos\theta = a(1 - \cos\theta) \text{ となって，媒介変数 } \theta \text{ によるサイクロイド}$$

中心 A の y 座標

曲線の方程式：

円の半径

$$\begin{cases} x = a(\theta - \sin\theta) \\ y = a(1 - \cos\theta) \end{cases} \quad (\theta : \text{媒介変数，} a : \text{正の定数}) \text{ が導けるんだね。}$$

面白かった？

このサイクロイド曲線は，また積分の応用として，面積計算や曲線の長さの計算のところで解説するから，この方程式をシッカリ頭の中に入れておいてくれ。

以上で，今日の講義も終了です。今日の講義をマスターできれば，媒介変数表示された曲線の基本もシッカリ固まるから，ヨ〜ク反復練習しておくといいよ。

では，次回は "**極座標**" と "**極方程式**" について教えよう。また，分かりやすく解説するから，次回の講義も楽しみにしてくれ。

それじゃ，みんな元気でな。また会おう！さようなら…。

　みんなおはよう！　これまで **3** 回に渡って，"**式と曲線**"について講義してきたけれど，今日で"**式と曲線**"も最終回になるんだよ。最後に扱うテーマは"**極座標と極方程式**"だ。

　千代田区 **1** 丁目 **1** 番地というと，確か皇居だったと思うけど，この同じ場所を指定するのに北緯○度○分，東経○度○分などというやり方もあるんだね。これと同様にこれまでは xy 平面上の点を指定するのに，x 座標と y 座標を用いていたけれど，それ以外に，これから解説する"**極座標**"による指定も可能なんだ。

　また，xy 平面上の曲線を，陽関数や陰関数など，x と y の関係式 (方程

　　　　　$y=f(x)$ の形　　　円やだ円など…

式) で表してきたけれど，それを極座標平面上では"**極方程式**"を使って表すことも勉強しよう。

　今日も，内容が盛り沢山だけど，また分かりやすく教えるから，肩の力を抜いて聞いてくれ。面白いと思うよ。

● 極座標でも点が表せる！

　図 **1**(ⅰ) に示すように，xy 座標平面上で，ある点 **P** の位置は，x 座標と y 座標が分かれば，**P**(x, y) と表して指定することができる。これは，今までずっとやってきたことだから大丈夫だね。

　これに対して"**極座標**"では，図 **1**(ⅱ) に示すように，"**極**" **O** と"**始線**" **OX** をまず定める。そして，点 **P** と極 **O** を結ぶ線分 **OP** を"**動径**"と呼び始線 **OX** と動径 **OP** のなす

図 **1** xy 座標と極座標

(ⅰ) xy 座標

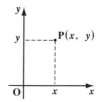

(ⅱ) 極座標

角 θ を "**偏角**" と呼ぶ。すると，極以外の点 P は始線 OX からの偏角 θ と，

O からの距離 r を指定すれば，その位置が決まるのが分かるだろう。これ

> 動径 OP の長さ

から点 P は極座標で，P(r, θ) と表すことができる。大丈夫？

　ここで，図 2 に示すように，図 1（ⅱ）の xy
座標と（ⅱ）の極座標を，Ox と OX とが一致

> x 軸の正の部分　　始線

するように重ねてみると，xy 座標 P(x, y) と
極座標 P(r, θ) との変換公式が見えてくるは
ずだ。

図 2　xy 座標と極座標

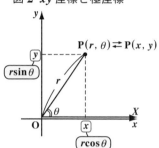

（ⅰ）P(r, θ) が与えられたならば，$\sin\theta$ と $\cos\theta$
　　の三角関数の定義式 $\dfrac{x}{r} = \cos\theta$，$\dfrac{y}{r} = \sin\theta$
　　から

$$\begin{cases} x = r\cos\theta \\ y = r\sin\theta \end{cases} \text{の変換公式より}$$

　　P(x, y) を求めることができる。

（ⅱ）逆に，P(x, y) が与えられたならば，三平
　　方の定理と $\tan\theta$ の定義式から

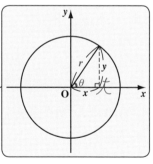

$$\begin{cases} r = \sqrt{x^2 + y^2} \quad (\because x^2 + y^2 = r^2) \\ \tan\theta = \dfrac{y}{x} \quad (x \neq 0) \text{の変換公式より} \end{cases}$$

　　P(r, θ) を求めることができる。

以上（ⅰ）（ⅱ）を模式図で表すと次のようになる。

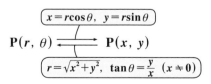

> $x = r\cos\theta$，$y = r\sin\theta$

P(r, θ) ⇄ P(x, y)

> $r = \sqrt{x^2+y^2}$，$\tan\theta = \dfrac{y}{x}$ $(x \neq 0)$

それでは，極座標で与えられた点の座標を，xy 座標に変換する練習をしてみよう。

練習問題 **49**	$(r, \theta) \to (x, y)$ への変換	CHECK *1*	CHECK *2*	CHECK *3*

次の極座標で表された点の座標を，xy 座標に変換せよ。

(1) $A\left(4, \dfrac{\pi}{3}\right)$ **(2)** $B\left(2, \dfrac{5}{6}\pi\right)$ **(3)** $C\left(2\sqrt{2}, -\dfrac{\pi}{4}\right)$

極座標 $(r, \theta) \to xy$ 座標 (x, y) への変換公式は $x = r\cos\theta$, $y = r\sin\theta$ だった。これを使って変換していけばいいんだよ。

(1) 点 A の極座標は，$A\left(\boxed{4}, \boxed{\dfrac{\pi}{3}}\right)$ より，

$\boxed{r}$ $\boxed{\theta = 60°}$

点 A の xy 座標系での座標を $A(x, y)$

とおくと，

$$\begin{cases} x = r \cdot \cos\theta = 4 \cdot \boxed{\cos\dfrac{\pi}{3}} = 4 \cdot \dfrac{1}{2} = 2 \\[2mm] y = r \cdot \sin\theta = 4 \cdot \boxed{\sin\dfrac{\pi}{3}} = 4 \cdot \dfrac{\sqrt{3}}{2} = 2\sqrt{3} \end{cases}$$

$\boxed{\dfrac{1}{2}}$ の上，$\boxed{\dfrac{\sqrt{3}}{2}}$ の下

となるので，xy 座標系での点 A の座標は $A\left(2, 2\sqrt{3}\right)$ となる。

極座標　　　xy 座標
$A\left(4, \dfrac{\pi}{3}\right) \longrightarrow A(2, 2\sqrt{3})$

(2) 点 B の極座標は $B\left(\boxed{2}, \boxed{\dfrac{5}{6}\pi}\right)$ より，

$\boxed{r}$ $\boxed{\theta = 150°}$

点 B の xy 座標系での座標を $B(x, y)$

とおくと，

$$\begin{cases} x = r \cdot \cos\theta = 2 \cdot \boxed{\cos\dfrac{5}{6}\pi} = 2 \cdot \left(-\dfrac{\sqrt{3}}{2}\right) = -\sqrt{3} \\[2mm] y = r \cdot \sin\theta = 2 \cdot \boxed{\sin\dfrac{5}{6}\pi} = 2 \cdot \dfrac{1}{2} = 1 \end{cases}$$

$\boxed{-\dfrac{\sqrt{3}}{2}}$ の上，$\boxed{\dfrac{1}{2}}$ の下

極座標　　　xy 座標
$B\left(2, \dfrac{5}{6}\pi\right) \longrightarrow B(-\sqrt{3}, 1)$

となるので，xy 座標系での点 B の座標は $B\left(-\sqrt{3},\ 1\right)$ となる。

(3) 点 C の極座標は $C\left(\overbrace{2\sqrt{2}}^{r},\ \overbrace{-\dfrac{\pi}{4}}^{\theta=-45^\circ}\right)$ より，

点 C の xy 座標系での座標を $C(x,\ y)$

とおくと，

$$\begin{cases} x = r \cdot \cos\theta = 2\sqrt{2} \cdot \overbrace{\left(\cos\left(-\dfrac{\pi}{4}\right)\right)}^{\frac{1}{\sqrt{2}}} = 2\sqrt{2} \cdot \dfrac{1}{\sqrt{2}} = 2 \\[3mm] y = r \cdot \sin\theta = 2\sqrt{2} \cdot \underbrace{\left(\sin\left(-\dfrac{\pi}{4}\right)\right)}_{-\frac{1}{\sqrt{2}}} = 2\sqrt{2} \cdot \left(-\dfrac{1}{\sqrt{2}}\right) = -2 \end{cases}$$

となるので，xy 座標系での点 C の座標は $C(2,\ -2)$ となる。

どう？ 極座標から xy 座標への変換公式って，円の媒介変数表示の公式と形式的に同じだったから覚えやすかっただろう。ただし，円の媒介変数表示では，θ は変数だけど，今回の座標の変換公式では θ は定数なんだね。これは要注意だよ。

● **xy 座標から極座標にも変換してみよう！**

練習問題 **49** で，極座標→ xy 座標の変換の練習をして，

極座標　　　　　　　xy 座標

(1) $A\left(4,\ \dfrac{\pi}{3}\right)$ ⟶ $A\left(2,\ 2\sqrt{3}\right)$

(2) $B\left(2,\ \dfrac{5}{6}\pi\right)$ ⟶ $B\left(-\sqrt{3},\ 1\right)$

(3) $C\left(2\sqrt{2},\ -\dfrac{\pi}{4}\right)$ ⟶ $C(2,\ -2)$　の結果が導けたんだね。

それではこの逆の変換，つまり xy 座標→極座標への変換をやってみようか。エッ，当然 xy 座標系での $A\left(2,\ 2\sqrt{3}\right)$ を極座標に変換したら $A\left(4,\ \dfrac{\pi}{3}\right)$ になるに決まってるって？ う〜ん，それがそうとも言えないんだ。

199

問題は，$\dot{\theta}$ が一般角の場合を考慮しないといけないこと。それともう1つ，実は $\dot{r}$ は負の値にもなり得るってことなんだ。1つ1つていねいに説明していこう。

　図3に示すように点 A が xy 座標平面上で $A\underset{\boxed{x}}{\big(2,}\ \underset{\boxed{y}}{2\sqrt{3}\big)}$ と与えられている場合，動径 OA の大きさは，

$$OA = \sqrt{2^2+\big(2\sqrt{3}\big)^2} = \sqrt{4+12} = 4$$

より，極座標の $r=4$ となるのはいいね。

　でも，偏角 θ は $\theta=\dfrac{\pi}{3}$ だけでなく，図3(i)，(ii)に示すように，$\theta=\dfrac{7}{3}\pi$

$$\boxed{\dfrac{\pi}{3}+2\pi\ \text{のこと}}$$

や $-\dfrac{5}{3}\pi$ など，自由に取れるだろう。

$$\boxed{\dfrac{\pi}{3}-2\pi\ \text{のこと}}$$

これはもっと一般化して $\theta=\dfrac{\pi}{3}+2n\pi$ $(n=0,\ \pm1,\ \pm2,\ \cdots)$ と一般角の形で表せるので，無数の偏角が存在することになるんだ。

　さらに，r は負の値も取り得るので図4に示すように，まず極座標で点 A′ を $A'\underset{\boxed{r}}{\big(4,}\ \underset{\boxed{\theta}}{-\dfrac{2}{3}\pi\big)}$ となるようにとり，この $r=4$ の符号を変えて，-4 にすると点 A′ は，原点 O に対称な点 A にポーンと飛んで行くことになる。よって，点

図3 $A(x,\ y) \rightarrow A(r,\ \theta)$

(i)

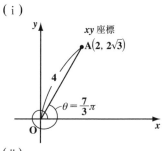

(ii)

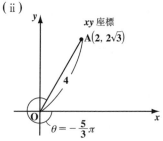

図4 $A(x,\ y) \rightarrow A(r,\ \theta)$

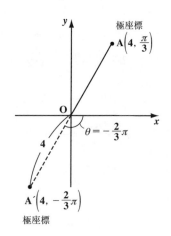

A の極座標は，$A\left(-4, -\dfrac{2}{3}\pi\right)$ と表すこともできるんだ。そしてさらに，

これもまた一般角になり得る！

この偏角 $-\dfrac{2}{3}\pi$ は一般角としていいので，$-\dfrac{2}{3}\pi+2n\pi$ $(n=0, \pm1, \pm2,$

$\cdots)$ となるんだ。

ヒェ〜，ヴァリエーションが多すぎて，やってられないって!?　当然の不満だね。だから xy 座標 (x, y) → 極座標 (r, θ) に変換するとき，このような混乱を避けるために，$r>0$ と $\underline{0\leqq\theta<2\pi}$ の条件を付けてやれば

または，$-\pi\leqq\theta<\pi$ もよく使われる。要は θ が1周分動けば十分なんだね。

いいんだね。このような制約条件を付けることにより，xy 座標 → 極座標への変換を一意的に行うことができるんだ。

"ただ1通りに" という意味。数学ではよく使う表現だ！

$r=0$ の特別な場合，点 P が極 O と一致して偏角 θ が定まらなくなるね。よって，極 O の極座標は，$O(0, \theta)$ $(\theta:\text{不定})$ と表せばいい。

以上で，xy 座標 → 極座標への変換についての解説が終わったので，次の練習問題で実際に変換してみよう。

練習問題 50	$(x, y) \to (r, \theta)$ への変換	CHECK 1	CHECK 2	CHECK 3

次の xy 座標で表された点の座標を極座標 (r, θ) で表せ。ただし $r>0$，$0\leqq\theta<2\pi$ とする。

(1) $D(\sqrt{3}, 1)$　　　　(2) $E(-5, 0)$　　　　(3) $F(-3, -3)$

$r>0$，$0\leqq\theta<2\pi$ の条件が付いているので，xy 座標系で表された各点の座標は，一意的に極座標に変換できるんだね。変換公式は $r=\sqrt{x^2+y^2}$，$\tan\theta=\dfrac{y}{x}$ だけど，偏角 θ は，$\tan\theta$ の式を使わなくても，図形的にすぐ分かると思う。

(1) 点 D の xy 座標は D$(\underset{x}{\sqrt{3}},\ \underset{y}{1})$ より点 D

の極座標を D$(r,\ \theta)$ $(0 < r,\ 0 \le \theta < 2\pi)$

とおくと，

$$\begin{cases} r = \sqrt{x^2 + y^2} = \sqrt{(\sqrt{3})^2 + 1^2} = \sqrt{3 + 1} \\ \quad = \sqrt{4} = 2 \\ \tan\theta = \dfrac{y}{x} = \dfrac{1}{\sqrt{3}}\ \text{で，}\ 0 \le \theta < 2\pi\ \text{より，}\ \theta = \dfrac{\pi}{6} \end{cases}$$

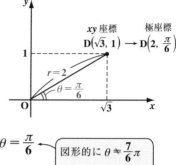

以上より，点 D の極座標は D$\left(2,\ \dfrac{\pi}{6}\right)$ となる。

図形的に $\theta \ne \dfrac{7}{6}\pi$ は明らかだからね。

(2) 点 E の xy 座標は E$(\underset{x}{-5},\ \underset{y}{0})$ より

点 E の極座標を E$(r,\ \theta)$

$(0 < r,\ 0 \le \theta < 2\pi)$ とおくと，

$$\begin{cases} r = \sqrt{(-5)^2 + 0^2} = \sqrt{25} = 5 \\ \tan\theta = \dfrac{0}{-5} = 0\ \text{で，}\ 0 \le \theta < 2\pi\ \text{より，}\ \theta = \pi \end{cases}$$

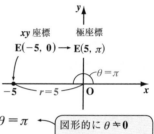

以上より，点 E の極座標は E$(5,\ \pi)$ となる。

図形的に $\theta \ne 0$ は明らかだからね。

(3) 点 F の xy 座標は F$(\underset{x}{-3},\ \underset{y}{-3})$ より

点 F の極座標を F$(r,\ \theta)$

$(0 < r,\ 0 \le \theta < 2\pi)$ とおくと，

$$\begin{cases} r = \sqrt{(-3)^2 + (-3)^2} = \sqrt{\underset{3^2 \times 2}{18}} = 3\sqrt{2} \\ \tan\theta = \dfrac{-3}{-3} = 1,\ \theta\ \text{は第 3 象限の} \\ \text{角より，}\ \theta = \dfrac{5}{4}\pi \end{cases}$$

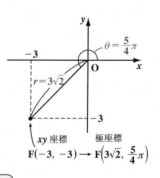

図形的に $\theta \ne \dfrac{\pi}{4}$ は明らかだからね。

以上より，点 F の極座標は $F\left(3\sqrt{2}, \dfrac{5}{4}\pi\right)$ となる。

どう？　これで，xy 座標 → 極座標への変換にも慣れただろう。

● 極方程式もマスターしよう！

xy 座標系と極座標系における点の話は終わったので，これからさらに複雑な曲線や直線について解説しよう。これまで xy 座標系において $x^2 + y^2 = 4$ や $y = \sqrt{3}x$ など，x と y との関係式 (方程式) により，さまざまな曲線や直線を表してきたね。当然，極座標系においては r と θ との関係式により，極座標平面上にさまざまな図形を描くことができる。この曲線や直線を表す r と θ の関係式のことを "**極方程式**<ruby>極方程式<rt>きょくほうていしき</rt></ruby>" という。

このような曲線や直線を表す，それぞれの座標系の方程式を変換する公式は，点の座標変換のところで勉強した変換公式とまったく同じだよ。これを，模式図で表すと次のようになる。

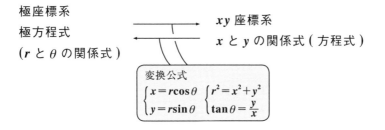

極座標系
極方程式
(r と θ の関係式)

xy 座標系
x と y の関係式 (方程式)

変換公式
$$\begin{cases} x = r\cos\theta \\ y = r\sin\theta \end{cases} \begin{cases} r^2 = x^2 + y^2 \\ \tan\theta = \dfrac{y}{x} \end{cases}$$

ンッ？　抽象的で分かりづらいって？　当然だ！　これから，具体例で示していこう。まず最初に xy 座標平面上における原点を中心とする半径 3 の円 $x^2 + y^2 = 9$ が，極座標上のどのような極方程式になるのか調べてみようか？　エッ，早く知りたいって？　いいよ，変換公式 $\underline{r^2 = x^2 + y^2}$ を使って早速調べてみよう。

$\boxed{r = \sqrt{x^2 + y^2}\text{ の両辺を } 2 \text{ 乗したもの}}$

xy 座標平面上での円 $x^2+y^2=9$ ……㋐
が与えられているとき，これを極方程式に変換
する公式は，$r^2=x^2+y^2$ ……㋑ なので，
㋑ を ㋐ に代入すると，

$r^2=9$ ……㋒ となる。ここで，$r>0$ とすると
㋒ の両辺の正の平方根をとって，

$r=\sqrt{9}=3$ ∴ $r=3$ ……㋓ が導ける。

㋓ は r の式のみで，r と θ の関係式にはなっていないけれど，この
$r=3$ ……㋓ は極座標平面上で円を表す立派
な (?) 極方程式なんだよ。

㋓ は θ については何も言っていないから，
θ は $\theta=\cdots,$ $\theta_1,$ $\theta_2,$ $\theta_3,$ … と図5に示すよう
に自由に値を取り得る。でも，r は $r=3$ と
必ず極 O からの距離が一定の 3 でないとい
けない。これから図5に示すように，極座

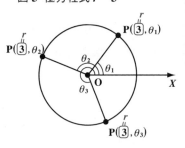

図5 極方程式 $r=3$

標上の動点を $\mathbf{P}(r, \theta)$ とおくと，動点 P は極 O を中心とする半径 3 の円
を描くんだね。つまり，

xy 座標平面上の円   極座標平面上の円

$x^2+y^2=9$ ⟷ $r=3$（極方程式）

となるんだね。面白かった？

それでは次に入るよ。極方程式 $\theta = \dfrac{\pi}{3}$ ……㋔

の表す図形がどのようなものか分かる？ ……,

そうだね，今回は偏角 $\theta = \dfrac{\pi}{3}$ と言ってるだけで，

r については何も言ってないので r は，$r = \cdots$,

r_1, r_2, r_3, …と自由に値を取り得る。

図 6 では，r_1 は ⊖ だ。

よって，これは図 6 に示すような極 O を通る傾き

$\tan \dfrac{\pi}{3} = \sqrt{3}$ の直線になるんだね。

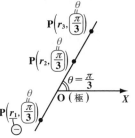

図 6　極方程式 $\theta = \dfrac{\pi}{3}$

それでは，極方程式 $\theta = \dfrac{\pi}{3}$ ……㋔ を，xy 座標平面上での方程式に書き

換えてみようか？ そのためには㋔ の両辺の $\tan$ をとるとうまくいく。

よって，

$$\underline{\tan \theta} = \boxed{\tan \dfrac{\pi}{3}} \quad \cdots\cdots \text{㋔}'$$

ここで，㋔$'$ に変換公式 $\tan \theta = \dfrac{y}{x}$ $(x \neq 0)$ を代入すると，

$\dfrac{y}{x} = \sqrt{3}$ $(x \neq 0)$

$\therefore y = \sqrt{3}x$ と，原点 O を通る傾き $\sqrt{3}$ の直線の式が導けるんだね。

これは，$x = 0$ のときも成り立つ。

これも，下にまとめて示しておこう。

xy 座標平面上の直線　　　　極座標平面上の直線

$y = \sqrt{3}x$　　　$\longleftrightarrow$　　$\theta = \dfrac{\pi}{3}$（極方程式）

それでは，次の練習問題で，xy 座標系で書かれた曲線や直線の方程式を極方程式に書き換えてみよう。

次の方程式を極方程式で表せ。

(1) $x^2 + y^2 = 1$　　　　　　　　　(2) $y = -x + 2$

x と y の方程式から，極方程式に書き換えるための変換公式は，
$x = r\cos\theta$, $y = r\sin\theta$, $r^2 = x^2 + y^2$, $\tan\theta = \dfrac{y}{x}$ だね。これらの公式の内，必要なものを適宜利用して変換していけばいいんだよ。頑張ろう！

(1) $x^2 + y^2 = 1$ ……① 　を極方程式で表す。

$x^2 + y^2 = r^2$ ……② より，②を①に代入して，

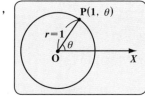

$r^2 = 1$

ここで，$r > 0$ とすると，$r = \sqrt{1} = 1$

∴求める極方程式は $r = 1$ となる。

ここでは，$r > 0$ として $r = 1$ を導いたけれど，$r = -1$ でも同じく単位円を描くね。なぜそうなるか，自分で考えてみるといいよ。

(2) $y = -x + 2$ ……③ 　を極方程式で表す。

$\begin{cases} x = r\cos\theta \\ y = r\sin\theta \end{cases}$ ……④ 　より，④を③に代入して，

$r\sin\theta = -r\cos\theta + 2$

これでも r と θ の関係式なので，極方程式と言えるんだけど，もっとシンプルな形にまとめよう！

$r(\sin\theta + \cos\theta) = 2$

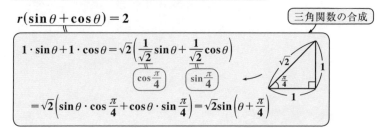

$$1 \cdot \sin\theta + 1 \cdot \cos\theta = \sqrt{2}\left(\frac{1}{\sqrt{2}}\sin\theta + \frac{1}{\sqrt{2}}\cos\theta\right)$$

$\cos\dfrac{\pi}{4}$　　$\sin\dfrac{\pi}{4}$

$$= \sqrt{2}\left(\sin\theta \cdot \cos\frac{\pi}{4} + \cos\theta \cdot \sin\frac{\pi}{4}\right) = \sqrt{2}\sin\left(\theta + \frac{\pi}{4}\right)$$

三角関数の合成

$$r \cdot \sqrt{2} \sin\left(\theta + \frac{\pi}{4}\right) = 2 \qquad \text{両辺を } \sqrt{2} \text{ で割って，求める極方程式は，}$$

$$r\sin\left(\theta + \frac{\pi}{4}\right) = \sqrt{2} \quad \text{となる。}$$

それじゃ今度は，極方程式で表された曲線を xy 平面上の方程式で表す練習もしておこう。極方程式では，どんな曲線か分からなかったのも見慣れた x と y の方程式に書き換えることにより，明らかになるんだね。

練習問題 52 　極方程式→x と y の方程式　　CHECK *1*　　CHECK*2*　　CHECK*3*

次の極方程式を，x と y の方程式で表せ。

(1) $r = 2\sin\theta$

(2) $r = \dfrac{1}{1 + \cos\theta}$ （ただし，$\cos\theta \neq -1$）

(3) $r = \dfrac{3}{2 + \cos\theta}$

極方程式を x と y の方程式に変換する場合にも，公式 $x = r\cos\theta$，$y = r\sin\theta$，$r^2 = x^2 + y^2$，$\tan\theta = \dfrac{y}{x}$ を適宜利用しよう。(1) は両辺に r をかけると，また (2) は両辺に $1 + \cos\theta$ をかけると，そして，(3) は両辺に $2 + \cos\theta$ をかけると話が見えてくるはずだ。最後の問題だ！ もっと頑張ろう!!

(1) $\underline{r = 2\sin\theta} \ \cdots\cdots①$ 　を x と y の方程式で表す。

> この両辺に r をかけると，左辺 $= r^2 = x^2 + y^2$，右辺 $= 2r\sin\theta = 2y$ となって，うまくいくんだね。気付いた？

①の両辺に r をかけると，$r^2 = 2r\sin\theta \ \cdots\cdots①'$

ここで，変換公式

$$\begin{cases} r^2 = \underline{x^2 + y^2} \\ r\sin\theta = \underline{y} \end{cases} \text{を①' に代入すると，}$$

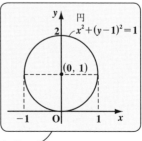
円　$x^2 + (y-1)^2 = 1$

$\underline{x^2 + y^2} = 2\underline{y} \qquad x^2 + y^2 - 2y = 0$

$x^2 + (y^2 - 2y + \underline{1}) = \underline{1}$ 　より

求める x と y の方程式は，$x^2 + (y-1)^2 = 1$ となる。

(2) $r = \dfrac{1}{1+\cos\theta}$ ……② $(\cos\theta \neq -1)$ を，x と y の方程式で表す。

② の両辺に $1+\cos\theta$ をかけて

$$\overbrace{r(1+\cos\theta)}=1 \qquad \underline{r}+\underline{r\cos\theta}=1$$

> これを 2 乗して，
> $r^2=x^2+y^2$ を使う！

$\boxed{x}$

$r = 1 - r\cos\theta$ この両辺を 2 乗して

$\underline{\underline{r^2}} = (1-\underline{r\cos\theta})^2$ ……②´

ここで，変換公式

$$\begin{cases} r\cos\theta = \underline{x} \\ r^2 = \underline{x^2+y^2} \end{cases} \text{を②´に代入すると，}$$

$\underline{\underline{x^2+y^2}} = (1-\underline{x})^2 \qquad x^2+y^2 = 1-2x+x^2$

$2x = -y^2 + 1$

∴ 放物線 $x = -\dfrac{1}{2}y^2 + \dfrac{1}{2}$ となる。

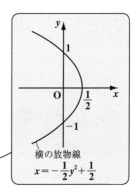

横の放物線
$x = -\dfrac{1}{2}y^2 + \dfrac{1}{2}$

(3) $r = \dfrac{3}{2+\cos\theta}$ ……③ を，x と y の方程式で表す。

③ の両辺に $2+\cos\theta$ をかけて

$$\overbrace{r(2+\cos\theta)}=3 \qquad \underline{2r}+\underline{r\cos\theta}=3$$

> これを 2 乗して，
> $r^2=x^2+y^2$ を使う！

$\boxed{x}$

$2r = 3 - r\cos\theta$ この両辺を 2 乗して

$4\underline{\underline{r^2}} = (3-\underline{r\cos\theta})^2$ ……③´

ここで，変換公式

$$\begin{cases} r\cos\theta = \underline{x} \\ r^2 = \underline{x^2+y^2} \end{cases} \text{を③´に代入すると，}$$

$4\overbrace{(\underline{\underline{x^2+y^2}})} = (3-\underline{x})^2$

$$4x^2 + 4y^2 = 9 - 6x + x^2 \quad \text{より}, \quad 3x^2 + 6x + 4y^2 = 9$$

$$3(x^2 + 2x + 1) + 4y^2 = 9 + 3$$

2 で割って 2 乗　　左辺に 3 をたした分, 右辺にもたす。

$$3(x+1)^2 + 4y^2 = 12$$

両辺を 12 で割ると,

$$\frac{(x+1)^2}{4} + \frac{y^2}{3} = 1 \text{ となる}。$$

これは, だ円 $:\dfrac{x^2}{2^2} + \dfrac{y^2}{(\sqrt{3})^2} = 1$ を
$(-1, 0)$ だけ平行移動したものだ！

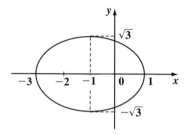

　どう？　これで, 極方程式にも慣れただろう？　これで "**式と曲線**" について 4 回に渡って解説してきた講義もすべて終了だよ。かなり内容があったと思うからよ〜く復習して, シッカリマスターしておくといいよ。

　次回からは, 新たなテーマ "**関数**" について解説する。また, 楽しく, 分かりやすく, ていねいに解説していくから, すべて理解できるはずだ。楽しみにしてくれ。

　それじゃみんな, 次回まで元気でな。また会おう。さようなら……。

1. 放物線の公式

（ⅰ）$x^2 = 4py\ (p \neq 0)$ の場合，（ア）焦点 $F(0, p)$　（イ）準線：$y = -p$

（ウ）$QF = QH$（Q：曲線上の点，QH：Q と準線との距離）

（ⅱ）$y^2 = 4px\ (p \neq 0)$ の場合，（ア）焦点 $F(p, 0)$　（イ）準線：$x = -p$

（ウ）$QF = QH$（Q：曲線上の点，QH：Q と準線との距離）

2. だ円：$\dfrac{x^2}{a^2} + \dfrac{y^2}{b^2} = 1$ の公式

（ⅰ）$a > b$ の場合，（ア）焦点 $F_1(c, 0)$, $F_2(-c, 0)$　$(c = \sqrt{a^2 - b^2})$

（イ）$PF_1 + PF_2 = 2a$　（P：曲線上の点）

（ⅱ）$b > a$ の場合，（ア）焦点 $F_1(0, c)$, $F_2(0, -c)$　$(c = \sqrt{b^2 - a^2})$

（イ）$PF_1 + PF_2 = 2b$　（P：曲線上の点）

3. 双曲線の公式

（ⅰ）$\dfrac{x^2}{a^2} - \dfrac{y^2}{b^2} = 1$ の場合，（ア）焦点 $F_1(c, 0)$, $F_2(-c, 0)$　$(c = \sqrt{a^2 + b^2})$

（イ）漸近線：$y = \pm \dfrac{b}{a}x$　（ウ）$|PF_1 - PF_2| = 2a$（P：曲線上の点）

（ⅱ）$\dfrac{x^2}{a^2} - \dfrac{y^2}{b^2} = -1$ の場合，（ア）焦点 $F_1(0, c)$, $F_2(0, -c)$　$(c = \sqrt{a^2 + b^2})$

（イ）漸近線：$y = \pm \dfrac{b}{a}x$　（ウ）$|PF_1 - PF_2| = 2b$（P：曲線上の点）

4. 円の媒介変数表示

円：$x^2 + y^2 = r^2$（r：半径）を媒介変数 θ を使って表すと，

$$\begin{cases} x = r\cos\theta \\ y = r\sin\theta \end{cases} \quad (r：正の定数)\ となる。$$

5. だ円の媒介変数表示

だ円 $\dfrac{x^2}{a^2} + \dfrac{y^2}{b^2} = 1\ (a > 0,\ b > 0)$ を媒介変数 θ を使って表すと

$$\begin{cases} x = a\cos\theta \\ y = b\sin\theta \end{cases} \quad (a,\ b：正の定数)\ となる。$$

6. xy 座標と極座標の変換公式

（1）$\begin{cases} x = r\cos\theta \\ y = r\sin\theta \end{cases}$　（2）$\begin{cases} r^2 = x^2 + y^2 \\ \tan\theta = \dfrac{y}{x} \quad (x \neq 0) \end{cases}$

第 5 章
CHAPTER

5 関数

一緒に
がんばろう！

15th day　分数関数・無理関数

みんな，元気？ おはよう！ さわやかな朝で気持ちがいいね！ サァ，気分も新たに，今日から"関数"の講義に入ろう。

これまで，学習した関数として，**2**次関数や**3**次関数やそれに三角関数，

$$\boxed{y = ax^2 + bx + c}\quad \boxed{y = ax^3 + bx^2 + cx + d}\quad \boxed{y = \sin x\ \text{など}}$$

そして，指数関数や対数関数があったけれど，今回は新たに"**分数関数**"と

$$\boxed{y = a^x}\quad \boxed{y = \log_a x}$$

"**無理関数**"について教えよう。さらに，"**偶関数・奇関数**"についても解説するつもりだ。

エッ，今回も内容が多すぎるって？ 大丈夫，また**1**つ**1**つていねいに教えていくから，すべて理解できるはずだ。

サァ，それでは早速講義を始めるよ！

● まず，分数関数から始めよう！

"**分数関数**"の基本形とは，$y = \dfrac{k}{x}$ ……① (k：ある定数) の形をした関数のことなんだ。変数 x が分母にあるから，当然 $\underline{x \neq 0}$ だよ。ここではまず，

$$\boxed{\text{0 で割ることはできないからね。}}$$

$k = 1$ のときの関数を $y = f(x) = \dfrac{1}{x}$ とおいて，$x = -2, -1, -\dfrac{1}{2}, \dfrac{1}{2}, 1,$

2 と具体的に x に値を代入して，その y 座標を調べてみよう。

$$y = f(-2) = \frac{1}{-2} = -\frac{1}{2}\ ,\quad y = f(-1) = \frac{1}{-1} = -1$$

$$y = f\left(-\frac{1}{2}\right) = \frac{1}{-\frac{1}{\boxed{2}}} = -2\ ,\quad y = f\left(\frac{1}{2}\right) = \frac{1}{\frac{1}{\boxed{2}}} = 2$$

$y = f(1) = \dfrac{1}{1} = 1$, $y = f(2) = \dfrac{1}{2}$ となるので,

関数 $y = f(x) = \dfrac{1}{x}$ $(x \neq 0)$ のグラフは,

点 $\left(-2, -\dfrac{1}{2}\right), \left(-1, -1\right), \left(-\dfrac{1}{2}, -2\right),$

$\left(\dfrac{1}{2}, 2\right), (1, 1), \left(2, \dfrac{1}{2}\right)$ を通ることが分

かる。$x = 0$ で切れてはいるけど, これ
らの点を滑らかな曲線で結ぶことによ
り, 図1 に示すような,

分数関数 $y = f(x) = \dfrac{1}{x}$ $(x \neq 0)$ のグラフ

が描けるのはいい? 納得いった?

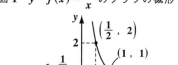

図1　$y = f(x) = \dfrac{1}{x}$ のグラフの概形

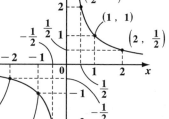

　それでは次, ①の $k = -1$ のときの分

数関数を, $y = g(x) = \dfrac{-1}{x}$ とおいて, 同様に, $x = -2 , -1 , -\dfrac{1}{2} , \dfrac{1}{2} , 1 ,$

2 のときの y 座標を求めると,

図2　$y = g(x) = -\dfrac{1}{x}$ のグラフの概形

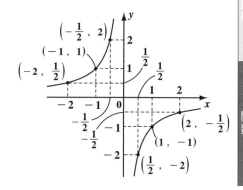

$y = g(-2) = \dfrac{-1}{-2} = \dfrac{1}{2}$

$y = g(-1) = \dfrac{-1}{-1} = 1$

$y = g\left(-\dfrac{1}{2}\right) = \dfrac{-1}{-\dfrac{1}{2}} = 2$

$y = g\left(\dfrac{1}{2}\right) = \dfrac{-1}{\dfrac{1}{2}} = -2$

$y = g(1) = \dfrac{-1}{1} = -1$

$y = g(2) = \dfrac{-1}{2} = -\dfrac{1}{2}$

となるので, 関数 $y = g(x) = -\dfrac{1}{x}$ $(x \neq 0)$ のグラフは,

点 $\left(-2, \dfrac{1}{2}\right), (-1, 1), \left(-\dfrac{1}{2}, 2\right), \left(\dfrac{1}{2}, -2\right), (1, -1), \left(2, -\dfrac{1}{2}\right)$ を通ることが分かるね。よって，図 1 と同様に，これらの点を滑らかな曲線で結ぶと，図 2 に示すような，$y = g(x) = -\dfrac{1}{x}\ (x \neq 0)$ のグラフが描けるんだ。

　一般に，分数関数の基本形 $y = \dfrac{k}{x}\ (x \neq 0,\ k：定数)$ は，定数 k の値の正・負により，次のような 2 種類の曲線に大きく分類されることを覚えておこう！

分数関数の基本形

分数関数 $y = \dfrac{k}{x}$　$(x \neq 0,\ k：0 でない定数)$ のグラフ

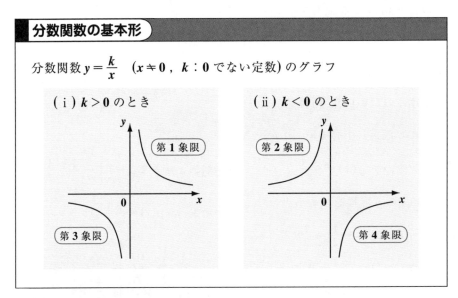

（ⅰ）$k > 0$ のとき　　　　　　（ⅱ）$k < 0$ のとき

第 1 象限　第 3 象限　第 2 象限　第 4 象限

つまり，$y = \dfrac{k}{x}$ のグラフは，

$\begin{cases} （ⅰ）k > 0 \text{ のときは，第 1 象限と第 3 象限の曲線になり，} \\ （ⅱ）k < 0 \text{ のときは，第 2 象限と第 4 象限の曲線になるんだね。} \end{cases}$

それでは，この分数関数の基本形を平行移動させた標準形についても解説しておこう。

　一般に，関数 $y = f(x)$ を，x 軸方向に p，y 軸方向に q だけ平行移動させ

これを "(p, q) だけ平行移動" と表現してもいい。

た関数を求めたかったら，$y = f(x)$ の x の代わりに $x - p$ を，y の代わり

214

に $y-q$ を代入して，$y-q=f(x-p)$ とすればよかったんだね。つまり，

$$\underline{\underline{y}}=f(x) \xrightarrow[\text{平行移動}]{(p,q) \text{だけ}} \underline{\underline{y-q}}=f(x-p)$$

$$\begin{cases} x \to \underline{x-p} \\ y \to \underline{y-q} \end{cases}$$

となる。

だから，分数関数の基本形 $y=\dfrac{k}{x}$ が与えられたとき，これを (p,q) だけ平行移動した関数は，

$$y-q=\dfrac{k}{x-p} \longleftarrow \boxed{\begin{array}{l} x \text{ の代わりに } x-p \\ y \text{ の代わりに } y-q \\ \text{を代入したもの} \end{array}}$$

よって，

$$y=\dfrac{k}{x-p}+q \quad (x \neq p) \text{ となる。}$$

これを分数関数の標準形と呼ぶんだ。p，q の値を変化させることにより，分数関数を自由に平行移動できるんだね。その様子を，図3に示しておくよ。

それでは，分数関数について次の練習問題を解いてごらん。

図3　分数関数の標準形 $y=\dfrac{k}{x-p}+q$ のグラフ（$k>0$ のときのグラフ）

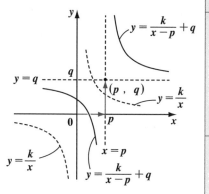

練習問題 53　　分数関数　　CHECK *1*　CHECK *2*　CHECK *3*

次の空欄を埋めよ。

分数関数 $y=\dfrac{3x+1}{x+1}$ は，分数関数 $y=\dfrac{\boxed{\ \text{ア}\ }}{x}$ を x 軸方向に $\boxed{\ \text{イ}\ }$，y 軸方向に $\boxed{\ \text{ウ}\ }$ だけ平行移動したものである。

$y=\dfrac{3x+1}{x+1}$ を変形して，分数関数の標準形 $y=\dfrac{k}{x-p}+q$ にすれば，$y=\dfrac{k}{x}$ を $(p \ , \ q)$ だけ平行移動したものであることが分かるはずだ。

$$y=\frac{3x+1}{x+1}=\frac{3(x+1)+1-3}{x+1}$$

分子の $3x+1$ は，
分母の $x+1$ でまだ割れる！

$$=\frac{3(x+1)}{x+1}+\frac{-2}{x+1}$$

$$\therefore y=\frac{-2}{x+1}+3 \quad \text{となるので，}$$

$$y=\frac{\overset{k}{-2}}{x-\underset{p}{(-1)}}+\overset{q}{3}$$

これは，$y=\dfrac{-2}{x}$ を x 軸方向に -1，

y 軸方向に 3 だけ平行移動したものである。 ……………(答)(ア，イ，ウ)

● 無理関数についてもマスターしよう！

"無理関数" についても，まず，その基本形から始めよう。無理関数というから，無理数と関係あるのかって？ いい勘してるね。その通りだ。無理関数というのは文字通り，$\sqrt{}$ のついた関数のことで，その基本形は，$y=\sqrt{ax}$ (a：0 以外の定数) で表される。この関数も，a が (i) 正のときと (ii) 負のときで，そのグラフの概形が大きく異なる。これについても (i) $a>0$ のときの例として，$a=1$ のときと，(ii) $a<0$ のときの例として，$a=-1$ のときの 2 つの関数のグラフの概形を具体的に求めてみよう。

まず，$a=1$ のときの無理関数 $y=\sqrt{ax}$ を，$\underset{①}{y=f(x)=\sqrt{x}}$ $(x\geqq 0)$ とおいて，このグラフを描いてみるよ。$\sqrt{}$ 内の x は，当然 $x\geqq 0$ を満たさないといけないので，$x=0$，1，4 のときの y 座標を求めてみると，$y=f(0)=\sqrt{0}=0$，$y=f(1)=\sqrt{1}=1$，$y=f(4)=\sqrt{4}=2$ となる。よって，

$y=f(x)=\sqrt{x}$ $(x\geqq0)$ のグラフは，点 $(0,0),(1,1),(4,2)$ を通ることが分かるね。これらの点を滑らかな曲線で結んだものが，$y=f(x)=\sqrt{x}$ $(x\geqq0)$ のグラフで，それを図4に示す。ン？ 放物線の半分を横にしたように見えるって？ いい勘だね。確か

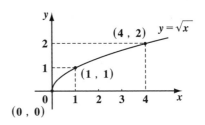

図4　$y=f(x)=\sqrt{x}$ のグラフの概形

にこの関数は，2次関数 $y=x^2$ のグラフと関係がある。これについては "逆関数" のところ (P233) で詳しく話そう。

じゃ，次，$a=-1$ のときの無理関数 $y=\sqrt{ax}$ を，$y=g(x)=\sqrt{-x}$ $(x\leqq0)$

$\underset{-1}{}$

とおいて，そのグラフも描いてみよう。この場合 $\sqrt{}$ 内は $-x$ なので，$-x\geqq0$ から $x\leqq0$ の条件が当然つくんだね。よって，$x=0$，-1，-4 の

両辺に -1 をかけた！

ときの y 座標をまず求めてみると，

$y=g(0)=\sqrt{-1\times0}=\sqrt{0}=0$

$y=g(-1)=\sqrt{-1\times(-1)}=\sqrt{1}=1$

$y=g(-4)=\sqrt{-1\times(-4)}=\sqrt{4}=2$

となるので，$y=g(x)=\sqrt{-x}$ $(x\leqq0)$ のグラフは，点 $(0,0)$，$(-1,1)$，$(-4,2)$ を通る，図5のような曲線になることが分かると思う。

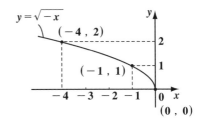

図5　$y=g(x)=\sqrt{-x}$ のグラフの概形

エッ，$y=\sqrt{x}$ のグラフと，$y=\sqrt{-x}$ のグラフは，y 軸に関して対称な形になるって？ その通りだね。これは，関数のグラフの対称移動ということになるんだけれど，ちょうどいい機会だから，この対称移動の公式もまとめて書いておこう。これらの対称移動の公式と，平行移動の公式を組み合わせれば，さらに自由に関数のグラフを動かすことができるようになるんだよ。

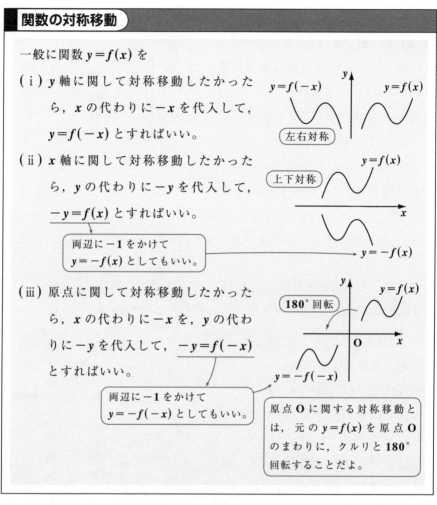

関数の対称移動

一般に関数 $y=f(x)$ を

（ⅰ）y 軸に関して対称移動したかった
ら，x の代わりに $-x$ を代入して，
$y=f(-x)$ とすればいい。

$y=f(-x)$　　$y=f(x)$

左右対称

（ⅱ）x 軸に関して対称移動したかった
ら，y の代わりに $-y$ を代入して，
$-y=f(x)$ とすればいい。

$y=f(x)$

上下対称

両辺に -1 をかけて
$y=-f(x)$ としてもいい。

$y=-f(x)$

（ⅲ）原点に関して対称移動したかった
ら，x の代わりに $-x$ を，y の代わ
りに $-y$ を代入して，$-y=f(-x)$
とすればいい。

180°回転

$y=f(x)$

$y=-f(-x)$

両辺に -1 をかけて
$y=-f(-x)$ としてもいい。

原点 O に関する対称移動と
は，元の $y=f(x)$ を原点 O
のまわりに，クルリと 180°
回転することだよ。

　これから，$y=\sqrt{x}$ の x に $-x$ を代入したものが $y=\sqrt{-x}$ だったから，関数 $y=f(x)=\sqrt{x}$ $(x\geqq0)$ と関数 $y=g(x)=\sqrt{-x}$ $(x\leqq0)$ のグラフは y 軸に関して対称なグラフになったんだね。納得いった？

それでは，話を，無理関数の基本形 $y=\sqrt{ax}$ に戻しておくよ。この関数のグラフは，定数 a の値の正・負によって，次のような 2 通りに分類できるんだ。

無理関数の基本形

無理関数 $y=\sqrt{ax}$ （a：0 でない定数）のグラフ

（ⅰ）$a>0$ のとき

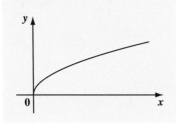

（ⅱ）$a<0$ のとき

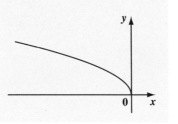

それでは，無理関数についても，練習問題で練習しておこう。

| 練習問題 54 | 無理関数 | CHECK 1 | CHECK2 | CHECK3 |

無理関数 $y=-\sqrt{2x-4}+1$ のグラフの概形を描け。

エッ，どこから手をつけていいか分からないって？ この問題の場合，まず与式を $y=-\sqrt{2(x-2)}+1$ として，基本形 $y=\sqrt{2x}$ に対称移動や平行移動の操作を順に行っていけばいいんだよ。

$y=f(x)=\sqrt{2x}\ (x\geqq0)$ とおくと，
$\underset{(a)}{\uparrow}$

図ア

$f(0)=0$，$f(2)=\sqrt{4}=2$ より

$y=f(x)=\sqrt{2x}$ のグラフは，図アのようになる。

ここで，次のように考えるといいんだよ。

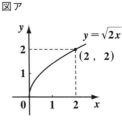

（ⅰ）$y=\sqrt{2x}\ \xrightarrow[\text{対称移動}]{x\text{軸に関して}}$ （ⅱ）$-y=\sqrt{2x}\ \xrightarrow[\text{平行移動}]{(2,\ 1)\text{だけ}}$ （ⅲ）$y-1=-\sqrt{2(x-2)}$

$\qquad\qquad y\to-y\qquad\therefore y=-\sqrt{2x}\quad \begin{cases}x\to x-2\\ y\to y-1\end{cases}\quad \therefore y=-\sqrt{2x-4}+1$

まず，(ⅰ) $y=\sqrt{2x}$ を x 軸に関して対称移動すると，$-y=\sqrt{2x}$，すなわち
(ⅱ) $y=-\sqrt{2x}$ となる。
その様子を図イに示す。
次に，(ⅱ) $y=-\sqrt{2x}$ を $(\underset{\sim}{2}$, $\underset{\sim}{1})$ だけ平行移動したものが，$y-\underset{\sim}{1}=-\sqrt{2(x-\underset{\sim}{2})}$
すなわち，(ⅲ) $y=-\sqrt{2x-4}+1$ となるので，求めるこの関数のグラフを図ウに示す。

どう？ これまで勉強した知識をステップ・バイ・ステップに使っていけば，グラフは楽に求まることが分かった？

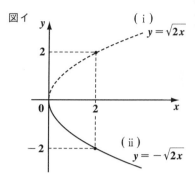

図イ

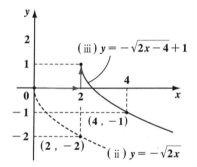

図ウ　$y=-\sqrt{2x-4}+1$ のグラフ

● 偶関数・奇関数の知識も重要だ！

それでは次，"偶関数" と "奇関数" についても解説しよう。この知識があるとグラフを描く上で非常に楽になるからね。

じゃ，まず，偶関数と奇関数の定義と，それらの関数のグラフ上の特徴を示しておこう。

偶関数と奇関数

関数 $y=f(x)$ が

(ⅰ) $f(-x)=f(x)$ をみたすとき，$y=f(x)$ を偶関数と呼び，そのグラフは，y 軸に関して対称なグラフになる。

(ⅱ) $f(-x)=-f(x)$ をみたすとき，$y=f(x)$ を奇関数と呼び，そのグラフは，原点に関して対称なグラフになる。

すべての関数が偶関数か奇関数になるわけではないけれど，$y=f(x)$ が，

(ⅰ) $f(-x)=f(x)$ をみたせば，これが偶関数の定義で，そのときは y 軸に対称なグラフになる。また，

(ⅱ) $f(-x)=-f(x)$ となれば，これが奇関数の定義で，そのときは原点に対称なグラフになるんだよ。

まず，(ⅰ) の偶関数の例を **2** つ示しておこう。

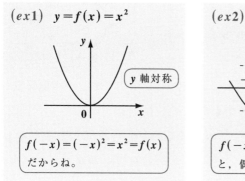

$(ex1)$ $y=f(x)=x^2$

y 軸対称

$f(-x)=(-x)^2=x^2=f(x)$
だからね。

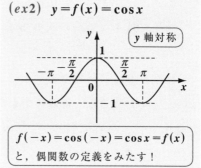

$(ex2)$ $y=f(x)=\cos x$

y 軸対称

$f(-x)=\cos(-x)=\cos x=f(x)$
と，偶関数の定義をみたす！

次に，(ⅱ) の奇関数の例も示しておくよ。

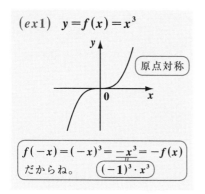

$(ex1)$ $y=f(x)=x^3$

原点対称

$f(-x)=(-x)^3=\underline{-x^3}=-f(x)$
だからね。 $\boxed{(-1)^3 \cdot x^3}$

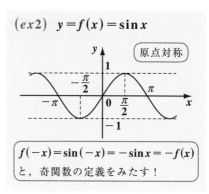

$(ex2)$ $y=f(x)=\sin x$

原点対称

$f(-x)=\sin(-x)=-\sin x=-f(x)$
と，奇関数の定義をみたす！

エッ，分数関数の基本形 $y=f(x)=\dfrac{k}{x}$ も原点に関して点対称なグラフの

形をしているから，奇関数じゃないかって？ いいセンスだ！

$f(x) = \dfrac{k}{x}$ について，

$f(-x) = \dfrac{k}{-x} = -\dfrac{k}{x} = -f(x)$ と奇関数の定

義をみたすから，$f(x) = \dfrac{k}{x}$ は奇関数で，原

点に関して対称なグラフになるんだね。

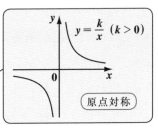

ン？ それじゃ，無理関数 $y = \sqrt{ax}$ は，偶

関数か，奇関数になるのかって？ たとえば，

$a = 1$ のとき，$y = \sqrt{x}$ は $x \geqq 0$ の条件が付く

ので，$-x\ (\leqq 0)$ を $\sqrt{\ }$ 内に入れること自体

がムリだね。グラフの形から見ても，これは

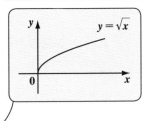

y 軸に対称や，原点に対称な形をしていないだろう。だから，無理関数

$y = \sqrt{ax}$ は，偶関数でも，奇関数でもないんだよ。

前に勉強した，対称移動では，2つの関数の対称性を考えたんだけど，

今回の偶関数，奇関数の問題は，1つの関数の対称性を問題としているん

だよ。キッチリ区別しlike。

では次の練習問題で，偶関数か奇関数を見分ける練習をしておこう。

練習問題 55	偶関数・奇関数	CHECK *1*	CHECK *2*	CHECK *3*

次の関数が，偶関数か奇関数か，または，そのいずれでもないかを調べよ。

(1) $y = x^4 + 3x^2 + 1$　　　(2) $y = 4x^3 - 2x$

(3) $y = x^4 - 4x$　　　(4) $y = \dfrac{1}{x^2 + 1}$

(5) $y = \sin 2x$　　　(6) $y = \tan x$

各関数を，たとえば $f(x)$ とおいて，(i) $f(-x) = f(x)$ をみたせば偶関数だし，(ii) $f(-x) = -f(x)$ をみたせば奇関数といえる。この (i)，(ii) のいずれでもなければ，偶関数でも奇関数でもないんだね。頑張ろう！

(1) $y=f(x)=x^4+3x^2+1$　とおき，x に $-x$ を代入すると，

$$f(-x)=\underbrace{(-x)^4}_{x^4}+3\underbrace{(-x)^2}_{x^2}+1=x^4+3x^2+1=f(x)　となる。$$

よって，$f(-x)=f(x)$ をみたすので，

$f(x)=x^4+3x^2+1$ は，偶関数である。

y 軸に関して対称なグラフになる。

(2) $y=g(x)=4x^3-2x$　とおき，x に $-x$ を代入すると，

$$g(-x)=4\underbrace{(-x)^3}_{-x^3}-2\cdot(-x)=4\cdot(-x^3)-2\cdot(-x)$$

$(-x)^3=(-x)\cdot(-x)\cdot(-x)=-x^3$　となるね。

$$=-4x^3+2x=-\underbrace{(4x^3-2x)}_{g(x)}=-g(x)　となるね。$$

よって，$g(-x)=-g(x)$ をみたすので，

$g(x)=4x^3-2x$ は，奇関数である。

原点に関して対称なグラフになる。

(3) $y=h(x)=x^4-4x$　とおき，x に $-x$ を代入すると，

$$h(-x)=\underbrace{(-x)^4}_{x^4}-4\cdot(-x)=x^4+4x　となる。$$

$(-x)^4=(-x)\cdot(-x)\cdot(-x)\cdot(-x)=x^4$　となるね。

よって，$h(-x)$ は $h(x)=x^4-4x$ でもなく，$-h(x)=-x^4+4x$ でも

ない。よって，$h(x)=x^4-4x$ は，偶関数でも奇関数でもない。

一般に，定数項 $C=C\cdot x^0$ や，x^2, x^4, x^6, $\cdots$ は，x に $-x$ を代入しても変化しないので，偶関数になる。これに対して，

x, x^3, x^5, x^7, $\cdots$ は x に $-x$ を代入すると，符号が変わるので，奇関数になるんだね。

よって，**(1)** の $f(x)=x^{\overset{偶}{4}}+3\cdot x^{\overset{偶}{2}}+1\cdot x^{\overset{偶}{0}}$ は，偶関数であり，

　　　　(2) の $g(x)=4\cdot x^{\overset{奇}{3}}-2\cdot x^{\overset{奇}{1}}$ は，奇関数であり，

　　　　(3) の $h(x)=x^{\overset{偶}{4}}-4\cdot x^{\overset{奇}{1}}$ は，偶関数でも奇関数でもないんだね。

(4) $f(x) = \dfrac{1}{x^2+1}$　とおき，x に $-x$ を代入すると，

$$f(-x) = \frac{1}{\underbrace{(-x)^2}_{x^2}+1} = \frac{1}{x^2+1} = f(x)　となる。$$

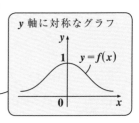

y 軸に対称なグラフ

$y = f(x)$

よって，$f(x) = \dfrac{1}{x^2+1}$ は偶関数である。

(5) $g(x) = \sin 2x$　とおき，x に $-x$ を代入すると，

$$g(-x) = \sin\{2\cdot(-x)\} = \underline{\sin(-2x) = -\sin 2x} = -g(x)$$

$\boxed{\sin(-\theta) = -\sin\theta \text{ だからね。}}$　$\boxed{\text{原点に関して対称なグラフになる。}}$

よって，$g(x) = \sin 2x$ は，奇関数である。

(6) $h(x) = \tan x$　とおき，x に $-x$ を代入すると，

$$h(-x) = \underline{\tan(-x) = -\tan x} = -h(x)　となる。$$

$\boxed{\tan(-\theta) = -\tan\theta \text{ だからね。}}$　$\boxed{\text{原点に関して対称なグラフになる。}}$

よって，$h(x) = \tan x$ は，奇関数である。

どう？偶関数や奇関数の見分け方は大丈夫になった？では，もう少し練習しておこう。

練習問題 56	偶関数・奇関数	CHECK *1*	CHECK *2*	CHECK *3*

次の関数が，偶関数か奇関数かを調べよ。

(1) $y = x^2 \cdot \cos x$　　**(2)** $y = x^2 \cdot \sin x$　　**(3)** $y = x \cdot \tan x$

---

x^2 と $\cos x$ は偶関数であり，x と $\sin x$ と $\tan x$ は奇関数であることは，みんな大丈夫だね。では，これらの積の組合せがどうなるか調べてごらん。今日，最後の問題だ！頑張ろう!!

(1) $f(x) = \underbrace{x^2}_{偶関数} \cdot \underbrace{\cos x}_{偶関数}$　とおくと，

$$f(-x) = \underbrace{(-x)^2}_{x^2} \cdot \underbrace{\cos(-x)}_{\cos x} = x^2 \cdot \cos x = f(x)　となる。$$

よって，$f(x) = x^2 \cdot \cos x$ は，偶関数である。

$\boxed{\text{これから，偶×偶=偶となることが分かったんだね。}}$

(2) $g(x) = x^2 \cdot \sin x$ とおくと，

　　　$\underbrace{x^2}_{\text{偶関数}}$ 　$\underbrace{\sin x}_{\text{奇関数}}$

$g(-x) = \underbrace{(-x)^2}_{x^2} \cdot \underbrace{\sin(-x)}_{(-\sin x)} = x^2 \cdot (-\sin x) = -x^2 \sin x = -g(x)$ となる。

よって，$g(x) = x^2 \cdot \sin x$ は，奇関数である。

これから，偶 × 奇 = 奇 となることが分かったんだね。

(3) $h(x) = x \cdot \tan x$ とおくと，

　　　$\underbrace{x}_{\text{奇関数}}$ 　$\underbrace{\tan x}_{\text{奇関数}}$

$h(-x) = -x \cdot \underbrace{\tan(-x)}_{(-\tan x)} = -x \cdot (-\tan x) = x\tan x = h(x)$ 　となる。

よって，$h(x) = x \cdot \tan x$ は，偶関数である。

これから，奇 × 奇 = 偶 となることも分かったんだね。

以上 (1)(2)(3) より，偶 × 偶 = 偶，偶 × 奇 = 奇，奇 × 奇 = 偶 となることが分かった。ここで，もちろん 偶 は偶関数のことで，奇 は奇関数のことだよ。納得いった？

　以上で，今日の講義も終了です。ボク自身は，分数関数や無理関数は，数学 III・C ではなく，もっと早く，たとえば数学 I の時点で教えてもいい内容だと思っている。でも，いずれにせよ，大事な基本関数だから，ここでシッカリ押さえておこう。

　また，偶関数や奇関数も「**初めから始める数学 III・C Part2**」で解説する "**微分・積分**" で重要な役割を演じるから，これもヨ〜ク復習しておくことだね。

　それでは，みんな，次回の講義でまた会おう。それまで，元気でな。さようなら…。

16th day　逆関数・合成関数

みんな，今日も元気そうで何よりだ！おはよう！さァ，これから“**関数**”の **2** 回目の講義に入るけれど，実は関数はこれが最終章なんだね。エッ，あっけないって!? でも，この後の本格的な勉強をする上で重要なテーマが目白押しなので，今日の講義もシッカリ聞いてくれ。

今日はまず，前回学んだ“**分数関数**（ぶんすうかんすう）”や“**無理関数**（むりかんすう）”と直線との関係について勉強しよう。また，**1** 対 **1** 対応と“**逆関数**（ぎゃくかんすう）”の関係についても教えよう。さらに，**2** つの関数の“**合成関数**（ごうせいかんすう）”まで解説するつもりだ。

それじゃ，みんな準備はいい？では，早速講義を始めよう！

● 分数関数と直線の関係を調べよう！

それでは，まず，次の練習問題で分数関数と直線との共有点の座標を求める問題を解いてみよう。

練習問題 57	分数関数と直線の交点	CHECK 1	CHECK 2	CHECK 3

分数関数 $y=\dfrac{x}{x-2}$ …① と，直線 $y=2x-3$ …② との交点の座標を求めよ。

①，②から y を消去して，x の 2 次方程式を作り，これを解けば，交点の x 座標が求まるんだね。結果については，グラフで確認するといいよ。

分数関数 $y=\dfrac{x}{x-2}$ …①と直線 $y=2x-3$ …②より y を消去して，

変形すると，

$\dfrac{x}{x-2}=2x-3$　　　$x=(2x-3)(x-2)$

$x=2x^2-7x+6$　　　$2x^2-8x+6=0$

両辺を 2 で割って，$x^2-4x+3=0$

$\therefore (x-1)(x-3)=0$　　$\therefore x=1,\ 3$ ← これが，①と②の交点の x 座標

$$
\begin{cases}
\cdot\, x=1 \text{ のとき, ②より, } y=2\cdot1-3=-1 \\
\cdot\, x=3 \text{ のとき, ②より, } y=2\cdot3-3=3
\end{cases}
$$

以上より, 分数関数①と直線②の交点の座標は $(1,\ -1)$, $(3,\ 3)$ である。これを, グラフでも確認しておこう。①を標準形に変形すると,

$$
y=\frac{x}{x-2}=\frac{(x-2)+2}{x-2}=1+\frac{2}{x-2}
$$

$$
\underline{y=\frac{2}{x-2}+1}
$$

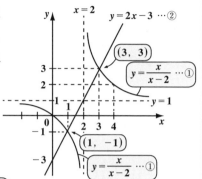

これは, $y=\dfrac{2}{x}$ を $(2,\ 1)$ だけ平行移動したもの

よって, ①と②のグラフを描くと, ナルホド $(1,\ -1)$ と $(3,\ 3)$ で交わることが確認できるんだね。面白かった？

ここで, 2 本の直線や曲線について, 交点や接点や共有点という言葉が出てくるけれど, 共有点とは, 交点と接点を併せて言うときの総称であることを覚えておこう。それでは次の練習問題で, 分数関数と直線の共有点の個数を調べてみよう。

| 練習問題 58 | 分数関数と直線の共有点 | CHECK 1 | CHECK 2 | CHECK 3 |

分数関数 $y=\dfrac{-1}{x+1}$ …① と直線 $y=x+k$ …② との共有点の個数を, 実数 k の値の範囲により分類せよ。

まず, ①, ②より y を消去して, x の 2 次方程式を作る。そして, この判別式 D を求め, (i) $D>0$ のとき, 異なる 2 交点, (ii) $D=0$ のとき 1 つの接点, (iii) $D<0$ のとき, 共有点が存在しないことになる。これも, グラフを実際に描いてみると, その意味が明確になるはずだ。これは, 練習問題 44(P179) や 45(P180) の類題でもあるんだよ。

分数関数 $y=\dfrac{-1}{x+1}$ …① と，直線 $y=x+k$ …② （k：実数定数）

より，y を消去してまとめると，

$\dfrac{-1}{x+1}=x+k$　　両辺に $x+1$ をかけて，

$-1=(x+k)(x+1)$　　　$-1=x^2+(k+1)x+k$

$x^2+(k+1)x+k+1=0$ ←

> x の 2 次方程式
> $a=1,\ b=k+1,\ c=k+1$ より
> 判別式 $D=b^2-4ac$
> 　　　　$=(k+1)^2-4(k+1)$
> となる。

この判別式を D とおくと，

$D=(k+1)^2-4\cdot 1\cdot(k+1)$

　$=(k+1)^2-4(k+1)$

　$=\underbrace{(k+1)}(k+1-4)=(k+1)(k-3)$　　となる。よって，

（$k+1$）をくくり出した

（ⅰ）$D=(k+1)(k-3)>0$，すなわち $(k+1)(k-3)>0$ より

　　$k<-1$ または $3<k$ のとき，①と②は，異なる 2 点で交わる。

（ⅱ）$D=(k+1)(k-3)=0$，すなわち $(k+1)(k-3)=0$ より

　　$k=-1$ または 3 のとき，①と②は，1 点で接する。

（ⅲ）$D=(k+1)(k-3)<0$，すなわち $(k+1)(k-3)<0$ より

　　$-1<k<3$ のとき，①と②は，共有点をもたない。

これだけでは，ピンとこな
いかも知れないけれど，
$y=\dfrac{-1}{x+1}$ …① と

$y=x+k$ …②のグラフ
を描けば，この意味も
よく分かると思う。

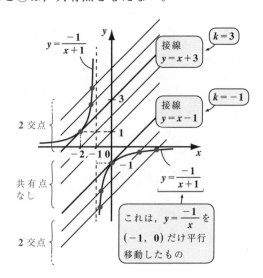

以上（ⅰ）（ⅱ）（ⅲ）より，①の分数関数と②の直線の共有点の個数は，

（ⅰ）$k < -1$ または $3 < k$ のとき，**2**個

（ⅱ）$k = -1$ または 3 のとき，　　**1**個

（ⅲ）$-1 < k < 3$ のとき，　　　　**0**個

となるんだね。納得いった？

　では次，無理関数と直線の関係も，次の練習問題で練習してみよう。

練習問題 59	無理関数と直線の共有点	CHECK 1	CHECK 2	CHECK 3

無理関数 $y = \sqrt{2x}$ …① と直線 $y = x + k$ …② との共有点の個数を，実数 k の値の範囲により分類せよ。

無理関数と直線の位置関係については，初めからグラフのイメージをもって問題を解いた方がうまくいくんだよ。

$y = \sqrt{2x}$ …① と

$y = x + k$ …② の

グラフから，②が

①の接線となると

きの k の値を k_1 と

おくと，①と②の

共有点の個数は，

・$k_1 < k$ のとき **0** 個

・$k < 0$，$k = k_1$

　のとき **1** 個

・$0 \leq k < k_1$ のとき

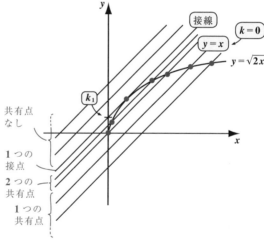

2 個，となることが分かるはずだ。

だから，①と②が接するときの k の値（k_1）が分かればいいんだね。

①，②より y を消去して，

$\sqrt{2x} = x + k$　この両辺を 2 乗して，

$$2x = (x+k)^2 \qquad 2x = x^2 + 2kx + k^2$$

$$\underbrace{1}_{a} \cdot x^2 + \underbrace{2(k-1)}_{2b'}x + \underbrace{k^2}_{c} = 0$$

x の 2 次方程式にもち込めた。後は，この判別式 $D=0$ のときの k の値が，求める接するときの k_1 になる。

この x の 2 次方程式の判別式を D とおくと，

$$\frac{D}{4} = (k-1)^2 - 1 \cdot k^2 = \cancel{k^2} - 2k + 1 - \cancel{k^2} = -2k + 1 \quad \text{となる。}$$

よって，$\dfrac{D}{4} = 0$ のとき，$-2k + 1 = 0$ より，$k = \dfrac{1}{2}$ となる。

これが k_1 だ。

このとき，直線 $y = x + k$ …② は，無理関数 $y = \sqrt{2x}$ …① の接線となるんだね。よって，前のグラフから明らかに，① と② の共有点の個数は，次のようになるんだね。

$$\begin{cases} (\,\text{i}\,)\ \dfrac{1}{2} < k \text{ のとき，} \mathbf{0} \text{ 個} \\[2mm] (\,\text{ii}\,)\ k < 0，\text{または } k = \dfrac{1}{2} \text{ のとき，} \mathbf{1} \text{ 個} \\[2mm] (\,\text{iii}\,)\ 0 \leqq k < \dfrac{1}{2} \text{ のとき，} \mathbf{2} \text{ 個} \end{cases}$$

では次，無理関数の入った不等式にもチャレンジしてみよう。

練習問題 60	無理関数と不等式	CHECK 1	CHECK 2	CHECK 3

(1) 無理関数 $y = \sqrt{x+1}$ …① と直線 $y = x - 1$ …② との交点の x 座標を求めよ。

(2) 不等式 $\sqrt{x+1} \geqq x - 1$ …③ の解を求めよ。

(1) $y = \sqrt{x+1}$ の定義域が，$x \geqq -1$ で，値域が $y \geqq 0$ であることに気を付けて

x 座標の取り得る値の範囲

y 座標の取り得る値の範囲のこと

解こう。(2) の不等式は，(1) の結果とグラフを利用すれば，簡単に解けるはずだ。頑張ろうな！

(1) $y = \sqrt{x+1}$ …① $(x \geqq -1,\ y \geqq 0)$ と

定義域　値域

$y = x - 1$ …② より y を消去して，

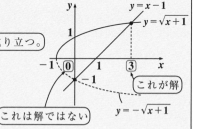

$\sqrt{x+1} = x - 1$ …④　④の両辺を **2** 乗して，

$x + 1 = (x-1)^2 \qquad x + \cancel{1} = x^2 - 2x + \cancel{1} \qquad x^2 - 3x = 0 \qquad x(x-3) = 0$

よって，$x = 0,\ 3$ が導けた。

しかし，$\underline{x = 0\ は解ではない。}$

実際に，$x = 0$ を④に代入すると，$\sqrt{1} = -1$
つまり，$\underline{1 = -1}$ となって不適となるからだ。

これでも，両辺を **2** 乗すれば $1 = 1$ となって成り立つ。

これは，④の両辺を **2** 乗することによって，
本来，解ではないものが現れたんだね。
グラフでは，点線で示した曲線 $y = -\sqrt{x+1}$
と $y = x - 1$ とのまぼろしの交点の x 座標にな
るんだね。

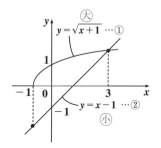

これが解

これは解ではない

$y = -\sqrt{x+1}$

以上より，①と②の交点の x 座標は，$x = 3$ である。

(2) 不等式 $\sqrt{x+1} \geqq x - 1$ …③

の左右両辺を，それぞれ

$\begin{cases} y = \sqrt{x+1} & \cdots\cdots① \\ y = x - 1 & \cdots\cdots\cdots② \end{cases}$

とおくと，①より，$x \geqq -1$ の条
件が予め存在する。

ここで，①の y 座標が②の y 座標
以上となる x の値の範囲が③の解
より，右のグラフから明らかに

$-1 \leqq x \leqq 3$ となる。

どう？グラフから簡単に解けただろう。ン？グラフを使わないで，
③の不等式をキチンと解く方法はないのかって？もちろん，あるよ。
少し複雑になるけれどね。…，やっぱり数式で解く方法も知りたいの
か？…ウ〜ン，了解！別解として，解説しよう。

231

$\sqrt{x+1} \geq x-1$ …③　より，この両辺をいきなり2乗して，

$x+1 \geq (x-1)^2$ なんて，やっちゃダメだよ。

理由は，両辺が共に0以上の条件，

つまり，$a \geq b\ (\geq 0)$ であるならば

右図から明らかに両辺を2乗しても

$a^2 \geq b^2$ となって，大小関係は変わら

ない。

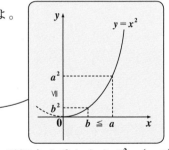

でも，たとえば，$2 \geq -3$ の場合，この両辺を2乗したら $\underset{④}{2^2} \leq \underset{⑨}{(-3)^2}$ と

なって，大小関係が逆転する場合もあるわけだから，③の両辺をいきなり，

2乗するようなムチャをしてはいけない。

慎重に解いていこう。

$\underset{\boxed{0\ \text{以上}}}{\sqrt{x+1}} \geq x-1$ ……③

・まず，$\sqrt{}$ 内は0以上より，$x+1 \geq 0$　∴ $x \geq -1$ となる。

・次に $\sqrt{x+1} \geq 0$ より，もし，$x-1 < 0$ ならば，③を必ずみたす。

　　よって，$x < 1$　以上より

　　$-1 \leq x < 1$ …⑦ は③をみたす。

・では次に，$x-1 \geq 0$，つまり $x \geq 1$ のとき，③の両辺は共に0以上なので，

　③の両辺を2乗しても，大小関係は変化しない。

　　よって，③の両辺を2乗して，

　　$x+1 \geq (x-1)^2$　$x+\cancel{1} \geq x^2-2x+\cancel{1}$

　　$x^2-3x \leq 0$　$x(x-3) \leq 0$

　　∴ $0 \leq x \leq 3$　となる。これと，

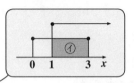

$1 \leq x$ の条件より，$1 \leq x \leq 3$ …⑦

以上，⑦と⑦を併せたものが求める③の解になる。

∴ $-1 \leq x \leq 3$　となるんだね。

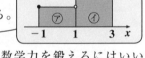

グラフを使わないと結構メンドウになるけれど，数学力を鍛えるにはいい

練習になると思う。面白かった？

232

● 1対1対応と逆関数って何だろう!?

それでは，次のテーマ，"1対1対応"と"逆関数"の解説に入ろう。

関数 $y = f(x)$ が，図1（ i ），（ ii ）に示すように，

（ i ）すべてのある y の値 (y_1) に対して，常にただ
1つの x の値 (x_1) が対応するとき，1対1対応
というんだよ。

これに対して，

（ ii ）1つの y の値 (y_1) に対して，複数の x の値
$(x_1$ と $x_2)$ が対応するとき，1対1対応でない
関数と呼ぶ。

ここまでは大丈夫？

図1
（ i ）1対1対応の関数
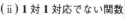

（ ii ）1対1対応でない関数
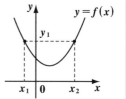

たとえば，今回勉強した分数関数 $y = \dfrac{k}{x}$ $(x \neq 0, y \neq 0)$ と，

無理関数 $y = \sqrt{ax}$ $(y \geq 0)$ は，1つの y の
値 (y_1) に対して，常にただ1つの x の
値 (x_1) が対応するので，いずれも1対1
対応と言えるんだね。

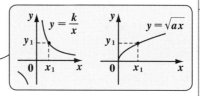

これに対して $y = \cos x$ は，1つの y
の値 (y_1) に対して，…，x_1，x_2，x_3，x_4，
…と無数の x の値が対応するので，こ
れは当然，1対1対応でないね。
$y = \sin x$ や $y = \tan x$ も同様に1対1対

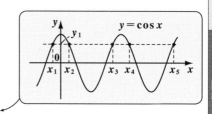

応じゃない。大丈夫だね。

それでは，これから"逆関数"について解説しよう。ここで，$y = f(x)$
という1対1対応が与えられたとき，その逆関数は，$f^{-1}(x)$ と表し，次の
ようにして求めることが出来る。 "エフ・インバース・エックス"と読む。

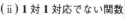

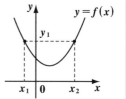

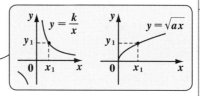

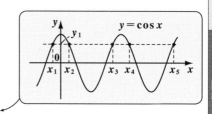

逆関数の公式

$y = f(x)$ が，1 対 1 対応のとき

$$y = f(x) \xleftarrow{\quad 逆関数 \quad} x = f(y) \longleftarrow （ⅰ）x と y を入れ替える。$$

$$y = f^{-1}(x) \longleftarrow （ⅱ）これを y = (x の式) の形 \\ に書き変える。$$

これが，$y = f(x)$ の逆関数だ！

そして，元の関数 $y = f(x)$ と，その逆関数 $y = f^{-1}(x)$ は，xy 座標平面上で直線 $y = x$ に関して，線対称なグラフになることも覚えておいてくれ。これから具体例で詳しく解説していくことにしよう。

逆関数を求めるには，まず元の関数 $y = f(x)$ が 1 対 1 対応でないといけないんだね。ここで，$y = x^2 \, (y \geqq 0)$ という関数は，1 つの y の値に対して，2 つの x の値が対応する場合があるので，これは 1 対 1 対応ではない。でも，これに，$x \geqq 0$ という定義域を与えて，$y = f(x) = x^2 \, (x \geqq 0, \, y \geqq 0)$ とすると，これは図 2（ⅰ）に示すように，1 対 1 対応となるのが分かるね。よって，この逆関数 $y = f^{-1}(x)$ を手順通りに求めてみよう。

図 2
（ⅰ）$y = f(x) = x^2 \, (x \geqq 0)$

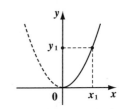

（ⅰ）まず，1 対 1 対応の関数

$$y = f(x) = x^2 \, (x \geqq 0, \, y \geqq 0)$$

の x と y を入れ替えて，

これも，x を y に入れ替える！

$$x = y^2 \, \cdots\cdots ⑦ \, (\underline{y \geqq 0}, \, x \geqq 0) \, となる。$$

（ⅱ）$y = f^{-1}(x) = \sqrt{x}$

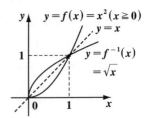

（ⅱ）次に，$x = y^2 \, \cdots\cdots ⑦ \, (y \geqq 0, \, x \geqq 0)$ を

$y = (x の式)$ の形に整える。

これが，逆関数 $f^{-1}(x)$

これが，$f^{-1}(x)$

⑦ より，$y = \sqrt{x} \quad (\because y \geqq 0)$ ← $y = \pm\sqrt{x}$ としない。$y \geqq 0$ だからね。

234

よって，$y=f(x)=x^2\ (x\geqq0)$ の逆関数 $f^{-1}(x)$ は，

$y=f^{-1}(x)=\sqrt{x}$ となるんだね。簡単だっただろう。

そして，図 2 (ⅱ) に示すように，$y=f(x)=x^2\ (x\geqq0)$ と，その逆関数 $y=f^{-1}(x)=\sqrt{x}$ は，直線 $y=x$ に関して，線対称なグラフになっていることが分かると思う。つまり，無理関数 $y=\sqrt{x}$ は，2 次関数 $y=x^2$ の $x\geqq0$ の部分を横に寝かせた形になっていたんだね。納得いった？

では，次の練習問題で，$y=2^x$ の逆関数を求めてごらん。

練習問題 61	逆関数	CHECK *1*	CHECK*2*	CHECK*3*

指数関数 $y=2^x\ (y>0)$ の逆関数を求め，グラフを示せ。

まず，$y=f(x)=2^x$ が 1 対 1 対応であることを確認して，x と y を入れ替え，$y=f^{-1}(x)$ の形に変形すればいいんだね。頑張ろう！

$y=f(x)=2^x\ \cdots$① $(y>0)$ とおくと，

指数関数 $y=f(x)=2^x$ は，右のグラフに示すように，単調増加関数なので，1 つの y の値に対して，ただ 1 つの x の値が対応する。つまり，$y=f(x)$ は 1 対 1 対応である。

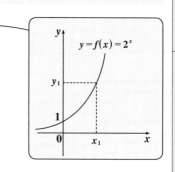

(ⅰ) よって，①の x と y を入れ替えて，

$x=2^y\ \cdots\cdots$② $(x>0)$

これが，逆関数 $y=f^{-1}(x)$ の定義域になる。

(ⅱ) 次に，②を $y=(x$ の式) の形に変形すると，

対数の定義

$y=\log_2 x\ \ (x>0)$ となる。 $c=a^b \Leftrightarrow b=\log_a c$

よって，$y=f(x)=2^x$ の

逆関数 $f^{-1}(x)$ は，

$y=f^{-1}(x)=\log_2 x$ となるんだね。

ここで，$y=f(x)=2^x$ と，

$y=f^{-1}(x)=\log_2 x$ のグラフを右に示す。

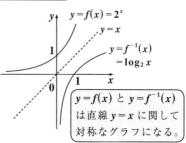

$y=f(x)$ と $y=f^{-1}(x)$ は直線 $y=x$ に関して対称なグラフになる。

● 合成関数もマスターしよう！

最後に，"合成関数"についても解説しよう。次のように，2つの関数があるものとする。

$$\begin{cases} t = f(x) & \cdots\cdots ① \\ y = g(t) & \cdots\cdots ② \end{cases}$$

ここで，①を②に代入すると，$y = g(\underbrace{f(x)}_{t})$ となるね。これが，合成関数なんだ。ン？よく分からないって!?具体的に解説しよう。たとえば

$$\begin{cases} t = f(x) = x^2 & \cdots\cdots\cdots ①' \\ y = g(t) = 2t + 1 & \cdots\cdots ②' \end{cases}$$ の2つの関数が与えられているとする。

このとき，たとえば，$x = 2$ ならば，①' より $t = f(2) = 2^2 = 4$ となって，$t = 4$ となるね。次に，この $t = 4$ を②' に代入すると，$y = g(4) = 2 \times 4 + 1 = 9$ となって，$y = 9$ が決まるんだね。この様子は，x の値が分かると t の値が決まり，t の値が与えられると y の値が決まるので，下の模式図のようになるんだね。

$$\underset{\boxed{東京}}{x} \xrightarrow{\ f\ } \underset{\boxed{SF}}{t} \xrightarrow{\ g\ } \underset{\boxed{NY}}{y}$$

これは，x を東京，t を SF(サンフランシスコ)，y を NY(ニューヨーク)と考えると，"東京発，SF 経由，NY 行き"ということになる。つまり，

$$\begin{cases} (\text{i}) f \text{という飛行機で，まず，東京から } SF \text{ に行き，} \\ (\text{ii}) \text{次に，} g \text{ という飛行機に乗って，} NY \text{ に行く} \end{cases}$$

ということなんだね。

そして，この SF を経由せずに，下の模式図のように，x(東京)から，$y(NY)$ まで，直行便で行くことが，合成関数 $y = g(f(x))$ というわけなんだ。

$$x(\text{東京}) \xrightarrow{\ f\ } t(SF) \xrightarrow{\ g\ } y(NY)$$

直行便 $y = g(f(x))$

この合成関数 $y = g(f(x))$ は，$y = g \circ f(x)$ と書くこともある。

$\underset{\text{後}}{\boxed{}} \underset{\text{先}}{\boxed{}}$

ここで，注意点を1つ。合成関数 $g \circ f(x)$ は，x にまず f が先に作用して，その後で g が作用するということなんだ。したがって，$f \circ g(x)$ は，x に g が先に作用して，その後に f が作用することになるので，$g \circ f(x)$ と $f \circ g(x)$ はまったく異なる合成関数になるんだよ。

先程の例で確認しておこう。

(i) $t = f(x) = x^2$ ……①´ ，$y = g(t) = 2t + 1$ ……②´ のとき，

$g \circ f(x) = g(\underbrace{f(x)}_{x^2}) = g(x^2) = \overbrace{2x^2 + 1}^{\boxed{\text{②´の } t \text{ に } x^2 \text{ を代入した}}}$ となる。

(ii) $t = g(x) = 2x + 1$ ……①´´ ，$y = f(t) = t^2$ ……②´´ のとき，

$f \circ g(x) = f(\underbrace{g(x)}_{2x+1}) = f(2x + 1) = \overbrace{(2x + 1)^2}^{\boxed{\text{②´´の } t \text{ に } 2x+1 \text{ を代入した}}}$ となる。

どう？ 2つの合成関数 $g \circ f(x) = g(f(x))$ と，$f \circ g(x) = f(g(x))$ がまったく異なるものになることが，理解できただろう？ 納得いった？

以上を，まとめて下に示そう。

合成関数の公式

2つの関数 $y = f(x)$ と $y = g(x)$ について，次の異なる合成関数が定

$\boxed{\text{経由地の } t \text{ は一般には現れない}}$

義できる。

(i) $g \circ f(x) = g(f(x))$

(ii) $f \circ g(x) = f(g(x))$

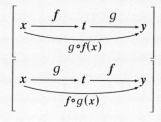

ン？合成関数についても，具体的に練習したいって!? 当然だね。次の練習問題を解いてみるといいよ。

練習問題 62　　合成関数　　CHECK 1　　CHECK 2　　CHECK 3

(1) $f(x) = \cos x$, $g(x) = 2x^2 - 1$ とする。このとき，合成関数
$g \circ f(x)$ と $f \circ g(x)$ を求めよ。

(2) $f(x) = 2^x$, $g(x) = -2x^2$ とする。このとき，合成関数
$g \circ f(x)$ と $f \circ g(x)$ を求めよ。

$g \circ f(x) = g(f(x))$ は，$g(t)$ と考えて，t に $f(x)$ を代入したものだし，
$f \circ g(x) = f(g(x))$ は，$f(t)$ と考えて，t に $g(x)$ を代入したものなんだね。
キチンと区別ができるように頑張ろう！

(1) $f(x) = \cos x$, $g(x) = 2x^2 - 1$ より

（ⅰ）合成関数 $g \circ f(x) = g(\underset{\underset{\boxed{\cos x}}{\|}}{f(x)})$ は，

> $g(x) = 2x^2 - 1$ の x に $\cos x$ を代入したもの

$g \circ f(x) = g(\cos x) = 2(\cos x)^2 - 1 = 2\cos^2 x - 1$　となる。

もちろん，これは三角関数の 2 倍角の公式：$\cos 2x = 2\cos^2 x - 1$
を用いて，

$g \circ f(x) = \cos 2x$　と表してもいいよ。

（ⅱ）合成関数 $f \circ g(x) = f(\underset{\underset{\boxed{2x^2-1}}{\|}}{g(x)})$ は，

> $f(x) = \cos x$ の x に $2x^2 - 1$ を代入したもの

$f \circ g(x) = f(2x^2 - 1) = \cos(2x^2 - 1)$　となるんだね。

(2) $f(x) = 2^x$, $g(x) = -2x^2$ より

（ⅰ）合成関数 $g \circ f(x) = g(\underset{\underset{\boxed{2^x}}{\|}}{f(x)})$ は，

> $g(x) = -2x^2$ の x に 2^x を代入したもの

$g \circ f(x) = g(2^x) = -2 \cdot (2^x)^2 = -2 \cdot 2^{2x} = -2^{2x+1}$　となる。

（ⅱ）合成関数 $f \circ g(x) = f(g(x))$ は，$\underbrace{f(x) = 2^x \text{ の } x \text{ に}}_{}$
$-2x^2$ を代入したもの

$\underbrace{\qquad}_{-2x^2}$

$f \circ g(x) = f(-2x^2) = 2^{-2x^2}$　となるんだね。大丈夫だった？

　以上で，"**関数**"の講義も終了です。この章は **2** 回のみの講義だったけれど，分数関数や無理関数だけでなく，偶関数や奇関数，**1** 対 **1** 対応の逆関数や **2** つの関数の合成関数など…，関数に関する重要テーマを沢山学んだんだね。そして，これらの考え方は，**「初めから始める数学 Ⅲ・C Part2」** の"**微分・積分**"のところで，重要な役割を演じるものばかりだから，今のうちにシッカリ反復練習して，自分のものにしておいてくれ。

　それでは，次回から，いよいよ，**「初めから始める数学 Ⅲ・C Part2」** の講義に入ろう。この最初のテーマは，"**数列の極限**"なんだね。これもまた，受験では頻出テーマの **1** つなので，またていねいに分かりやすく解説するつもりだ。楽しみにしてくれ！

　それでは，次回の講義まで，みんな元気でね。また会おうな！
サヨウナラ…。

第5章 ● 関数　公式エッセンス

1. 分数関数

（ⅰ）基本形：$y = \dfrac{k}{x}$

（ⅱ）標準形：$y = \dfrac{k}{x-p} + q$ ← 基本形 $y = \dfrac{k}{x}$ を $(p,\ q)$ だけ平行移動したもの

2. 無理関数

（ⅰ）基本形：$y = \sqrt{ax}$

（ⅱ）標準形：$y = \sqrt{a(x-p)} + q$ ← 基本形 $y = \sqrt{ax}$ を $(p,\ q)$ だけ平行移動したもの

3. 関数の対称移動

（ⅰ）$y = f(-x)$ ：$y = f(x)$ を y 軸に関して対称移動したもの

（ⅱ）$y = -f(x)$ ：$y = f(x)$ を x 軸に関して対称移動したもの

（ⅲ）$y = -f(-x)$：$y = f(x)$ を原点に関して対称移動したもの

4. 偶関数と奇関数

（ⅰ）偶関数 $f(x)$：$f(-x) = f(x)$ をみたす（y 軸に対称なグラフ）

（ⅱ）奇関数 $f(x)$：$f(-x) = -f(x)$ をみたす（原点に対称なグラフ）

5. 分数関数や無理関数と直線の関係

y を消去して，x の方程式にもち込む。

6. 1対1対応の関数の逆関数

$y = f(x)$ が，1 対 1 対応の関数であるとき，x と y を入れ替えて，$x = f(y)$ とし，これを $y = (x$ の式 $)$ の形に書き換えたものが，$y = f(x)$ の逆関数 $y = f^{-1}(x)$ である。

7. 合成関数

$y = f(x)$ と $y = g(x)$ について，次の 2 通りの合成関数が定義できる。

$\begin{cases} （ⅰ）合成関数：g \circ f(x) = g(f(x)) \\ （ⅱ）合成関数：f \circ g(x) = f(g(x)) \end{cases}$

Appendix(付録)

■ 補充問題 1 ● 内積の成分表示 ●

xy 座標平面上に，3 点 O$(0, 0)$，A(x_1, y_1)，B(x_2, y_2) があり，
$\vec{a} = \overrightarrow{OA} = (x_1, y_1)$，$\vec{b} = \overrightarrow{OB} = (x_2, y_2)$ とおく。このとき，$\vec{a}$ と $\vec{b}$ の内積
$\vec{a} \cdot \vec{b}$ が，$\vec{a} \cdot \vec{b} = x_1x_2 + y_1y_2$ ……(＊) と表されることを示せ。

ヒント！ △OAB についての余弦定理 $AB^2 = OA^2 + OB^2 - 2OA \cdot OB\cos\theta$ $(\theta = \angle AOB)$ を利用して，$OA \cdot OB\cos\theta = |\vec{a}||\vec{b}|\cos\theta = \vec{a} \cdot \vec{b}$ となることに気付けばいいんだね。

解答＆解説

$\vec{a} = \overrightarrow{OA} = (x_1, y_1)$，$\vec{b} = \overrightarrow{OB} = (x_2, y_2)$，
$\angle AOB = \theta$，また $a = |\vec{a}| = |\overrightarrow{OA}|$，
$b = |\vec{b}| = |\overrightarrow{OB}|$，$c = |\overrightarrow{BA}|$ とおく。
△OAB に余弦定理を用いると，
$c^2 = a^2 + b^2 - 2ab\cos\theta$ ……① となる。
ここで，

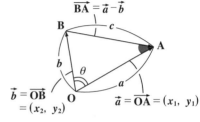

・$c^2 = |\overrightarrow{BA}|^2 = (x_1 - x_2)^2 + (y_1 - y_2)^2$ ……②
　$\boxed{\overrightarrow{OA} - \overrightarrow{OB} = (x_1, y_1) - (x_2, y_2) = (x_1 - x_2, y_1 - y_2)}$
・$a^2 = |\overrightarrow{OA}|^2 = x_1{}^2 + y_1{}^2$ ……③
　$\boxed{(x_1, y_1)}$
・$b^2 = |\overrightarrow{OB}| = x_2{}^2 + y_2{}^2$ ……④
　$\boxed{(x_2, y_2)}$

・$ab\cos\theta = |\vec{a}||\vec{b}|\cos\theta = \vec{a} \cdot \vec{b}$ ……⑤ であるので，②，③，④，⑤を
①に代入して，
$\underbrace{(x_1 - x_2)^2}_{x_1{}^2 - 2x_1x_2 + x_2{}^2} + \underbrace{(y_1 - y_2)^2}_{y_1{}^2 - 2y_1y_2 + y_2{}^2} = \cancel{x_1{}^2} + \cancel{y_1{}^2} + \cancel{x_2{}^2} + \cancel{y_2{}^2} - 2\vec{a} \cdot \vec{b}$ となる。

これをまとめると，$-2x_1x_2 - 2y_1y_2 = -2\vec{a} \cdot \vec{b}$　この両辺を -2 で割ると，
内積 $\vec{a} \cdot \vec{b}$ の成分表示の公式：$\vec{a} \cdot \vec{b} = x_1x_2 + y_1y_2$ ……(＊) が導ける。……(終)

xyz 座標空間内に，点 $A(3, 1, 2)$ を通り，方向ベクトル $\vec{d} = (2, -1, 3)$ の直線 L と，点 $B(1, 2, -1)$ を通り，法線ベクトル $\vec{n} = (3, -1, 2)$ の平面 α がある。

(1) 直線 L と平面 α の方程式を求めよ。

(2) 直線 L と平面 α の交点を P とおく。交点 P の座標を求めよ。

ヒント！ **(1)** 空間図形の直線と平面の公式を使って求めればいい。**(2)** では，直線 L の方程式の x, y, z を媒介変数 t で表すことがポイントだね。

解答 & 解説

(1) ・点 $A(3, 1, 2)$ を通り，方向ベクトル
$\vec{d} = (2, -1, 3)$ の直線 L の方程式は，

$$\frac{x-3}{2} = \frac{y-1}{-1} = \frac{z-2}{3} \cdots\cdots ① \text{ である。}$$

> ・点 $A(x_1, y_1, z_1)$ を通り，方向ベクトル $\vec{d} = (l, m, n)$ の直線の方程式：
> $$\frac{x-x_1}{l} = \frac{y-y_1}{m} = \frac{z-z_1}{n}$$
> ・点 $B(x_2, y_2, z_2)$ を通り，法線ベクトル $\vec{n} = (a, b, c)$ の平面の方程式：
> $$a(x-x_2) + b(y-y_2) + c(z-z_2) = 0$$

・点 $B(1, 2, -1)$ を通り，法線ベクトル
$\vec{n} = (3, -1, 2)$ の平面 α の方程式は，

$$3 \cdot (x-1) - 1 \cdot (y-2) + 2 \cdot \underset{z-(-1)}{(z+1)} = 0 \text{ より，} 3x - y + 2z + 1 = 0 \cdots②$$

である。……(答)

(2) ①$= t$（媒介変数）とおくと，← これがポイント

$$\frac{x-3}{2} = t \text{ より，} x = 2t + 3 \cdots\cdots③$$

$$\frac{y-1}{-1} = t \text{ より，} y = -t + 1 \cdots\cdots④$$

$$\frac{z-2}{3} = t \text{ より，} z = 3t + 2 \cdots\cdots⑤ \text{ となる。}$$

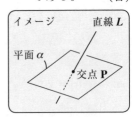

イメージ　　　　直線 L
平面 α　　　交点 P

③，④，⑤を②に代入すると，$3 \cdot \underset{x}{(2t+3)} - 1 \cdot \underset{y}{(-t+1)} + 2 \cdot \underset{z}{(3t+2)} + 1 = 0$

$6t + 9 + t - 1 + 6t + 4 + 1 = 0, \ 13t + 13 = 0, \ 13t = -13 \quad \therefore t = -1 \cdots⑥$

⑥を③，④，⑤に代入して，

$x = 2 \times (-1) + 3 = 1, \ y = -(-1) + 1 = 2, \ z = 3 \times (-1) + 2 = -1$ となる。

$\therefore$ 直線 L と平面 α の交点 P の座標は，$P(1, 2, -1)$ である。………(答)

243

◆ *Term・Index* ◆

244

スバラシク面白いと評判の
初めから始める数学III・C Part1
改訂2

マセマ

著　者　馬場 敬之　高杉 豊
発行者　馬場 敬之
発行所　マセマ出版社
〒 332-0023 埼玉県川口市飯塚 3-7-21-502
TEL 048-253-1734　FAX 048-253-1729
Email：info@mathema.jp
https://www.mathema.jp

編　集	山﨑 晃平	
校閲・校正	清代 芳生　秋野 麻里子　馬場 貴史	
制作協力	久池井 茂　久池井 努　印藤 治	
	滝本 隆　栄 瑠璃子　真下 久志	
	小野 祐汰　松本 康平　間宮 栄二	
	町田 朱美	
カバーデザイン	児玉 篤　児玉 則子	
ロゴデザイン	馬場 利貞	
印刷所	中央精版印刷株式会社	

令和 4 年 11 月 13 日　初版　　4 刷
令和 6 年 4 月 17 日　改訂 1 4 刷
令和 6 年 11 月 8 日　改訂 2 初版発行

ISBN978-4-86615-354-4 C7041